Studio

AQA GCSE French
Foundation

Clive Bell, Anneli McLachlan, Gill Ramage

Published by Pearson Education Limited, 80 Strand, London, WC2R 0RL.

www.pearsonschoolsandfecolleges.co.uk

Text © Pearson Education Limited 2016

Edited by James Hodgson

Designed and typeset by Oxford Designers & Illustrators Ltd.

Original illustrations © Pearson Education Limited 2016

Illustrated by Beehive Illustration – Simon Rumble, Andy Keylock, Paul Moran, Peter Lubach, Tamara Joubert, Dusan Pavlic and Adrian Barclay. Oxford Designers & Illustrators Ltd. John Hallett.

Cover images: Front: Alamy Images: kevers

Cover © Pearson Education Limited 2016

Written by Clive Bell, Anneli McLachlan and Gill Ramage

Additional material written by Eleanor Mayes

First published 2016

19 18 17 16

10 9 8 7 6 5 4 3 2 1

British Library Cataloguing in Publication Data

A catalogue record for this book is available from the British Library

ISBN 978 1 292 11775 1

Acknowledgements

We would like to thank Lynn Youdale, Fabienne Tartarin, Isabelle Retailleau, James Hodgson, Melanie Birdsall, Sara McKenna, Alex Harvey, Charlotte Law Pete Milwright, Barbara Cooper and her students, Leah Cooper, Sylvie Fauvel, Karen Pearson, Isabelle Porcon, Maela Thomas, Anne Guerniou, Alchemy Soho and Chatterbox Voices, Elliot Mitchell, Mikael Scaramucci, Matthew McNeil, Matthew Lacour, Billie-Jane Bayer-Crier, Celia Landi, Toscanie Hulett, Olivier Deslandes, Caroline Crier, Gemma Etienne and Marie Trinchant for their invaluable help in the development of this course.

Every effort has been made to contact copyright holders of material reproduced in this book. Any omissions will be rectified in subsequent printings if notice is given to the publishers.

The publisher would like to thank the following for their kind permission to reproduce copyright material in this book:
p. 21 *Kiffe kiffe demain* de Faïza Guène © Hachette Littératures 2004 © Librairie Arthème Fayard 2010; p. 42 *La fille qui n'aimait pas les fins*, Yaël Hassan & Matt7ieu Radenac, Collection «TEMPO» © Editions Syros, 2013; p. 64 R. Goscinny et J.-J. Sempé, extrait de «Mémé», *Le Petit Nicolas, c'est Noël*, IMAV Éditions, 2013; pp. 78-79 Office de Tourisme de Dinan - Vallée de la Rance (www.dinan-tourisme.com); p. 79 Vedettes Jaman V (www.vedettejamaniv.com); p.105 Bernard Friot, *Le cahier de mes vacances nulles… et de gribouillages* © Flammarion, 2014; p. 173 *Ah, la famille!*, de Moka © l'école des loisirs, 1997; p. 179 *C'est toujours bien*, Milan poche Junior, Tranche de vie, Philippe Delerm © 1998 Éditions Milan; p. 191 © Okapi avril 2005 Bayard Presse Jeunesse; p. 193 Net-Provence, net-provence.com

The publisher would like to thank the following for their kind permission to reproduce their photographs:

(Key: b-bottom; c-centre; l-left; r-right; t-top)

123RF.com: 34 (1-3), 56 (shirt), 76 (1d), 193 (1l), Antonio Diaz 134 (1cl), Antonio Guillem 43, auremar 159 (Esteban), Cathy Yeulet 134 (1tl), Eduard Bonnin Turina 47, Edyta Pawlowska 87, Gabor Kecskemeti 216 (2), Graham Oliver 33 (7-2), Iakov Filimonov 51, Ian Allenden 34 (1-1), Joerg Hackemann 194 (1-3), NejroN 93 (6 casino), Olha Shtepa 99 (5r), Stefano Cavoretto 121 (5tr), wavebreakmediamicro 136 (1-3c); **Alamy Images:** aberCPC 187 (7), age fotostock 155 (1g), André Quillien 187 (6), B.O'Kane 115 (5c), Blend Images 62 (1d), 139 (Antoine), blickwinkel 122 (1c), Bubbles Photolibrary 56 (boy), Catchlight Visual Services 159 (Leila), Chris Hill 103, Christopher Stewart 36c, Cultura Creative (RF) 124 (2-3), David Bagnall 126, Hemis 162 (1bl), Ian Allenden 114, 122 (1r), Image Source Plus 115 (5k), imageBROKER 77tr, incamerastock 72 (1c), John Devlin 82 (1c), Loop Images Ltd 115 (5l), MBI 21, 124 (2-1), 195br, Nik Taylor 144 (2 Hugo), Novarc Images 53 (6c), Peter Lane 82 (1a), PhotoAlto 195tr, Photononstop 195tl, picturesbyrob 173, Robert Hoetink 116 (1), ROYER Philippe 94 (1-3), Sergio Azenha 125, Shotshop GmbH 177 (7), simon leigh 115 (5f), Suzanne Porter 155 (1a), Tetra Images 195bl, WeddingSnapper.com.au 62 (2), Xinhua 134 (1cr); **Corbis:** 182, 196 (1l), Ian Lishman / Juice Images 136 (1-4a), KidStock 145; **Fotolia.com:** 7horses 76 (1a), abrahimmahfar 40 (1bl), Africa Studio 9, aigarsr 169, ajr_images 29 (5l), Alen-D 153, alenvl 198, Aliaksei Smalenski 60 (1b), Andy Dean 201, Anibal Trejo 123, AntonioDiaz 128, asife 139 (Cecile),

bakharev 33 (7-1), BlueOrange Studio 93 (6 beach), captblack76 76 (1e), celiafoto 93 (6 limo), chrisscopelia 33 (7-3), dpe123 82 (1b), DragonImages 17, dream79 60 (1e), eyetronic 92, fantasticrabbit 119 (c), Fotolia / Hoda Bogdan 33 (7-4), fred34560 76 (1c), freeskyline 144 (2 Ryan), Gorilla 107, Igor Mojzes 24, ImageArt 76 (1h), Ivonne Wierink 76 (1f), Jag_cz 179, Jessica B 94 (1-2), Jürgen Fälchle 10cr, karandaev 120 (g), Kirsty Pargeter 137 (Background), lianxun zhang 115 (5d), lic0001 86, littlehandstocks 58 (1-3), M.studio 58 (1-4), michaeljung 61, micromonkey 53 (6l), Monkey Business 33 (5br), 94 (3 receptionist), 117, 194 (1), Nataliia Pyzhova 60 (1a), oksmit 76 (1g), Patryssia 58 (1-6), Pavel Losevsky 122 (1l), photografiero 157 (5 boy), ruslan_100 33 (5bl), Sergey Nivens 211, the_lightwriter 56 (jacket), valleyboi63 184, Vankad 60 (1f), WavebreakmediaMicro 143; **Getty Images:** AFP 39cr, 96, AFP / Fred Tanneau 163, Alistair Berg 142 (1-6), Andersen Ross 196 (1r), Anne-Christine Poujoulat 162 (1cr), Barbara Van Zanten 72 (1b), Ben Pipe Photography 25, Bertrand Rindoff Petroff 39tr, Betsie Van der Meer 60 (1), Blend Images - Mike Kemp 62 (1c), Bruno Gori 34 (1-4), ESCUDERO Patrick 205, Fiona Jackson-Downes 136 (1-1a), franckreporter 81bc, Fred de Noyelle 136 (1 2c), Heroimages 176 (4), Image Source 41 (5t), 136 (1-3b), Jean Paul Thomas / Icon Sport 41 (5b), JGI / Tom Grill 120 (d), John Elk III 94 (1-1), Johner Images 58 (1-1), Juice Images 36l, Jutta Klee 53 (6r), Kristy Sparow 40 (1tl), Mark Tipple 55, Maskot 136 (1-1b), Matthew Stockman 197 (3), mediaphotos 10tr, MONTICO Lionel / Hemis.fr 77cr, Patrick Aventurier 155 (1c), Per-Anders Pettersson 33 (5tr), Rolfo 58 (1-2), 69, Shannon M. Lutman 81tl, Steve Debenport 148, Tetra Images 185, VCL / Alistair Berg 166, Veronica Garbutt 40 (1tr); **Imagemore Co., Ltd:** 124 (2-2); **Imagestate Media:** Phovoir 134 (1tr); **Lycée Français Charles de Gaulle:** 116 (2); **Masterfile UK Ltd:** 13 (4), 30, 183, photolibrary.com 102 (Diego); **Office de Tourisme Dinan - Vallée de la Rance:** 79; **Oxfam:** Bekki Frost 161 (4bl); **Pearson Education Ltd:** 216 (1), Gareth Boden 74 (Samuel), 119 (a), 159 (Blanche), Jon Barlow 74 (Charles), Martin Sookias 104, Jules Selmes 139 (Gael), 159 (Ethan), 159 (Margot), Studio 8 99 (5l), 119 (d); **PhotoDisc:** Sami Sarkis 77cl; **Press Association Images:** AP / Jack Plunkett 19 (6), PA Archive 18 (2c); **R. Goscinny et J.-J. Sempé:** 64; **Reuters:** Benoit Tessier 18 (2b), Gilbert Tourte 18 (2d), Norsk Telegrambyra AS 19 (5); **Rex Shutterstock:** imageBROKER / Shutterstock 81tc, Shutterstock 19 (7tl), Shutterstock / David Fisher 19 (7br), Sundance Film / Courtesy Everett Collection 39br, Xinhua News Agency / Shutterstock 154; **Shutterstock.com:** 571906 155 (1f), Aleksandr Markin 120 (e), alfa156 72 (1e), Alistair Rennie 84, Amble Design 161 (4br), AndjeiV 115 (5i), Andresr 120 (c), Andrey_Popov 81tr, 142 (1-4), Antonio Guillem 141, arek_malang 36r, ARENA Creative 23, Artos 94 (3 phone), aspen rock 136 (1-3a), beboy 157 (5 house), Blend Images 40 (1br), Bogdan Wankowicz 120 (b), canadastock 78 (1), CandyBox Images 34 (1-2), Cara-Foto 134 (1bl), Carole Castelli 77tl, Chepe Nicoli 74 (Tatiana), Chones 60 (1d), Christine Langer-Pueschel 12 (1bl), CREATISTA 12 (1br), Cynthia Farmer 131, David Hughes 76 (1b), DavidTB 175 (7b), Diego Cervo 135 (7c), Ditty_about_summer 101, Edyta Pawlowska 129, Elena Schweitzer 176 (1), espies 59, Featureflash 19 (7bl), Fedor Selivanov 72 (1a), Francey 155 (1e), Francis Wong Chee Yen 121 (5bl), Galushko Sergey 56 (shoes), goodluz 135 (7l), 178, Gordon Bell 193 (1r), Halfpoint 119 (b), IAKOBCHUK VIACHESLAV 33 (5tl), imtmphoto 136 (1-4c), Jackal Yu 155 (1h), Joana Lopes 144 (2 Arthur), Joana Lopes 144 (2 Arthur), John Wollwerth 175 (7t), Jorg Hackemann 102 (Orlando), Joshua Haviv 93 (6 NY), Jstone 191, Karkas 56 (jumper), 56 (Trousers), Karpov Oleg 155 (1d), Karramba Production 100, l i g h t p o e t 142 (1-2), Lewis Tse Pui Lung 102 (Albane), luminaimages 134 (1br), Marek CECH 180, Martin Novak 121 (5tl), meinzahn 29 (5r), mertcan 115 (5e), michaeljung 113, 124 (2-4), 136 (1-1c), Mila Supinskaya 161 (4tc), Milan Ilic Photographer 136 (1-2a), Monkey Business Images 13 (9), 81br, 108, 119 (e), 130, 135 (7r), 146, 172, 177 (6), Nancy Gill 165, Natalia Van Doninck 60 (1c), Naypong 120 (a), Nick_NIck 72 (1d), OlegDoroshin 218, Olga Nayashkova 120 (h), Olga Popova 56 (socks), oliveromg 181, pbombaert 144 (2 Rings), Photofollies 56 (belt), ponsulak 120 (f), Pressmaster 115 (5g), PT Images 121 (5br), Pyshnyy Maxim Vjacheslavovich 19 (7tr), racorn 127, Rade Kovac 115 (5a), Radu Razvan 162 (1tl), Richard Whitcombe 155 (1b), Rob Marmion 74 (Naima), Ruslan Guzov 6, Samuel Borges Photography 44, 102 (Malahat), Shaiith 89, Stanislav Komogorov 136 (1-2b), Subbotina Anna 68, TAGSTOCK1 168, Tyler Olson 93 (6 plane), Vadim Kolobanov 12 (1tr), Valeriy Velikov 58 (1-5), Vereshchagin Dmitry 115 (5b), 115 (5h), Vincent St. Thomas 115 (5j), vmedia84 81bl, wavebreakmedia 136 (1-4b), 142 (1-1), 142 (1-5), Wessel du Plooy 82 (1d), wizdata 18 (2a), Yuliia Chupina 65, Zoia Kostina 139 (Lena), ZouZou 62 (1a); **SuperStock:** Blend Images 144 (2 Noah), 144 (2 Samir), Mint Images 144 (2 Louis)

All other images © Pearson Education

Websites

Pearson Eduction Limited is not responsible for the content of any external internet sites. It is essential for tutors to preview each website before using it in class so as to ensure that the URL is still accurate, relevant and appropriate. We suggest that tutors bookmark useful websites and consider enabling students to access them through the school/college intranet.

Table des matières

Table des matières

1 Qui suis-je?
Point de départ 1

● *Revising family and describing people*

 1 Écoutez. Écrivez la bonne lettre pour chaque personne. (1–8)

> *Tu as des frères ou des sœurs?*

2 Choisissez le bon mot pour compléter chaque phrase.

1. La sœur de ma mère est **ma nièce** / **ma belle-sœur** / **ma tante**.
2. Le fils de mon oncle est **mon cousin** / **ma cousine** / **mon frère**.
3. La fille de mon père et ma belle-mère est **mon demi-frère** / **ma demi-sœur** / **ma sœur**.
4. La femme de mon grand-père est **ma mère** / **ma grand-mère** / **ma fille**.
5. Le mari de ma tante est **mon oncle** / **mon grand-père** / **mon beau-frère**.
6. Le fils de mon fils est **mon fils** / **mon grand-père** / **mon petit-fils**.

> ⭐ Remember, there are three different words for 'my':
>
> *mon* before a masculine person or noun, e.g. ***mon*** *père*
>
> *ma* before a feminine person or noun, e.g. ***ma*** *mère*
>
> *mes* before a plural noun (more than one), e.g. ***mes*** *parents*

3 Écrivez les adjectifs en deux listes: <u>adjectifs positifs</u> et <u>adjectifs négatifs</u>.

> **bavard**   **intelligent**   **méchant**   **charmant**   **impoli**   **arrogant**   **amusant**
> **agaçant**   **marrant**   **indépendant**   **fort**   **têtu**   **impatient**   **content**

4 Écoutez. Bruno décrit sa famille. Identifiez le membre de la famille sur la photo et notez les adjectifs utilisés. (1–7)

Exemple: **1** e: intelligente, marrante

G	*Adjectival agreement*		❯ *Page 214*

Most adjectives work like this:

masculine	feminine	masc plural	fem plural
no ending	add **-e**	add **-s**	add **-es**
e.g. *charmant*	e.g. *charmant**e***	e.g. *charmant**s***	e.g. *charmant**es***

5 À deux. Choisissez trois adjectifs pour décrire la personnalité des membres de votre famille.

Exemple:

> *Ma belle-mère est bavarde, marrante et têtue.*

Mamadou Cécile Lucie Denis

 6 lire **Regardez les images et lisez les phrases. Qui parle?**

Exemple: **1** Cécile

1 J'ai les cheveux bouclés et noirs.
2 J'ai les cheveux courts et gris.
3 Je suis petit et gros.
4 J'ai des boutons.
5 J'ai les cheveux blonds et frisés.
6 Je suis grande et mince.
7 J'ai une barbe.
8 J'ai des lunettes.

⭐ **Pronouns**

- Use **tu** when talking to a young person or somebody you know well.
- Use **vous** when talking to more than one person or an adult you don't know well.
- **On** and **nous** both mean 'we'. Many French people use *on* instead of *nous*, as it is easier to use.

Ⓖ *The present tense:* avoir *and* être　❯ *Page 202*

These are the two most useful verbs in French.

avoir	to have	**être**	to be
j'ai	I have	*je suis*	I am
tu as	you have	*tu es*	you are
il/elle/on a	he/she has; we have	*il/elle/on est*	he/she is; we are
nous avons	we have	*nous sommes*	we are
vous avez	you have	*vous êtes*	you are
ils/elles ont	they have	*ils/elles sont*	they are

7 lire **Copiez et complétez chaque phrase avec *j'ai* ou *je suis*.**

1 ＿＿＿＿ Annabelle Durand.
2 ＿＿＿＿ française.
3 ＿＿＿＿ 15 ans.
4 ＿＿＿＿ petite et mince.
5 ＿＿＿＿ les cheveux blonds et les yeux bleus.
6 ＿＿＿＿ des lunettes.
7 ＿＿＿＿ deux sœurs et un demi-frère.
8 ＿＿＿＿ polie et contente.

 8 écouter **Vous aidez la police après un incident. Écoutez les descriptions des suspects et notez les détails en anglais. (1–6)**

Exemple: **1** Male: tall, fat, short brown hair.

⭐ Listen for *il* or *elle* to find out if the suspect is male or female.

9 parler **À deux. Vous êtes un de ces suspects. Décrivez-vous. Imaginez aussi votre personnalité.**

Exemple: **1** J'ai les cheveux courts et bouclés …

J'ai	les cheveux	courts/longs. raides/bouclés/frisés. noirs/bruns/blonds/roux/gris/blancs.
	les yeux	bleus/verts/gris/marron.
	des lunettes/des boutons/une barbe/une moustache.	
Je suis	petit(e)/grand(e)/de taille moyenne/mince/gros(se). bavard(e)/intelligent(e)/arrogant(e).	

1 **Regardez le plan du centre-ville. Reliez les images et les mots.**

| a | **le cinéma** | b | **le café** | c | **le centre commercial** | d | **le bowling** | e | **le théâtre** |

| f | **la piscine** | g | **la plage** | h | **la boîte de nuit** | i | **la patinoire** | j | **les magasins** |

2 **Écoutez et mettez les images de l'exercice 1 dans le bon ordre.**

Exemple: 4, …

3 **Lisez les phrases et regardez le plan de l'exercice 1. Écrivez V (vrai) ou F (faux) pour chaque phrase.**

1 Il y a un bowling derrière le cinéma.
2 Le théâtre est devant la plage.
3 La plage est dans le centre commercial.
4 Le cinéma est devant le bowling.
5 Il y a une patinoire entre le théâtre et la boîte de nuit.
6 Le cinéma est dans le centre commercial.
7 Les magasins sont entre la piscine et le cinéma.

G **Definite and indefinite articles** **❯ Page 198**

	masculine	feminine	plural
'the'	*le*	*la*	*les*
'a' or 'some' (pl)	*un*	*une*	*des*

If a noun begins with a vowel or *h*, **le** or **la** shortens to **l'**, e.g. **l'église** (the church).

G **Prepositions** **❯ Page 199**

dans	in
derrière	behind
devant	in front of
entre	between

4 **À deux. À tour de rôle, regardez le plan et dites une phrase. Votre partenaire dit 'vrai' ou 'faux'.**

Exemple:
● *Il y a **une** piscine derrière **la** plage.*
■ *Faux!*

⭐ When you are speaking or writing, be careful to use 'a' and 'the' correctly.

*Il y a **un** café dans **le** cinéma.* There is **a** cafe in **the** cinema.

5 **Traduisez ces phrases en français.**

1 There is a cafe between the swimming pool and the cinema.
2 The shopping centre is in front of the beach.
3 There is a cinema behind the bowling alley.
4 The theatre is between the shops and the ice rink.
5 There is a night club in front of the beach.
6 There is an ice rink between the theatre and the night club.

6 écouter — **Écoutez. Quelle heure est-il? Écrivez la bonne lettre. (1–10)**

a **6.30** b **9.15** c **9.45** d **10.00** e **14.30**

f **15.15** g **16.40** h **20.05** i **16.30** j **22.40**

7 écouter — **Écoutez. Copiez et complétez le tableau en français. (1–6)**

	où?	quand?	à quelle heure?
1	cinéma	ce soir	20h

aujourd'hui	today
demain	tomorrow
ce/demain matin	this/tomorrow morning
cet/demain après-midi	this/tomorrow afternoon
ce/demain soir	this/tomorrow evening
lundi matin/samedi soir	on Monday morning/on Saturday night

> ★ ***Il est*** *huit heures.* **It is** 8 o'clock.
> ***à*** *8 heures/20 heures* **at** 8 o'clock

G *The verb* **aller** ❯ *Page 202*

aller *(to go)*	
je vais	nous allons
tu vas	vous allez
il/elle/on va	ils/elles vont

8 lire — **Lisez et traduisez ce texte en anglais.**

Aujourd'hui, c'est mon anniversaire. Ce matin, je vais au bowling avec mon frère. Cet après-midi, je vais au café à seize heures avec ma grand-mère. Le café est dans le centre commercial. Ce soir, je vais à la patinoire à dix-neuf heures et puis je vais au cinéma avec mes parents. Le cinéma est devant le théâtre, entre la piscine et le fast-food.

G *The preposition* **à** ❯ *Page 199*

The preposition ***à*** means 'at' <u>or</u> 'to'.

*à + le → **au**,* e.g. ***au*** *cinéma* (at/to the cinema)
*à + les → **aux**,* e.g. ***aux*** *magasins* (at/to the shops)
à *8 heures/20 heures* (at 8 o'clock)

9 parler — **À deux. Parlez de vos activités pour aujourd'hui. Utilisez ces notes.**

Exemple: **1**
• Ce matin, à neuf heures quinze, je vais à la patinoire, dans le centre commercial.
• Cet après-midi, à quinze heures, je vais au cinéma avec Alex.
• Ce soir, à vingt heures trente, je vais au théâtre.

1 7:42
Notepad
a.m. *(9.15):* ice rink
(in shopping centre)
p.m. *(15.00):*
cinema with Alex
evening *(20.30):*
theatre

2 9:15
Notepad
a.m. *(10.00):*
swimming pool
(behind ice rink)
p.m. *(14.30):* cafe
evening *(20.15):*
cinema with Kévin

3 11:36
Notepad
a.m. *(9.45):*
shops with Maya
p.m. *(16.00):* beach
evening *(19.30):*
bowling *(between
cinema and night
club)*

● *Talking about friends and what makes a good friend*
● *Using regular -er verbs in the present tense*

1 écouter

Écoutez. Choisissez une phrase de chaque colonne pour chaque personne. (1–5)

> *Qu'est-ce que tu fais avec tes amis?*

a Le soir, je retrouve mes amis au parc.

f On rigole bien ensemble.

b Le week-end, je traîne en ville avec mes copines.

g On regarde un film ou des clips vidéo.

c Le soir, je tchatte en ligne avec ma meilleure copine.

h On joue au foot ou au basket ensemble.

d Avec mon petit ami, j'écoute de la musique.

i On discute de tout.

e Le week-end, je passe chez ma petite copine.

j On mange ensemble au fast-food.

2 lire

Lisez le texte et choisissez la bonne option.

Le samedi matin, je reste au lit jusqu'à onze heures. L'après-midi, je traîne en ville avec mes copains et on rigole ensemble. Le samedi soir, je tchatte en ligne avec ma petite amie: on discute de tout ensemble. Le dimanche, je passe chez mon meilleur copain et on joue aux cartes. J'aime ça, c'est cool. **Nicolas**

rester au lit   to stay in bed

1 Le samedi matin, je reste au lit jusqu'à **onze heures** / **midi**.
2 L'après-midi, je retrouve **ma petite copine** / **mes copains** en ville.
3 Le samedi soir, je discute avec **ma meilleure copine** / **ma petite copine**.
4 Le dimanche, je joue aux cartes avec **mes amis** / **mon meilleur ami**.
5 Je trouve ça **bien** / **nul**.

⭐ There are different words for 'friend'. Use:
• *un ami/copain* for a boy
• *une amie/copine* for a girl
• *des amis/copains* for a mixed group
• *un petit ami/copain* for a boyfriend
• *une petite amie/copine* for a girlfriend.

Meilleur(e) means 'best': *mon meilleur copain* (my best friend).

3 parler

À deux. Utilisez ces images et dites ce que vous faites avec vos amis.

Exemple:
● *Que fais-tu avec tes amis?*
■ *Je retrouve mes amis au parc. On rigole bien ensemble.*

G The present tense: regular -er **verbs**   ❯ *Page 200*

Most French verbs are **-er** verbs. To form the present tense, remove the -er and add the correct ending, depending on the pronoun. The **je** and **il/elle/on** forms both end in **-e**.

Example: **jouer** (to play)

je jou**e**	nous jou**ons**
tu jou**es**	vous jou**ez**
il/elle/on jou**e**	ils/elles jou**ent**

4 lire   **Lisez le forum et identifiez la bonne personne.**

C'est quoi un bon ami, pour toi?

 Un bon ami est sympa et gentil, mais aussi modeste. Ma meilleure copine est toujours gentille. Elle aide tout le monde! **Louloute66**

 Pour moi, un bon ami est drôle et amusant. Il ou elle a le sens de l'humour et on rigole ensemble. **An@nas**

 À mon avis, un bon ami est généreux et sensible. Ma petite amie est très généreuse. Elle accepte aussi mes imperfections. **JeSuisBill**

 Je pense qu'un bon ami est honnête. Ma meilleure amie écoute mes problèmes et elle est toujours compréhensive. **Mayleen**

 Un bon ami est patient et fidèle. Avec un bon ami, on discute de tout. Mon petit ami écoute mes secrets et respecte mes opinions. **Sushi101**

 À mon avis, un bon copain est toujours optimiste et cool. On a aussi les mêmes centres d'intérêt. Je trouve ça vraiment important. **Legeek**

Who thinks that a good friend…

1 is faithful?
2 has a sense of humour?
3 is kind but also modest?
4 listens to your problems?
5 is sensitive?
6 is honest and understanding?
7 has the same interests as you?
8 is generous?

 Adjectival agreement: irregular adjectives ❯ Page 214

Most adjectives add **-e** when used with feminine nouns. However, some adjectives are different.

Some never change: *un copain **sympa**/une copine **sympa***.
Adjectives that already end in **-e** don't add an extra **-e** for feminine nouns: *un copain **sensible**/une copine **sensible***.

Some change in different ways:
*un copain gent**il** → une copine gent**ille***
*un copain compréhens**if** → une copine compréhens**ive***
*un copain génér**eux** → une copine génér**euse***

---

5 écouter   **Écoutez les descriptions d'un bon ami. Notez en français les adjectifs utilisés par chaque personne. (1–4)**

Exemple: **1** généreux, …

6 écouter   **Écoutez encore une fois. Notez en anglais les autres aspects de l'amitié qui sont importants pour chaque personne. (1–4)**

Exemple: **1** listens to my problems, …

7 parler   **À deux. C'est quoi un bon ami, pour vous? Discutez.**

8 écrire   **Écrivez votre réponse pour le forum «C'est quoi un bon ami, pour toi?».**

Je pense qu' Pour moi, À mon avis,	un bon ami **est**	patient/amusant. sympa/cool/drôle. modeste/honnête/fidèle/sensible/ optimiste. généreux/gentil/compréhensif.
Un bon ami		**écoute** mes problèmes/mes secrets. **discute** de tout avec moi. **aide** tout le monde. **accepte** mes imperfections. **respecte** mes opinions. **a** les mêmes centres d'intérêt que moi. **a** le sens de l'humour.

1 lire **Lisez l'article. Dans le texte, cherchez l'équivalent français des verbes en anglais. Ils sont en mauve.**

Exemple: **1** Je m'occupe de …

Les Britanniques adorent *EastEnders*; les Français regardent *Plus belle la vie* ou *Fais pas ci, fais pas ça*. Ici on présente une nouvelle série: *C'est de famille!* La famille Bonnet est une famille importante dans la série.

NOUVELLE SÉRIE:

C'est de famille!

Je m'appelle Édith Bonnet.
Je suis travailleuse et dynamique.
Je m'occupe de mes deux enfants.
Mon ex-mari s'appelle Jean-Paul mais il habite maintenant en Angleterre.
Je m'entends bien avec mon fils, Adrien.

Je suis **Pricillia Bonnet**. **Je me chamaille avec** ma mère mais mon grand-père écoute mes problèmes. **Je me dispute avec** mon frère, Adrien, parce qu'il est méchant. Il est égoïste et jaloux.

Je m'appelle **Michel** et je suis le grand-père de la famille Bonnet. Je suis fort, généreux et sympa. Ma femme est morte. **Je m'amuse avec** mes petits-enfants mais quelquefois, je me dispute avec Édith parce qu'elle est têtue.

1 I look after …	**4** I get on well with …
2 I have fun with …	**5** I argue with …
3 My name is …	**6** I bicker with …

2 lire **Lisez les phrases. C'est qui? Écrivez Édith, Pricillia ou Michel.**

1 Elle se dispute avec sa mère.
2 Il se chamaille avec sa belle-fille, Édith.
3 Elle s'occupe de sa famille.
4 Elle se dispute avec son frère.
5 Il s'amuse avec ses petits-enfants.
6 Elle s'entend bien avec son fils.

> **G** *Reflexive verbs* **>** *Page 201*
>
> These verbs have a **reflexive pronoun** in front of the verb. The verb is conjugated as usual.
> Example: ***se disputer*** (to argue)
>
> | je **me** dispute | nous **nous** disputons |
> |---|---|
> | tu **te** disputes | vous **vous** disputez |
> | il/elle/on **se** dispute | ils/elles **se** disputent |
>
> Watch out for *s'entendre*: it is an **-re** verb.
> *je m'entends, tu t'entends, il s'entend*
> (See page 200.)

3 écouter **Écoutez. Copiez et complétez le tableau en français. (1–4)**

	personnage	s'entend bien avec …	se dispute avec …
1	Gaspard	sa sœur	

1 Gaspard **2 Agathe** **3 Dylan** **4 Sara**

> **G** *Possessive adjectives* **>** *Page 216*
>
> | | **masc** | **fem** | **plural** |
> |---|---|---|---|
> | my | *mon* | *ma* | *mes* |
> | your | *ton* | *ta* | *tes* |
> | his/her | *son* | *sa* | *ses* |

4 lire   **Lisez l'interview. Écrivez V (vrai) ou F (faux) pour chaque phrase.**

Q: Tu joues quel rôle dans *C'est de famille!*?

R: Je joue le rôle de Noémie Beregi.

Q: Il y a combien de personnes dans ta famille?

R: Dans ma famille, il y a cinq personnes: ma mère, mon beau-père, ma sœur aînée, mon frère cadet, et moi.

Q: Ta sœur est comment?

R: Ma sœur s'appelle Océane et elle a 16 ans. Elle est grande et assez mince. Elle a les cheveux noirs et les yeux marron. Elle a l'air cool. Quelquefois, Océane semble timide mais elle est bavarde et généreuse.

Q: Tu t'entends bien avec ta famille?

R: Je m'entends bien avec ma sœur parce qu'elle est extrêmement gentille. On a les mêmes centres d'intérêt et elle écoute mes problèmes. Par contre, je me dispute souvent avec mes parents car ils sont agaçants et sévères.

1 Noémie a un frère et deux sœurs.
2 Océane est la sœur cadette de Noémie.
3 Océane est assez petite.
4 Océane semble timide.
5 Noémie et Océane s'entendent bien.
6 Les sœurs ont des centres d'intérêt différents.
7 Noémie se dispute avec ses parents.

5 lire   **Relisez l'interview et trouvez l'équivalent français de ces expressions.**

1 in my family there are five people
2 my older sister
3 my younger brother
4 she looks cool
5 sometimes Océane seems …
6 they are annoying and strict

6 écouter   **Écoutez la description de la famille d'Arthur. Dans quel ordre parle-t-il des sujets suivants?**

a how many are in his family

b what his mum looks like

c his mum's personality

d who he gets on well with

e who he doesn't get on well with

7 écouter   **Écoutez encore une fois. Notez <u>en anglais</u> des détails pour chaque sujet de l'exercice 6.**

Exemple: **a** six people: his …

| **trop** | too |

8 parler   **À deux. Regardez la photo. Vous faites partie de cette famille. Décrivez votre famille.**

9 écrire   **Inventez une nouvelle famille pour *C'est de famille!* Écrivez une description de la famille.**

Dans ma famille, il y a … personnes:	mon	père/beau-père/frère (aîné/cadet)/demi-frère	et moi.
	ma	mère/belle-mère/sœur (aînée/cadette)/demi-sœur	
Mon père	est semble a l'air	travailleur/fort/têtu/égoïste/méchant/agaçant/sévère.	
Ma mère		travailleuse/forte/têtue/égoïste/méchante/agaçante/sévère.	
Il/Elle	a	les cheveux bouclés/les yeux bleus/le sens de l'humour.	
Je m'entends bien avec (mon père/ma sœur) parce que …			
Je me dispute avec (mon frère/ma mère) parce que …			

3 On va voir un spectacle?

- *Making arrangements to go out*
- *Using the near future tense*

1 Lisez les messages. Copiez et complétez le tableau en français.

	activité proposée	quand?	site web
1	aller à un match	ce soir à 20h	c

1 Ce soir, je vais aller à un match avec ma mère. On va arriver au stade à 20h. Tu veux venir? Regarde ici: ▭.

2 Demain, je vais faire les magasins en ville à 9h30. Je vais aller ici: ▭. Tu veux venir?

3 On va faire du patin à glace samedi à 9h. Tu veux venir? C'est ici: ▭. Après on va manger au fast-food. Ça va être génial.

4 Je vais faire du skate cet après-midi à 15h30. Tu veux venir? Voici le site: ▭.

5 Dimanche soir à 20h, on va voir un spectacle. Voilà: ▭. Ce sont des acrobates. Ça va être super. Tu veux venir?

6 Je vais jouer à des jeux vidéo ce soir. Tu veux venir chez moi entre 19h et 19h30? Au fait, tu veux voir mon nouveau portable? Voilà: ▭.

ⓐ CENTRE COMMERCIAL NICÉTOILE

ⓑ Ordinateurs portables dernier cri

ⓒ L'OGC de Nice

ⓓ SKATEPARK DE NICE

ⓔ Complexe sportif Jean Bouin

ⓕ CIRQUE DU SOLEIL EN FRANCE

ⓖ The near future tense ❯ **Page 207**

The near future tense is formed with the verb *aller* followed by an **infinitive**.

je vais	**aller** à un match/au bowling/
tu vas	au cinéma/à la piscine
il/elle/on va	**voir** un spectacle
nous allons	**faire** du patin à glace/du skate/
vous allez	les magasins
ils/elles vont	**jouer** à des jeux vidéo

---

2 Écoutez les messages. Pour chaque message, notez les détails suivants en anglais. (1–6)

a what they are going to do
b when
c at what time

3 Décrivez vos projets pour le week-end. Utilisez l'agenda.

Exemple: Vendredi soir, à 20h, je vais aller au bowling. Samedi matin, …

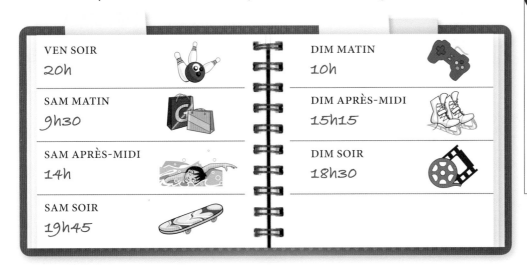

VEN SOIR 20h	DIM MATIN 10h
SAM MATIN 9h30	DIM APRÈS-MIDI 15h15
SAM APRÈS-MIDI 14h	DIM SOIR 18h30
SAM SOIR 19h45	

Point culture

French speakers use the 24-hour clock much more than English speakers, so don't be surprised if you see or hear times like 19h30 (*dix-neuf heures trente*) in conversations. If you have to write a time like 20h30 in English, you can write it as 8.30 p.m. or 20:30.

4 lire   **Lisez la conversation et choisissez les bons mots pour remplir les blancs.**

Je vais **a** _____, tu veux venir?

Quand?

b _____.

Avec qui?

Avec **c** _____.

Oui, d'accord 😊. On y va comment?

d _____. On se retrouve où?

e _____.

OK, on se retrouve à quelle heure?

f _____.

D'accord, à plus tard!

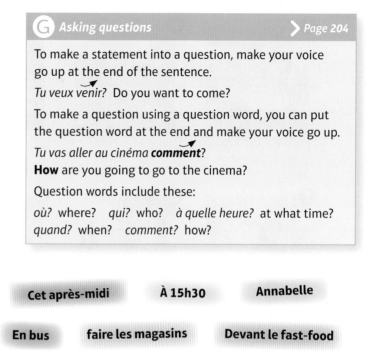

G **Asking questions**   **⟩ Page 204**

To make a statement into a question, make your voice go up at the end of the sentence.

Tu veux venir?   Do you want to come?

To make a question using a question word, you can put the question word at the end and make your voice go up.

Tu vas aller au cinéma **comment**?

How are you going to go to the cinema?

Question words include these:

où? where?   *qui?* who?   *à quelle heure?* at what time?

quand? when?   *comment?* how?

Cet après-midi   À 15h30   Annabelle

En bus   faire les magasins   Devant le fast-food

5 écouter   **Écoutez. Notez en français les détails a–f de chaque conversation, comme dans l'exercice 4. (1–4)**

Exemple: **1 a** voir un film, **b** ...

en métro   by underground
à vélo   by bike

6 parler   **À deux. Utilisez ces détails et le dialogue de l'exercice 4 pour préparer des conversations sur Skype.**

1   7:42   Notepad

see a show – tonight –
with Max – by bus
meet in town – 7.15 p.m.

2   9:15   Notepad

go to the beach –
Saturday p.m. –
with my dad – by bike
meet in front of cafe –
3.30 p.m.

3   11:36   Notepad

go to cinema – Friday eve
– with my best friend –
by bike
meet in front of fast-food
restaurant – 6.45 p.m.

7 écrire   **Vous allez passer le week-end prochain à Nice avec votre famille. Écrivez ce que vous allez faire. Utilisez les idées de l'exercice 1.**

Exemple: Le week-end prochain, je vais visiter Nice avec ma famille.
Vendredi soir, on va ...

⭐ Remember to use *je vais* or *on va* + an infinitive to talk about the future.

To say what it is going to be like, use *ça va être* + adjective.

Ça va être super! It's going to be great!

- *Describing a day out*
- *Using the perfect tense*

1 écouter **Écoutez et mettez les images dans le bon ordre.**

a J'ai discuté avec ma copine.

b Je suis allée en ville.

c J'ai mangé un sandwich.

d J'ai retrouvé ma copine.

e J'ai raté le bus.

f J'ai contacté une copine.

g J'ai écouté de la musique.

h J'ai acheté des vêtements.

i J'ai quitté la maison.

j C'était super.

G *The perfect tense* 〉 *Pages 208 and 210*

You use the **perfect tense** to talk about what you **did** or **have done**.

For most verbs, you use the *je* form of *avoir* (*j'ai*) followed by a **past participle**.

For *-er* verbs, the past participle has *-é* on the end: *mangé/contacté/discuté*.
j'ai contacté I contacted

The verb *aller* (to go) is different. It uses **être** instead of *avoir*.
je suis allé(e) I went

Add the extra *-e* if you are a girl.

> ⭐ *C'était* means 'it was'.

---

2 parler **À deux. À tour de rôle, changez les verbes et dites les phrases comme dans l'exemple.**

Exemple: **1** Normalement, <u>je joue</u> au foot mais hier, <u>j'ai joué</u> au rugby.

1 Normalement, (*jouer au foot*) mais hier, (*jouer au rugby*).
2 Normalement, (*manger un sandwich*) mais hier, (*manger une pizza*).
3 Normalement, (*regarder la télé*) mais hier, (*regarder un film*).
4 Normalement, (*tchatter avec ma copine*) mais hier, (*tchatter avec mon cousin*).
5 Normalement, (*traîner en ville*) mais hier, (*traîner au parc*).
6 Normalement, (*aider ma mère*) mais hier, (*aider ma grand-mère*).
7 Normalement, (*écouter de la musique*) mais hier, (*écouter la radio*).
8 Normalement, (*aller au bowling*) mais hier, (*aller à la patinoire*).

💬 Make sure there is a clear difference between the way you pronounce *je* and *j'ai*. Also make sure you pronounce the sound *é* correctly.

⭐ **Normalement + present tense**
Normalement, je joue au foot … (Normally, I play football …)
Hier + perfect tense
… mais hier, j'ai joué au rugby. (… but yesterday, I played rugby.)

3 lire **Lisez le texte. Écrivez V (vrai) ou F (faux) pour chaque phrase.**

Hier, j'ai passé une très bonne journée. D'abord, je suis allé au centre commercial où j'ai acheté un tee-shirt et un jean. Puis j'ai envoyé un texto à mon ami Paul et j'ai retrouvé Paul au centre sportif. J'ai joué au badminton avec Paul mais il a gagné! À 15h30, j'ai quitté le centre sportif et je suis allé au café où j'ai mangé un hamburger avec des copains. Ensuite, j'ai joué à des jeux vidéo dans le café. Le soir, j'ai écouté de la musique dans ma chambre et j'ai aussi tchatté en ligne avec mon correspondant anglais. Après, j'ai aidé ma belle-mère dans la cuisine. Plus tard, j'ai regardé un film à la télé avec mes parents et puis je suis allé au lit à 22h. **Freddie**

1   Hier, Freddie a passé une journée horrible.
2   Il a acheté des vêtements.
3   Il a contacté son ami Paul.
4   Freddie est allé au centre sportif.
5   L'après-midi, il a mangé avec sa belle-mère.
6   Il a écouté de la musique dans le café.
7   Le soir, Freddie a aidé sa belle-mère.
8   Il est allé au lit à 23h30.

> ⭐ You might not know what the verb *gagner* means. Can you make a guess using the context?

4 lire **Relisez le texte. Copiez et complétez le tableau avec les mots que vous trouvez dans le texte.**

Read the text again. Copy and complete the table. How many time phrases, sequencers and connectives can you find?

time phrases, sequencers and connectives	
French	**English**
hier	yesterday
d'abord	first of all
où	where

5 écouter **Écoutez les descriptions. Notez si la journée est positive (P), négative (N) ou positive et négative (PN). Notez aussi les raisons en anglais. (1–4)**

6 écrire **Traduisez ces phrases en français.**

1   Yesterday morning I contacted my friend Yasmin.
2   I left the house at 10 a.m. but I missed the bus.
3   I met Yasmin in town.
4   I went to the fast-food restaurant, where I ate a hamburger.
5   Afterwards, I bought a pair of jeans.
6   In the evening I helped my brother.
7   Then I watched TV with my family.
8   Later, at 10.30 p.m., I went to bed.

7 parler **À deux. Décrivez ce que vous avez fait le week-end dernier. Utilisez les images.**

1 **2** **3** **4**

5 **6** **7**

> ⭐ Remember, each perfect tense verb has two parts:
> *j'ai* or *je suis* + a past participle with *é* on the end.
> Make sure you use both parts!

- *Discussing role models*
- *Using the present and perfect tenses together*

1 **Écoutez. Quatre jeunes parlent d'une personne qu'ils admirent. Notez le nom de leur modèle et les adjectifs mentionnés. (1–4)**

Exemple: **1** Bradley Wiggins; travailleur, …

2 **Lisez et identifiez la bonne photo pour chaque description.**

 The perfect tense ❯ *Page 208*

Remember, to form the perfect tense of most verbs, you use the correct part of *avoir* + the past participle. So to say what someone else did or has done, use *il a* or *elle a* + the past participle.

elle a termin**é** she finished, she has finished
il a travaill**é** he worked, he has worked

Quelle personne française admires-tu le plus?

Mon modèle s'appelle Olivier Rousteing. Il est jeune, noir et enfant adopté, comme moi. Il crée des vêtements pour une grande maison de mode. Des stars célèbres comme Beyoncé et Rihanna ont porté ses vêtements. Je voudrais être comme lui. **Demba**

Mon héroïne, c'est ma grande sœur. Elle est travailleuse et intelligente. L'année dernière, elle a terminé ses études à l'université et maintenant elle est professeur. Elle est très forte. C'est bien de suivre l'exemple d'une autre personne. **Annie**

Mon héros est le grand auteur de romans Marc Lévy. C'est l'auteur francophone le plus populaire au monde. Je trouve ses livres vraiment fabuleux. J'admire sa créativité et sa détermination. Il a travaillé très dur. **Alison**

Moi, j'admire Andrée Peel, ou «l'Agent Rose», une héroïne de la Résistance française. Elle a sauvé la vie de 102 jeunes soldats et aviateurs et a aidé plus de 20 000 personnes. Elle était dans un camp de concentration en 1944 mais l'armée américaine a libéré les prisonniers juste avant son exécution. Elle était courageuse face à des dangers terribles. **Markus**

francophone	*French-speaking*
le plus populaire	*the most popular*

 a
 b
 c
 d

3 **Relisez les descriptions de l'exercice 2. Qui dit ça?**

1 My hero is …
2 My heroine is …
3 My role model is called …
4 Personally, I admire …
5 I would like to be like him.
6 I admire his creativity and his determination.
7 It's good to follow the example of another person.
8 She was brave when faced with terrible dangers.
9 He is young, black and adopted, like me.
10 He has worked very hard.

Using a combination of tenses

Use the **present tense** to talk about what somebody does now, e.g. *il crée des vêtements*.

Use the **perfect tense** to say what somebody did or has done, e.g. *il a travaillé très dur*.

To say what he or she **was like**, use *il/elle était* + an adjective, e.g. *elle était courageuse*.

4 **Choisissez un texte de l'exercice 2. Traduisez le texte en anglais.**

5 lire Reliez les questions et les réponses qui vont ensemble.

1 Comment s'appelle la personne que tu admires?

2 C'est qui?

3 Fais-moi sa description physique.

4 Quelle est sa personnalité?

5 Pourquoi est-ce que tu admires cette personne?

a Elle a lutté pour le droit des jeunes filles à une éducation. Elle a gagné le prix Nobel de la paix à l'âge de 17 ans.

b Elle est assez mince et petite. Elle a les cheveux noirs et les yeux marron. Elle porte le foulard parce qu'elle est musulmane.

c Malala est une jeune personne de nationalité pakistanaise.

d Elle est courageuse, forte et modeste.

e Mon héroïne s'appelle Malala Yousafzai.

lutter to fight   ***porter le foulard*** to wear a headscarf

6 écouter Écoutez l'interview sur Stromae et notez en anglais les réponses aux cinq questions de l'exercice 5.

son père est mort   his father died

Stromae

7 parler À deux. Préparez des réponses aux cinq questions de l'exercice 5 pour une de ces personnes.

Emma Watson

Lewis Hamilton

Stella McCartney

Stephen Hawking

Mon héros/héroïne s'appelle …			
C'est	une actrice/un pilote de Formule 1/ une créatrice de mode/un scientifique		célèbre.
Il/Elle	est	petit(e)/grand(e)/de taille moyenne/gros(se)/ mince/beau(belle).	
	a	les cheveux longs/courts/blonds/noirs/gris/ bouclés. les yeux bleus/marron. des lunettes/une barbe.	
Il	est	travailleur/courageux/généreux/sportif/ créatif/intelligent.	
Elle		travailleuse/courageuse/généreuse/sportive/ créative/intelligente.	
J'admire X car il/elle	a	joué dans beaucoup de films/travaillé très dur/ gagné beaucoup de courses/donné de l'argent aux bonnes œuvres/lutté contre ses problèmes.	

8 écrire Trouvez une photo d'une personne que vous admirez. Écrivez une description de cette personne.

1 | lire   **Read what these French teenagers have posted about themselves on a website.**

La première sortie
J'adore discuter avec mes copines et rigoler avec elles. **Lili**
Je suis honnête et travailleuse: pour moi, le collège est important. **Amandine**
Le soir, mes amis et moi, on se retrouve au centre sportif où on joue au basket ou au hand. **Markus**
Je suis parfois agaçant et je me dispute tout le temps avec mes parents. **Éthan**
Je suis plutôt timide. Je préfère regarder des clips vidéo seule dans ma chambre. **Fatou**
Ma passion, c'est tchatter ou jouer à des jeux en ligne. **Georges**

Write the name of the correct person to answer each question.

1 Who likes to socialise online?
2 Who is sporty?
3 Who is not very sociable?
4 Who works hard at school?

> Read each forum entry carefully, and don't jump to conclusions. For example, Lili is certainly very sociable, but she doesn't mention anything to do with socialising online.

2 | lire   **Lisez l'article et répondez aux questions.**

Un premier rendez-vous

Des jeunes Français ont répondu à cette question: qu'est-ce que tu as fait pour ta première sortie avec ton petit copain/ta petite copine?

- J'ai invité ma copine à la piscine avec moi. On a nagé puis on a mangé un hamburger au resto de la piscine.
- Comme j'aime bien rigoler et m'amuser, on a fait du paintball toute la journée.
- J'ai acheté des sandwichs et nous sommes allés à la plage pour les manger.
- On a pris le bus touristique qui fait le tour de ma ville. C'était génial … mais c'était cher!
- Ma copine et moi, on a fait une promenade à la campagne. La forêt était très belle mais c'était un peu loin.

1 Choisissez dans la liste <u>deux</u> activités mentionnées dans l'article.
Écrivez les bonnes lettres.

A	un spectacle	**B**	le cinéma	**C**	la natation
D	le patin à glace	**E**	un pique-nique	**F**	la danse

2 Mentionnez l'aspect <u>négatif</u> de la visite en bus. Répondez en français.
3 Mentionnez l'aspect <u>positif</u> de la promenade. Répondez en français.

> Don't be put off by having to answer questions in French. For questions 2 and 3, you should be able to copy the answers directly from the text. Make sure you copy only what is relevant, though – i.e. the negative aspect of the bus tour and the positive aspect of the walk.

3 lire **Read this abridged extract from *Kiffe kiffe demain* by Faïza Guène. Doria, the narrator, is talking about her Aunt Zohra.**

Vendredi. Maman et moi, on est invitées chez Tante Zohra pour manger son couscous. On a pris le train tôt le matin pour passer toute la journée chez elle.

Tante Zohra, elle a de grands yeux verts et elle rit tout le temps. C'est une Algérienne de l'Ouest. En plus, elle a une histoire marrante, parce qu'elle est née le 5 juillet 1962, le jour de l'indépendance de l'Algérie.

Je l'aime beaucoup, parce que c'est une vraie femme. Une femme forte.

Which three statements are true? Write down the letters.

A The narrator and her mum went to see Aunt Zohra on Friday.
B They travelled by train in the morning.
C Aunt Zohra is tall with green eyes.
D Aunt Zohra is from Algeria.
E Aunt Zohra was born on 5 June 1962.
F The narrator doesn't like her aunt.

1 écouter **Vous écoutez une radio française en ligne. Ces jeunes parlent de leurs problèmes avec certaines personnes. C'est qui? Choisissez la bonne lettre pour chaque personne. (1–4)**

A	parents	**B**	petit copain	**C**	frère
D	meilleure amie	**E**	belle-mère	**F**	professeur

- Some speakers may mention more than one person, so listen carefully to decide who it is that they are having problems with.
- Some speakers don't use the exact word that you see in the grid to refer to the person they're having trouble with – they say a word or phrase that means the same thing. As you listen, you might find it helpful to write down what you do hear, so that you can then work out which of the people from the grid this is.

2 écouter **On French radio, a reporter is talking about the findings of a survey into role models. Which finding goes with each percentage? Write the correct letter. (1–3)**

A	Sports stars make the best role models.	**E**	Family role models are best.
B	TV stars make good role models.	**F**	TV stars don't make good role models.
C	Hard-working people are good role models.	**G**	Having a role model is not important.
D	Personal qualities matter most.		

1 63%   **2** 41%   **3** 27%

A – Role play

1 parler **Look at the role play card and prepare what you are going to say for each bullet.**

What unprepared question might you be asked? Think of a few possibilities and how you could answer them.

What question do you have to ask here? There could be more than one possibility.

Your teacher will play the part of your French friend and will speak first.

You should address your friend as *tu*.

When you see this – **!** – you will have to respond to something you have not prepared.

When you see this – **?** – you will have to ask a question.

Tu discutes du week-end avec un(e) ami(e) français(e).
- Le week-end – une activité typique
- **!**
- Le fast-food – ton opinion
- Projet pour samedi prochain (<u>deux</u> détails)
- **?** Ce week-end – où

You could use something straightforward, like *j'aime …* or *je n'aime pas …*

What tense should you use for this bullet?

2 écouter **Practise what you have prepared. Then, using your notes, listen and respond.**

⭐ In every role play, you have to ask a <u>question</u>. Some questions need a question word. The easiest way to ask a question is to make a statement and put the question word at the end, making the tone of your voice go up.

*On mange **à quelle heure**?* What time are we eating?

3 écouter **Now listen to Alice doing the role play and compare her answers with yours.**

B – Picture-based discussion

1 lire **The words and phrases in the grid are useful for describing a photo. Check that you know what they all mean.**

Sur la photo, il y a		un	garçon/homme …
		une	fille/femme/famille …
		des/trois/un groupe de/d'	enfants/jeunes/copains …
Le garçon/La famille/Il/Elle	est	dans	le jardin/une maison …
		en	ville …
Les jeunes/Ils	sont	au	parc/café …
		à la	plage …
La famille/Il/Elle	joue au foot/regarde un match …		
Les amis/Ils	rigolent/discutent ensemble …		

- Look at the photo.
- Make any notes you wish to on paper.
- Your teacher will then ask you questions about the photo and about topics related to **me, my family and friends**.

Your teacher will ask you the following three questions and then **two more questions** which you have not prepared.

- Qu'est-ce qu'il y a sur la photo?
- Tu t'entends bien avec ta famille? Pourquoi/Pourquoi pas?
- Qu'est-ce que tu vas faire ce week-end avec ta famille?

2 écouter **Look at the photo and read the task. Then listen to Bradley's answer to the <u>first</u> question.**

1 Which words or phrases from the grid on page 22 does he use?
2 What extra information does he give?
3 Which two phrases does he use to give his opinion about the people in the photo?

3 écouter **Listen to and read how Bradley answers the <u>second</u> question.**

1 Write down the missing word for each gap.

> Oui, en général, je m'entends **1** ⬜ avec ma famille. Je m'entends
> **2** ⬜ bien avec mes parents parce qu'ils sont amusants et **3** ⬜.
> Ils ne sont pas **4** ⬜ stricts et on rigole ensemble. J'aime **5** ⬜
> avec mes parents le week-end. Par contre, je pense que ma sœur **6** ⬜ est
> agaçante et égoïste. Elle **7** ⬜ vraiment mignonne mais on se dispute tout
> le temps, surtout **8** ⬜ on est dans la voiture ensemble.

2 Find the French for:

(a) in general (b) on the other hand (c) especially

3 Look at the Answer booster on page 24. Find <u>five</u> examples of things Bradley includes to make his answer a strong one.

4 écouter **Listen to Bradley's answer to the <u>third</u> question. He uses several techniques to expand on his basic answer. Put these techniques into the order you hear Bradley use them.**

A provides extra information like who with/when/how
B gives an opinion and justifies it with two different reasons
C uses two different tenses in the same sentence
D says what he <u>isn't</u> going to do as well as what he is going to do
E gives alternatives using *ou* (or)

5 parler **Prepare your own answers to the three questions on the task card. Think about which other two questions you could be asked. Then listen and take part in the full picture-based discussion.**

Answer booster	Aiming for a solid answer	Aiming higher	Aiming for the top
Verbs	**Verbs with** *je* **Different time frames:** present, perfect and near future tenses	**Different persons of the verb:** not just *je* but *il/elle/on*	**Reflexive verbs:** *je m'entends bien avec …*
Opinions and reasons	**Basic verbs of opinion:** *j'aime/je n'aime pas/j'adore/ je déteste …* **C'est + adjective:** *C'est super!*	**Giving reasons with** *car/ parce que:* *parce qu'il est marrant*	**Opinion phrases:** *Pour moi, …, Je pense que …, À mon avis, …* **Opinions in different tenses:** *Ça va être cool!/C'était top!*
Connectives	*et, mais, ou*	*car, parce que, où*	*cependant, par contre*
Other features	**Basic qualifiers:** *très, assez* **Frequency phrases:** *toujours, parfois* **Negatives:** *ne … pas*	**More interesting qualifiers:** *vraiment, extrêmement, trop* **Time phrases:** *récemment, dans le futur*	**Interesting vocabulary:** *il a l'air …, elle semble … cadet(te), aîné(e) agaçant(e), pessimiste*

A – Picture-based task

1 | lire | **Look at the task. What does it ask you to do?**

> Vous recevez une photo de votre ami(e) français(e).
>
> Qu'est-ce qu'il y a sur la photo?
> Écrivez **quatre** phrases **en français**.

2 | lire | **Read Richard's answer to the task.**

1 What <u>four</u> things does he write about?
2 Look back at the photo-describing grid on page 22. Which words and phrases from the grid does Richard use to help him write his sentences?

> 1 Sur la photo, il y a un groupe de dix copains.
> 2 Les copains sont à la plage.
> 3 Ils dansent et ils rigolent ensemble.
> 4 Il fait très beau.

3 | écrire | **Now look at the task at the top of the next page and write your own answer. When you have finished, check your four sentences carefully.**

- Make sure you write four complete sentences. You don't need to give lots of details: just think of four key things you have learned to write.
- Writing about a photo means using the present tense, e.g. 'he is playing', 'they are talking'.
- When describing a photo with several people in it, you need the *ils/elles* part of the verb.
  For -er verbs, this ends in -ent, e.g. *ils dans**ent**, ils jou**ent**.*
  The verbs *être, avoir* and *aller* are irregular:
  ils sont they are
  ils ont they have
  ils vont they go.

Always use language that you have learned. For example, you might want to write 'The boys are sitting on a bench,' but you can't remember the verb 'to sit', and you don't know the word for 'bench'. Instead, you could write 'The boys are in the park.'

Vous recevez une photo de votre ami(e) français(e).

Qu'est-ce qu'il y a sur la photo? Écrivez **quatre** phrases **en français**.

B – Extended writing task

 1 **Look at the task and answer the questions.**

1 What topic are you asked to write about, and why?
2 What do you need to describe for each bullet point?
3 What <u>tense</u> do you need to use for each bullet point?

> ⭐ Look for clues: *dans le futur* indicates you need to talk about the future; *récent(e)* or *récemment* indicates you need to talk about the past.

> Vous décrivez votre vie familiale pour votre blog.
> Décrivez:
> • les membres de votre famille
> • comment vous vous entendez avec votre famille
> • une activité récente avec votre famille
> • si vous allez avoir des enfants dans le futur.
> Écrivez environ **90** mots **en français**. Répondez à chaque aspect de la question.

2 **Look at Gemma's answer. Rearrange the sections into the order of the bullet points in the task.**

A Récemment, je suis allée avec ma famille au stade où on a regardé un match de foot. C'était top car j'adore le foot.	**C** Dans ma famille, il y a quatre personnes: ma mère, mon beau-père, ma sœur aînée et moi.
B Je m'entends très bien avec ma sœur. On rigole toujours ensemble. En plus, j'adore ma mère car elle écoute mes problèmes. Cependant, je déteste mon beau-père parce qu'il est têtu.	**D** Dans le futur, je vais avoir deux ou trois enfants parce que les enfants sont adorables, à mon avis. Je vais habiter à Paris avec mes enfants et mon mari.

3 **Look at the Answer booster on page 24. Find <u>six</u> examples of language Gemma uses to write a strong answer.**

 4 **Now write your own answer to the task.**

• Tackle each bullet point in turn.
• Think about the vocabulary and structures you have learned which you can use. Use Gemma's response and the Answer booster for help.
• Write your response to each bullet.
• Then check your answer carefully for mistakes.

La famille — Family members

les parents	parents	la demi-sœur	half-sister, stepsister
le père	father	le beau-frère	brother-in-law
la mère	mother	la belle-sœur	sister-in-law
le beau-père	stepfather/father-in-law	les grands-parents	grandparents
la belle-mère	stepmother/mother-in-law	le grand-père	grandfather
le mari	husband	la grand-mère	grandmother
la femme	wife	les petits-enfants	grandchildren
les enfants	children	le petit-fils	grandson
le fils	son	la petite-fille	granddaughter
la fille	daughter	l'oncle (m)	uncle
le frère	brother	la tante	aunt
la sœur	sister	le cousin/la cousine	cousin
le demi-frère	half-brother, stepbrother		

Les adjectifs de personnalité — Personality adjectives

Il/Elle est …	He/She is …	impatient(e)	impatient
agaçant(e)	annoying	impoli(e)	impolite
arrogant(e)	arrogant	indépendant(e)	independent
amusant(e)	amusing, funny	intelligent(e)	intelligent
bavard(e)	talkative, chatty	marrant(e)	funny
charmant(e)	charming	méchant(e)	nasty/mean
content(e)	happy	têtu(e)	stubborn, pig-headed
fort(e)	strong		

Ma description physique — My physical description

J'ai les cheveux …	I have … hair	J'ai …	I have …
courts/longs	short/long	des lunettes	glasses
raides/bouclés/frisés	straight/curly	des boutons	spots
noirs/bruns/blonds	black/brown/blond	une moustache/une barbe	a moustache/a beard
roux/gris/blancs	red/grey/white	Je suis …	I am …
J'ai les yeux …	I have … eyes	petit(e)/grand(e)	short/tall
bleus/verts	blue/green	de taille moyenne	of average height
gris/marron	grey/brown	mince/gros(se)	thin/fat

En ville — In town

la boîte de nuit	night club	la piscine	swimming pool
le bowling	bowling alley	la plage	beach
le café	cafe	le théâtre	theatre
le centre commercial	shopping centre	dans	in
le cinéma	cinema	derrière	behind
les magasins	shops	devant	in front of
la patinoire	ice rink	entre	between

Quand? — When?

aujourd'hui	today	ce/demain soir	this/tomorrow evening
demain	tomorrow	lundi matin	on Monday morning
ce/demain matin	this/tomorrow morning	samedi soir	on Saturday night
cet/demain après-midi	this/tomorrow afternoon		

Les amis — Friends

l'ami (m)/le copain	(male) friend	Avec mon petit ami, j'écoute de la musique.	I listen to music with my boyfriend.
l'amie (f)/la copine	(female) friend		
le petit ami/le petit copain	boyfriend	Je passe chez ma petite copine.	I go to my girlfriend's house.
la petite amie/la petite copine	girlfriend	On rigole bien ensemble.	We have a good laugh together.
Je retrouve mes amis au parc.	I meet up with my friends in the park.	On regarde un film ou des clips vidéo.	We watch a film or music videos.
Je traîne en ville avec mes copines.	I hang out in town with my (female) friends.	On joue au foot ou au basket ensemble.	We play football or basketball together.
Je tchatte en ligne avec ma meilleure copine.	I chat online with my best (female) friend.	On discute de tout.	We talk about everything.
		On mange ensemble au fast-food.	We eat together at a fast-food restaurant.

L'amitié / Friendship

L'amitié	Friendship
Je pense que …	I think that …
Pour moi, …	For me …
À mon avis, …	In my opinion …
Un(e) bon(ne) ami(e) est …	A good friend is …
compréhensif/-ive	understanding
cool	cool
drôle	funny
fidèle	loyal
généreux/-euse	generous
gentil(le)	kind
honnête	honest
modeste	modest
optimiste	optimistic
patient(e)	patient
sensible	sensitive
sympa	nice
Un(e) bon(ne) ami(e) …	A good friend …
écoute mes problèmes/ mes secrets	listens to my problems/secrets
discute de tout avec moi	talks about everything with me
aide tout le monde	helps everyone
accepte mes imperfections	accepts my faults
respecte mes opinions	respects my opinions
a les mêmes centres d'intérêt que moi	has the same interests as me
a le sens de l'humour	has a sense of humour

Les rapports en famille / Family relationships

Les rapports en famille	Family relationships
Je m'entends bien avec …	I get on well with …
Je me dispute avec …	I argue with …
Je me chamaille avec …	I bicker with …
Je m'amuse avec …	I have fun with …
Je m'occupe de …	I look after …
le frère aîné/cadet	older/younger brother
la sœur aînée/cadette	older/younger sister
Il/Elle est/a l'air/semble …	He/She is/looks/seems …
dynamique	lively
égoïste	selfish
jaloux/-ouse	jealous
sévère	strict
timide	shy
travailleur/-euse	hard-working

On va sortir / Going out

On va sortir	Going out
Je vais …	I am going …
aller à un match/au bowling	to go to a match/the bowling alley
aller au cinéma/à la piscine	to go to the cinema/the swimming pool
voir un spectacle	to see a show
faire du patin à glace/du skate	to go ice skating/skateboarding
faire les magasins	to go shopping
jouer à des jeux vidéo	to play video games
Tu veux venir?	Do you want to come?

Les questions / Questions

Les questions	Questions
Quand?	When?
Avec qui?	With who(m)?
On y va comment?	How are we getting there?
On se retrouve où?	Where shall we meet?
On se retrouve à quelle heure?	At what time shall we meet?

Une sortie / An outing

Une sortie	An outing
J'ai contacté un copain/une copine.	I contacted a friend.
J'ai quitté la maison.	I left the house.
J'ai raté le bus.	I missed the bus.
Je suis allé(e) en ville.	I went into town.
J'ai écouté de la musique.	I listened to music.
J'ai retrouvé mon copain/ma copine.	I met up with my friend.
J'ai discuté avec mon copain/ma copine.	I talked to my friend.
J'ai mangé un sandwich.	I ate a sandwich.
J'ai acheté des vêtements.	I bought some clothes.
C'était super.	It was great.
J'ai passé une très bonne journée.	I had a very good day.

La personne que j'admire / The person I admire

La personne que j'admire	The person I admire
Comment s'appelle la personne que tu admires?	What is the name of the person you admire?
Mon héros s'appelle …	My hero is called …
Mon héroïne s'appelle …	My heroine is called …
Mon modèle s'appelle …	My role model is called …
C'est qui?	Who is he/she?
C'est un pilote de Formule 1.	He is a Formula 1 driver.
C'est un scientifique.	He is a scientist.
C'est une actrice.	She is an actress.
C'est une créatrice de mode.	She is a fashion designer.
Fais-moi sa description physique.	Describe for me what he/she looks like.
Il/Elle est petit(e)/gros(se), etc.	He/She is … small/fat, etc.
Il/Elle a les cheveux bruns, etc.	He/She has brown hair, etc.
Quelle est sa personnalité?	What is his/her personality?
Il/Elle est …	He/She is …
travailleur/-euse/créatif/-ive, etc.	hard-working/creative, etc.
Pourquoi est-ce que tu admires cette personne?	Why do you admire this person?
J'admire (Stromae/Malala, etc.) car il/elle …	I admire (Stromae/Malala, etc.) because he/she …
a travaillé très dur	worked/has worked very hard
a joué dans beaucoup de films	acted/has acted in lots of films
a gagné beaucoup de courses	won/has won lots of races
a donné de l'argent aux bonnes œuvres	gave/has given money to good causes
a lutté contre ses problèmes	fought/has fought his/her problems
J'aimerais être comme lui/elle.	I would like to be like him/her.

Les mots essentiels / High-frequency words

Les mots essentiels	High-frequency words
très	very
assez	quite
mais	but
ou	or
où	where
hier	yesterday
d'abord	first of all
puis	then
ensuite	next
après	afterwards
plus tard	later
le soir	in the evening

2 Le temps des loisirs

Point de départ 1

● *Revising leisure activities*

1 *écrire*

Copiez et complétez chaque phrase avec *au, à la, à l', aux, du, de la,* ou *de l'*.

1 Je joue ▨▨▨▨ billard (m).

2 Je joue ▨▨▨▨ pétanque (f).

3 Je joue ▨▨▨▨ rugby (m).

4 Je joue ▨▨▨▨ échecs (pl).

5 Je joue ▨▨▨▨ violon (m).

6 Je joue ▨▨▨▨ batterie (f).

7 Je joue ▨▨▨▨ accordéon (m).

8 Je joue ▨▨▨▨ saxophone (m).

Ⓖ *Using* jouer à *and* jouer de

- When you are talking about playing a sport or a game, use *jouer **à***.
  Remember, *à + le → **au**, à + les → **aux***.

  *Je joue **au** foot. Je joue **à la** pétanque.*
  *Je joue **aux** cartes.*

- When you are talking about playing a musical instrument, use *jouer **de***.
  Remember, *de + le → **du**, de + les → **des***.

  *Je joue **du** piano. Je joue **de la** guitare.*
  *Je joue **de l'**harmonica.*

---

2 *écouter*

Écoutez et vérifiez. Ensuite, notez la fréquence en anglais. (1–8)

Exemple: **1** often

tous les jours	*every day*
tous les soirs	*every evening*
tous les samedis	*every Saturday*
une fois par semaine	*once a week*
deux fois par semaine	*twice a week*
souvent	*often*
de temps en temps	*from time to time*
rarement	*rarely*

3 *lire*

Lisez le forum et répondez aux questions.

> J'aime le tennis. Je joue au tennis deux fois par semaine. Je trouve ça super. **Maxime**
>
> Je n'aime pas le hockey. Je joue rarement au hockey. Je trouve ça ennuyeux. **Caro**
>
> J'aime le foot mais je préfère le basket. Je joue au basket une fois par semaine. Je trouve ça génial. **Élia**
>
> J'adore le badminton. Je joue au badminton tous les soirs. Je trouve ça cool. **Omar**
>
> Je déteste le volley. Je ne joue jamais au volley. Je trouve ça nul. **Hadrien**
>
> J'adore le golf. Je joue au golf tous les samedis. Je trouve ça passionnant. **Yasmina**

1 Who plays a sport the most often?
2 Who plays a sport the least often?
3 Who finds a sport exciting?
4 Who finds a sport boring?
5 Who prefers one sport over another?

 To make a verb negative, put *ne ... pas* around the verb.
*Je **n'**aime **pas** le foot.* I don't like football.

To say you never do something, put *ne ... jamais* around the verb.
*Je **ne** joue **jamais** au tennis.* I never play tennis.

4 **parler** À deux. Demandez l'opinion de votre partenaire sur chaque activité.

Exemple:
● *Tu aimes le foot?*
■ *Oui, je trouve ça génial. Je joue au foot tous les samedis.*

Je trouve ça	😊	😞
Je trouve ça	super. génial. passionnant. cool.	ennuyeux. stupide. nul.

5 **lire** Lisez les textes et regardez les images. Qui aime chaque activité? Écrivez M pour Mélanie, H pour Hugo, ou MH pour Mélanie **et** Hugo.

Je suis assez créative et j'aime prendre des photos. J'adore aussi la lecture. Je trouve ça génial! Mais ma passion, c'est le cinéma. J'adore regarder des films. Je ne suis pas très sportive mais j'aime jouer au tennis de table et je joue au volley de temps en temps. Par contre, je déteste le rugby! À mon avis, c'est nul. **Mélanie**

Ma passion, c'est la musique. Je joue de la guitare dans un groupe et j'adore écouter du rock. J'écoute du rock tous les jours! Moi aussi, j'adore la photographie mais je n'aime pas lire. C'est ennuyeux. Je préfère la programmation informatique: j'adore programmer. J'adore aussi jouer au rugby. **Hugo**

6 **écrire** Traduisez ces phrases en français.

1 I like to listen to music.
2 I love reading.
3 I like tennis, but I prefer hockey.
4 I don't like playing volleyball.
5 I hate football.
6 I prefer watching films.

G *Using* aimer, adorer, préférer *and* détester 〉 *Page 212*

You use *aimer, adorer, préférer* and *détester* followed by **a noun** to say what you like or don't like.

You use them followed by **the infinitive of another verb** to say what you like or don't like **doing**.

j'aime j'adore je préfère	le foot la guitare la lecture	jouer au foot jouer de la guitare lire
je n'aime pas je déteste	la photographie la musique	prendre des photos écouter de la musique

J'aime la photographie. I like photography.
J'adore prendre des photos. I love taking photos.

7 **écouter** Écoutez. Copiez et complétez le tableau en français. (1–4)

	😊	😞
I	le tennis, ...	le golf, ...

8 **écrire** Écrivez un paragraphe au sujet de vos loisirs.

J'aime (*le tennis*). Je joue (*au tennis*) (*tous les samedis*). Je trouve ça (*passionnant*). J'aime aussi (*la photographie*) mais je préfère (*jouer de la guitare*). Par contre, je n'aime pas (*lire*). Je trouve ça (*ennuyeux*).

1 **Écoutez. Notez les lettres des films qui passent au cinéma. (1–5)**

Qu'est-ce qu'il y a au cinéma?   *Il y a …*

un film de gangsters

un film d'action

un film d'arts martiaux

un film d'aventure

un film d'horreur

un film de science-fiction

une comédie

un film fantastique

un western

 To say what type of film is on at the cinema, use *Il y a* **un**/**une** + singular noun.
Il y a **un** *film fantastique.*

To say what type of films you like or dislike, use *J'aime bien/Je n'aime pas* **les** + plural noun.
Je n'aime pas **les** *films fantastiques.*

Make sure you use the right article.

2 **Copiez et complétez les phrases avec les bons articles.**

1 Je vais aller au cinéma samedi soir. Tu veux venir? Il y a ▓▓▓▓▓ film d'arts martiaux.
2 Il y a un film fantastique ce soir. J'aime bien ▓▓▓▓▓ films fantastiques.
3 Non, merci. Il y a ▓▓▓▓▓ film de gangsters. Je déteste ▓▓▓▓▓ films de gangsters.
4 Il y a ▓▓▓▓▓ ▓▓▓▓▓ d'action. J'aime bien ▓▓▓▓▓ ▓▓▓▓▓ d'action.

3 **À deux. À tour de rôle, invitez-vous! Changez les détails <u>soulignés</u>.**

● *Je vais aller au cinéma <u>vendredi soir</u>. Tu veux venir?*
■ *Ça dépend. Qu'est-ce qu'il y a?*
● *Il y a <u>le nouveau film de James Bond</u>. C'est <u>un film d'aventure</u>.*
■ *Oui, je veux bien venir! J'aime bien <u>les films d'aventure</u>./
Non, je ne veux pas venir. Je déteste <u>les films d'aventure</u>.*

 The verb vouloir ❯ *Page 212*

Vouloir is an irregular verb.

vouloir (*to want/want to*)
je veux
tu veux
il/elle/on veut
nous voulons
vous voulez
ils/elles veulent

4 *lire* **Lisez les questions. Copiez et complétez les traductions avec les mots qui manquent.**

1 La séance commence à quelle heure?   At what ▨▨▨ does the screening start?
2 On se retrouve où?   ▨▨▨ shall we meet?
3 Ça coûte combien?   ▨▨▨ ▨▨▨ does it cost?
4 Qu'est-ce que tu veux voir?   ▨▨▨ do you want to see?
5 Qu'est-ce qu'il y a, ce soir?   What ▨▨▨ ▨▨▨ this evening?

G *Asking questions*   ❯ *Page 204*

- To make a question using a question word, put the question word at the end and make your voice go up.
  *C'est **combien**?* How much is it?
  *Le film commence à **quelle heure**?* At what time does the film start?

- ***Qu'est-ce que** …?* means 'What …?' You put it at the beginning of the question.
  Qu'est-ce que tu veux voir? What do you want to see?

---

5 *écouter* **Écoutez. Copiez et complétez le tableau en anglais. (1–4)**

	type of film they decide to see	time it starts
1		

⭐ Make notes in words when you are listening for numbers, e.g. *dix-neuf heures vingt*.
You can convert them to digits afterwards → *19h20* (19.20).

6 *lire* **Copiez et complétez le dialogue avec les phrases à droite.**

● *Bonsoir, je peux vous aider?*
■ *Bonsoir, je voudrais deux billets pour Chocolat, s'il vous plaît.*
● *Bien sûr. Pour quelle séance?*
■ **1** ▨▨▨*, s'il vous plaît.*
● *D'accord. Vous voulez sélectionner vos places?*
■ **2** ▨▨▨
■ *Au fond du cinéma, s'il vous plaît.* **3** ▨▨▨
● *Alors … Le tarif réduit, c'est 14 euros la place.*
■ **4** ▨▨▨ *Bon film!*

a **Vous préférez être près de l'écran ou au fond du cinéma?**

b **C'est combien?**

c **La séance de 20h10**

d **Voici les billets.**

7 *écouter* **Écoutez et vérifiez.**

⭐ *Je voudrais* means 'I would like'. This is an extremely useful phrase that you must learn by heart!

8 *parler* **À deux. Faites un dialogue. Utilisez l'exercice 6 comme modèle.**

l'employé(e) du cinéma
● *Ask if you can help.*
● *Ask for which screening.*
● *Ask if they want to be near the screen or at the back.*
● *Say it costs 16 euros.*

le client/la cliente
■ *Say you would like two tickets to see* The Revenant.
■ *Say the screening at 19.30.*
■ *Say at the back.*
Then ask how much it costs.

1 Tu es plutôt foot, tennis ou basket?

- *Talking about sport*
- *Using* depuis + *the present tense*

 1 écouter

Écoutez et lisez. Écrivez la lettre du bon sport pour chaque personne.

> ### Ma famille est très sportive!
>
> **Mon frère**, Noah, fait de l'escalade depuis deux ans.
> **Ma petite sœur**, Marion, fait de la natation depuis six mois.
> Mes parents aussi font beaucoup de sport. **Mon père** fait du vélo depuis dix ans et **ma mère** fait de la danse depuis huit mois. Même **ma grand-mère** fait du sport: elle fait de la boxe depuis un an. Et **mon grand-père** fait des randonnées depuis quinze ans.
> **Et moi**, je m'appelle Estelle. Je fais de l'équitation depuis six semaines car j'adore les chevaux!

> **G** *The verb* faire ⟩ *Page 202*
>
> This is a key irregular verb.
>
> | **faire** (*to do/make*) |
> |---|
> | je fais |
> | tu fais |
> | il/elle/on fait |
> | nous faisons |
> | vous faites |
> | ils/elles font |
>
> In French, you often use *faire* with a sport where we might use 'go' in English.
> *Je fais de la natation.* I go swimming.
> *Je fais du vélo.* I go cycling.

1 Estelle's brother **2** her sister **3** her dad

4 her mum **5** her grandmother **6** her grandfather **7** Estelle

 a **b** **c** **d** **e**   **f** **g**

2 lire

Lisez le texte encore une fois. Écrivez une phrase en anglais pour dire depuis combien de temps chaque personne fait du sport.

Read the text again. Write a sentence in English to say how long each person has been doing their sport.

Exemple: **1** Estelle's brother has been going climbing for two years.

> **G** depuis + *the present tense* ⟩ *Page 202*
>
> The word *depuis* is used with the **present tense** to say how long something has been happening.
>
> *Je **fais** de l'équitation **depuis** six semaines.*
> I **have been going** horse-riding **for** six weeks.

3 écouter

Écoutez. Écrivez V (vrai) ou F (faux) pour chaque phrase. (1–4)

1 Adrien has been swimming for seven years.
2 Éloïse has been boxing for five years.
3 Joseph has been horse-riding for six months.
4 Céline's sister has been cycling for two years.

4 écrire

Traduisez ces phrases en français.

1 I go dancing.
2 I play tennis and I go swimming.
3 She does boxing and she plays volleyball.
4 I have been going cycling for three months.
5 He has been playing football for seven years.

> ⭐ Think about the following:
> - For each sport, do you need to use *jouer au/à la/ à l'/aux* or *faire du/de la/de l'/des*?
> - Which form of the verb do you need – *je joue/je fais* or *il/elle joue/fait*?
> - Do you need to use *depuis* plus the present tense?

5 écouter **Écoutez et lisez. Trouvez dans les textes l'équivalent français des phrases anglaises.**

Personnellement, je préfère les sports individuels. Je fais de l'escrime depuis quatre ans. J'aime beaucoup car c'est bon pour le corps et le mental. Ça me fait du bien. **Léa**

Je fais du trampoline depuis deux ans et j'adore ça. C'est rigolo et en plus, c'est facile! Quand je fais du trampoline, j'oublie mes soucis. **Mariam**

Je fais du footing tous les jours depuis un an. Quand je fais du footing, je respire. Ça me détend. Dans le futur, je veux faire le marathon de Paris. **Erwann**

Voici mon équipe. On joue au basket ensemble depuis trois ans. Le basket, c'est un sport rapide! Je préfère les sports d'équipe parce que ça booste le moral. **Arthur**

1 I prefer individual sports
2 it's good for the body and the mind
3 it does me good
4 it relaxes me

5 it's fun
6 I forget my worries
7 I prefer team sports
8 it boosts my/your mood

6 lire **Relisez les textes. Répondez aux questions en anglais.**

1 What sport does Léa do?
2 How often does Erwann go jogging?
3 What is his ambition for the future?

4 Why does Mariam like trampolining?
5 How long has Arthur been playing with his team?

7 parler **À deux. Inventez une présentation pour chaque personne.**

Personnellement, je préfère	les sports individuels/les sports d'équipe.
Je fais du/de la/de l'/des … Je joue au/à la/à l'/aux …	depuis x mois/ans.
J'aime beaucoup car	c'est rigolo/facile/rapide.
En plus,	ça me fait du bien/ça me détend/ça booste le moral.
Quand je fais du/de la/de l'/des …, Quand je joue au/à la/à l'/aux …,	je respire/j'oublie mes soucis.

8 écrire **Écrivez un paragraphe sur les activités sportives que vous faites.**

1 écouter **Écoutez. Pour chaque personne, notez la lettre de l'activité qui n'est pas mentionnée. (1–4)**

> *Que fais-tu sur ton portable ou ta tablette?*

> *Sur mon portable/Sur ma tablette, …*

d Je joue à des jeux en ligne.
e Je fais des recherches pour mes devoirs.
f Je fais des achats.

j Je vais sur des réseaux sociaux.
k Je prends des photos.
l Je mets mes photos sur Instagram ou Snapchat.

a Je crée des playlists.
b Je télécharge de la musique.
c Je regarde des clips vidéo.

g J'écris des messages.
h J'écris des articles pour mon blog.
i Je lis mes e-mails.

G **Irregular verbs in the present tense** > *Page 202*

Most verbs, like *télécharger*, *jouer*, *regarder* and *créer*, are regular **-er** verbs.

However, not all verbs follow this pattern. You're already familiar with the irregular verbs *avoir*, *être*, *aller* and *faire*. Here are four more that you need to know.

lire (*to read*)	**écrire** (*to write*)	**prendre** (*to take*)	**mettre** (*to put*)
je lis	j'écris	je prends	je mets
tu lis	tu écris	tu prends	tu mets
il/elle/on lit	il/elle/on écrit	il/elle/on prend	il/elle/on met
nous lisons	nous écrivons	nous prenons	nous mettons
vous lisez	vous écrivez	vous prenez	vous mettez
ils/elles lisent	ils/elles écrivent	ils/elles prennent	ils/elles mettent

---

2 lire **Lisez les textes et choisissez la bonne option pour compléter chaque phrase.**

> Moi, j'adore ma console! Je joue à des jeux vidéo tout le temps. Je suis fan de *Fifa*, bien sûr. **Sam**

> Ma meilleure amie prend tout le temps des photos et ensuite, elle met les photos sur Instagram. Elle partage toute sa vie! **Mathilde**

> J'ai toujours mon téléphone portable avec moi! Je vais tous les jours sur des réseaux sociaux et je lis les messages de mes amis. **Charlotte**

> Je fais des recherches pour mes devoirs tous les soirs mais je fais rarement des achats. Ma mère et ma sœur font ça tout le temps! **Thibault**

1 Sam **regarde des clips vidéo** / **joue à des jeux**.
2 Charlotte **lit** / **écrit** des messages sur des réseaux sociaux.
3 **Mathilde** / **La copine de Mathilde** prend beaucoup de photos.
4 Thibault fait souvent **des recherches** / **des achats**.

tout le temps	*all the time*

3 parler

Préparez une présentation sur ce que vous faites avec votre ordinateur, votre téléphone portable ou votre tablette.

J'ai toujours mon portable/ma tablette avec moi.		
Sur mon ordinateur/ mon téléphone portable/ ma tablette,	je joue … / je télécharge … / je regarde … / je crée … / je lis … / j'écris …	tous les jours/soirs. deux fois par semaine. de temps en temps.
En plus,		
À mon avis, c'est génial/très pratique/indispensable.		

 4 lire

Lisez le forum. Copiez et complétez le tableau en anglais. Utilisez un dictionnaire, si nécessaire.

Internet: Espace ludique ou espace à risque? Votre avis?

 Anis: À mon avis, Internet est très pratique parce qu'il est facile de faire des recherches pour ses devoirs et aussi d'utiliser un dico en ligne. Il est possible d'apprendre beaucoup de choses. Ça m'aide beaucoup.

 Krishna: Avec Internet, il est facile de rester en contact avec ses copains et de partager des photos. Cependant, il est dangereux de passer trop de temps sur Internet. Il est important de faire du sport, de passer du temps avec sa famille et de retrouver ses amis en vrai, au parc ou en ville.

 Malik: Sur Internet, il est possible de jouer à des jeux avec beaucoup de gens en même temps, et aussi de faire des achats. Par contre, il est dangereux de partager ses détails personnels. En plus, il est très dangereux de tchatter en ligne avec des inconnus, par exemple.

it is easy to …	it is possible to …	it is dangerous to …	it is important to …
do research for your homework, use …			

5 écouter

Écoutez. Écrivez P (positif), N (négatif) ou PN (positif et négatif) pour l'avis de chaque personne. (1–3)

> ⭐ Listen out for words that indicate that the speaker may change direction and give another side of the argument, e.g. *cependant* however *par contre* on the other hand

6 parler

À deux. Donnez votre avis sur Internet. Votre partenaire dit s'il/si elle est d'accord ou pas.

● *À mon avis, sur Internet, il est facile de parler avec ses copains.*

■ *Je suis d'accord./Je ne suis pas d'accord. À mon avis, … / C'est vrai, cependant …*

Sur Internet,	il est facile de il est possible de/d'	rester en contact avec ses amis. parler avec ses copains. faire des recherches pour ses devoirs. utiliser un dico en ligne. partager des photos.
Cependant, Par contre,	il est (très) dangereux de	partager ses détails personnels. passer trop de temps sur Internet. tchatter en ligne avec des inconnus.
	il est important de	faire du sport. passer du temps avec sa famille. retrouver ses amis en vrai.

 7 écrire

Quel est votre avis sur Internet? Écrivez un paragraphe.

- *Discussing reading habits and music*
- *Using negatives*

1 écouter **Écoutez. Pour chaque personne, écrivez la lettre de l'opinion et du genre de livre mentionnés. (1–6)**

Exemple: **1** a, l

a 😊 J'apprécie beaucoup les …   **d** 😊😊 J'ai une passion pour les …

b 😊 Je préfère les …   **e** 🙁 Je n'aime pas les …

c 😊😊 J'adore les …   **f** 🙁🙁 J'ai horreur des …

| **g** romans fantastiques | **h** romans d'amour | **i** romans policiers | **j** BD | **k** mangas | **l** livres d'épouvante |

2 parler **À deux. Donnez votre opinion.**

Exemple: **1**

- ● *Quel est ton avis sur les mangas?*
- ■ *J'apprécie beaucoup les mangas.*
- ● *Moi aussi! J'ai une passion pour les mangas!/ Ah bon? Moi, j'ai horreur des mangas!*

3 lire **Lisez les textes. Copiez et complétez les phrases en anglais.**

Je lis beaucoup de BD parce que j'aime les illustrations. Par contre, je n'aime pas les romans d'amour. Je trouve ça barbant. Je ne lis pas sur une tablette car je préfère tenir un livre traditionnel dans mes mains. J'aime tourner les pages une à une.
Léopold 16 ans

Moi, j'adore la lecture. J'apprécie beaucoup les romans policiers et je suis fan de romans fantastiques. En ce moment, je lis *La Quête d'Ewilan*. C'est super! Mais je ne lis plus de livres traditionnels. Je préfère lire sur ma tablette parce que c'est pratique et écologique.
Myriam 15 ans

Je ne lis jamais de livres mais je lis beaucoup en ligne. Je lis des blogs, des tweets, le journal, etc. Sur Internet, il est possible de trouver toutes sortes d'informations et je trouve ça génial.
Soraya 14 ans

| **le journal** | newspaper |

1 Léopold doesn't like ▭.
He finds them ▭.

2 Léopold doesn't read on ▭ because he prefers ▭.

3 Myriam likes ▭ and ▭.

4 She no longer reads ▭. She prefers to read ▭ because it's ▭ and ▭.

5 Soraya never reads ▭.

6 She reads a lot .

> **G** **Negatives**   ❯ *Page 206*

Negatives come in two parts, which go **around** the French verb.
ne … pas (not) *Je **ne** lis **pas** beaucoup.*
ne … jamais (never) *Elle **ne** lit **jamais**.*
ne … plus (no longer/not any more) *Je **ne** lis **plus**.*

If the negative is followed by a noun, you usually put **de** afterwards.
*Je ne lis pas **de** romans.* I don't read novels.
*Je ne lis jamais **de** mangas.* I never read mangas.

But *aimer* is an exception.
*Je n'aime pas **les** livres d'épouvante.* I don't like horror novels.

4 écrire **Traduisez ces phrases en français.**

1 I never read. **2** I don't read any more. **3** I don't read books any more.
4 I never read romance novels. **5** I don't like mangas.

5 écouter **Écoutez. Copiez et complétez le tableau en anglais. (1–4)**

	type of music they like	type of music they don't like	how they listen to their music	favourite singer	reason
1					

> *Quelle musique aimes-tu?*
> *Quelle musique n'aimes-tu pas?*

> *J'aime*
> *Je n'aime pas …*

le reggae. | le jazz. | le rap. | le rock. | la musique pop. | la musique classique.

> *Comment écoutes-tu ta musique?*

 J'écoute ma musique sur mon téléphone portable avec mes écouteurs.

 Normalement, j'écoute ma musique sur mon ordi.

 D'habitude, pour écouter ma musique, je regarde des clips vidéo.

 En général, j'écoute ma musique sur une tablette.

> *Qui est ton chanteur ou ta chanteuse préféré(e), et pourquoi?*

> *Mon chanteur préféré/Ma chanteuse préférée, c'est …*
> *car …*

 Je t'aiiiiiiime j'aime ses paroles.

 j'aime ses mélodies.

 sa musique me donne envie de danser.

 sa musique me donne envie de chanter.

6 parler **À deux. Posez les questions et répondez à tour de rôle.**

- Quelle musique aimes-tu?
- Quelle musique n'aimes-tu pas?
- Comment écoutes-tu ta musique?

- Qui est ton chanteur/ta chanteuse préféré(e) et pourquoi?

7 lire **Traduisez ce texte en anglais.**

> Try to think about what would sound best in English. We wouldn't say 'I have a passion for …'. We might instead say 'I am …'.

> Although *depuis* is used with the present tense in French, we don't translate it with the present tense in English.

J'ai une passion pour la musique et je joue de la guitare dans un groupe de rock. On joue ensemble depuis deux ans. J'aime aussi créer des playlists avec mes copains. On partage les playlists sur les réseaux sociaux. Ma musique préférée, c'est le rock (évidemment), mais j'apprécie aussi le rap et le reggae.

> This means 'we' here.

8 écrire **Quelle musique écoutez-vous? Écrivez un paragraphe. Utilisez le vocabulaire-clé de l'exercice 5.**

1 écouter Lisez puis écoutez et écrivez la bonne lettre. (1–8)

1
a J'aime les documentaires parce qu'ils sont éducatifs.
b Je n'aime pas les documentaires parce qu'ils sont ennuyeux.

2
a J'adore les jeux télévisés parce qu'ils sont divertissants.
b Je n'aime pas les jeux télévisés parce qu'ils ne sont pas passionnants.

3
a J'aime bien les magazines culturels parce qu'ils sont originaux.
b Je n'aime pas les magazines culturels parce qu'ils ne sont pas intéressants.

4
a J'adore les séries parce qu'elles sont passionnantes.
b Je n'aime pas les séries parce qu'elles ne sont pas éducatives.

5
a J'aime les émissions de musique parce qu'elles sont divertissantes.
b Je n'aime pas les émissions de musique parce qu'elles ne sont pas originales.

6
a J'adore les émissions de télé-réalité parce qu'elles sont amusantes.
b Je déteste les émissions de télé-réalité parce qu'elles ne sont pas sérieuses.

7
a J'aime les émissions de sport parce qu'elles sont intéressantes.
b Je n'aime pas les émissions de sport parce qu'elles sont ennuyeuses.

8
a J'aime les actualités parce qu'elles sont éducatives.
b Je n'aime pas les actualités parce qu'elles sont trop sérieuses.

2 écouter Écoutez les opinions. Copiez et complétez le tableau en anglais. (1–4)

🙂	opinion	🙁	opinion
1 documentaries	educational	reality TV shows	not original

amusant(e)(s)	*funny*
divertissant(e)(s)	*entertaining*
intéressant(e)(s)	*interesting*
passionnant(e)(s)	*exciting*
éducatif(-ive)(s)	*educational*
sérieux(-euse)(s)	*serious*
ennuyeux(-euse)(s)	*boring*
original(e),	*original*
originaux(-ales)	

3 parler À deux. Discutez!

⭐ Make the subject pronouns and the adjectives agree with the nouns.
J'aime beaucoup **les magazines culturels** parce qu'**ils** sont **sérieux**.
Par contre, je n'aime pas **les séries** car **elles** sont **ennuyeuses**.

1
 (m) intéressant
 (m) ennuyeux

3
 (m) amusant
 (f) pas original

2
 (f) divertissant
 (f) pas éducatif

4
 (f) passionnant
 (f) trop sérieux

4 lire   **Lisez les textes. Trouvez l'équivalent français des phrases anglaises.**

> Mon émission préférée, c'est *C'est pas sorcier*. C'est un magazine sur la science.
> Je ne rate jamais cette émission. J'apprends beaucoup! À mon avis, les magazines
> sur les sciences sont plus intéressants que les émissions de musique. **Yann**

> Mon émission préférée s'appelle *Slam*. C'est un jeu télévisé. J'aime bien l'animateur.
> Je pense que les jeux télévisés sont plus divertissants que les émissions de sport. **Hélio**

> Mon émission préférée, c'est une série qui s'appelle *Les Revenants*. Les acteurs sont
> très doués et le scénario est passionnant. Je regarde cette série en streaming. À mon
> avis, c'est plus pratique que regarder la télé en direct. Je pense que les émissions de
> télé-réalité sont moins passionnantes que les séries. **Clémentine**

1 my favourite programme is …	**5** the actors are very talented
2 I never miss this programme	**6** the plot is exciting
3 I learn a lot	**7** I stream this series
4 I like the presenter	**8** it's more practical than watching live TV

5 lire   **Copiez et complétez les phrases, selon les textes de l'exercice 4.**

1 Yann thinks that ▭ are more ▭ than ▭.

2 Hélio thinks that ▭ are more ▭ than ▭.

3 Clémentine thinks that ▭ are less ▭ than ▭.

> **G** **Comparative adjectives**   **>** *Page 215*
>
> You use comparative adjectives to compare things:
> ***plus*** + **adjective** + ***que***   more … than
> ***moins*** + **adjective** + ***que***   less … than
> The adjective needs to agree with the first noun.
> ***Les jeux télévisés*** (m pl) *sont plus amusants que les actualités.*
> ***Les séries*** (f pl) *sont moins intéressantes que les magazines culturels.*

6 écrire   **Choisissez la bonne option pour compléter chaque phrase.**

1 Les documentaires sont **plus sérieux** / **plus sérieuses** que les émissions de musique.

2 Les séries sont **plus amusants** / **plus amusantes** que les émissions de télé-réalité.

3 Les magazines culturels sont **moins éducatifs** / **moins éducatives** que les actualités.

4 Les émissions de télé-réalité sont **moins originaux** / **moins originales** que les jeux télévisés.

7 écrire   **Écrivez un paragraphe sur vos émissions préférées.**

J'aime J'adore Je n'aime pas	les documentaires/les magazines culturels/les jeux télévisés	parce qu'ils sont	amusants/divertissants/intéressants/ passionnants/originaux/éducatifs/ (trop) sérieux/ennuyeux.
	les séries/les actualités/ les émissions de musique/les émissions de sport/les émissions de télé-réalité	parce qu'elles sont	amusantes/divertissantes/intéressantes/ passionnantes/originales/éducatives/ (trop) sérieuses/ennuyeuses.
Je pense que les (documentaires) sont plus (intéressants) que les …			
Mon émission préférée s'appelle … C'est un jeu télévisé/un magazine culturel/une série/une émission de …			
C'est mon émission préférée parce que		j'aime l'animateur/l'animatrice. les acteurs sont très doués/le scénario est passionnant.	
Je ne rate jamais cette émission!			

1 lire **Lisez les textes. Copiez et complétez le tableau en anglais.**

Vendredi dernier, je suis sortie avec ma sœur. On est allées à un concert de Louane. On a dansé et on a chanté. C'était génial! **Axelle**

Samedi dernier, je suis allé au cinéma avec un copain. On a vu le dernier film de Jamel Debbouze. Malheureusement, c'était lamentable. On est partis avant la fin. **Franck**

Dimanche dernier, je suis sorti avec mes copains. On est allés en ville où on a fait du patin sur glace. C'était très amusant et j'ai pris beaucoup de photos. **Ben**

Le week-end dernier, je suis sortie avec mes copines. On est allées au restaurant. J'ai bu un coca et j'ai mangé un hamburger. C'était délicieux! J'ai mis des photos sur Instagram. **Zeina**

name	when?	who with?	what?	opinion
Axelle				

> ★ The verb *aller* means 'to go'.
> The verb *sortir* means 'to go out'.

2 lire **Trouvez dans les textes de l'exercice 1 l'équivalent français des verbes anglais.**

1 I went out
2 we went
3 we danced
4 I went
5 we saw
6 we left
7 we did
8 I took
9 I drank
10 I put

G **The perfect tense** ＞ *Pages 208 and 210*

You use the perfect tense to say what you did in the past. You form it using *avoir* or *être* plus **a past participle**.
J'ai mangé une pizza. **I ate** a pizza.

Some past participles are irregular:
faire (to do/make) *j'ai* **fait**   *prendre* (to take) *j'ai* **pris**
voir (to see)   *j'ai* **vu**   *mettre* (to put)   *j'ai* **mis**

For verbs that take *être*, like *aller* and *sortir*, the past participle must agree.
je suis sorti(e)   **on est** sortis (boys or a mixed group)
tu es sorti(e)   **on est** sorties (girls)
il est sorti
elle est sortie

3 écouter **Écoutez. Choisissez les <u>deux</u> bonnes images pour chaque personne. (1–4)**

a   b   c   d   e   f   g   h

4 parler

À deux. Discutez!

> *Qu'est-ce que tu as fait la semaine dernière?*

Vendredi, Samedi, etc.	je suis sorti(e) avec …	On est allé(e)s … On a fait … On a vu … On a mangé … Ensuite, on …	C'était …

1 vendredi   ma sœur

chouette

3 samedi   mes copains

plein d'action

2 dimanche   mes copines

génial

4 lundi   ma famille

amusant

5 lire

Lisez le texte. Écrivez V (vrai) ou F (faux) pour chaque phrase.

 BLOG

Samedi, je suis sorti avec mon frère. On est allés au stade pour voir un match de foot: PSG contre Lyon (mon équipe préférée). C'était génial parce que Lyon a gagné!

D'habitude, je regarde les matchs à la télé, mais aller au stade pour voir un match en direct, c'est plus passionnant!

Ensuite, on est allés au fast-food où on a mangé des hamburgers et des frites. C'était délicieux!

Philippe

1 Philippe went to a match with his best friend.
2 His favourite team won.
3 Philippe often goes to watch matches at the stadium.
4 After the match they went to a fast-food restaurant.

6 écrire

Écrivez un texte d'environ 60 mots sur ce que vous avez fait le week-end dernier.

- Say where you went last weekend.
- Say who you went with and what you did.
- Give an opinion.
- Say what you ate and drank.

⭐ Use the French you know to make your work interesting. Look at Philippe's text.
- Use time markers and sequencers like *samedi* and *ensuite*.
- Use expressions of frequency like *d'habitude*.
- Use the perfect tense – *je suis sorti(e)*, *on est allé(e)s*, etc. – but try to include a verb in the present tense, too, e.g. *D'habitude, je regarde les matchs à la télé*.
- Give opinions like *c'était génial!*

1 Read this abridged extract from the novel *La fille qui n'aimait pas les fins* by Yaël Hassan et Matt7ieu Radenac. Thomas has just called Maya.

– Allô?
– Allô, Maya? C'est moi, Thomas. Ça te dirait d'aller au ciné?
– Mais quand?
– Ben là, à la séance de neuf heures …
– Juste nous deux?
– Oui, juste nous deux.
– Attends, il faut que je demande l'autorisation à ma mère … Bouge pas.

Je me précipite vers le salon où Maman est toujours allongée sur le canapé tandis que Jim regarde un match de foot.

– Maman, je peux aller au cinéma?

le salon	living room

Answer the questions in English.

1 What time does the film start?
2 Who is going to the cinema?
3 Why does Maya go into the living room?
4 What is Jim doing?

 2 A newspaper has published the results of an online survey about young people and sport. Read the summary of the results and answer the questions.

Jouer au foot, faire du trampoline ou pratiquer le judo, le sport est très important pour beaucoup de jeunes. Alors, nous avons demandé à des adolescents: «Pourquoi faites-vous du sport?»

Voici les résultats:
61% pratiquent régulièrement un sport pour s'amuser avec leurs copains.
35% font du sport car c'est bon pour la santé.
27% veulent rencontrer d'autres personnes, alors ils choisissent toujours des sports d'équipe.
11% pratiquent une activité sportive pour se détendre.
9% des ados pratiquent un sport parce qu'ils admirent des stars sportives.
Enfin, 6% font du sport car ils veulent oublier leurs soucis.

1 What percentage of teenagers do sport to meet new people?
2 What percentage of teenagers do sport to relax?
3 What percentage of teenagers do sport for their health?
4 What is the least popular reason, according to the survey? Answer in English.

 3 Your friend's French exchange partner has shared the following post on Facebook. Your friend asks you to translate it into English.

J'adore le cinéma. Le vendredi soir, je sors avec mes copines. Hier, on a vu un documentaire sur grand écran. C'était très sérieux et assez ennuyeux. Le week-end prochain, on va voir une comédie. Ça va être plus amusant.

4 **Lisez ces informations pour un cinéma à Limoges.**

CINÉMA VOX
AVENUE JEAN MONNET, 87000 LIMOGES

Les films en salle et à venir

A Un homme à la hauteur
Comédie romantique française
Sortie jeudi prochain.
Interdit aux moins de 16 ans.

B Born to be wild
Documentaire américain sur
 les orangs-outans et les
 éléphants orphelins
En salle vendredi prochain.
À partir de 6 ans.

C Geostorm
Film de science-fiction
Dernière séance aujourd'hui
 à 14h.
Interdit aux moins de 18 ans.

Quel film recommandez-vous à ces personnes? Écrivez la bonne lettre pour chaque personne. Attention! Vous pouvez utiliser la même lettre plus d'une fois.

1 une personne qui adore les scénarios amusants
2 une personne qui veut regarder un film cet après-midi
3 une personne avec un fils de huit ans
4 une personne qui aime les animaux sauvages
5 une personne qui s'intéresse aux extraterrestres

> For questions 2 and 3, make sure you check the details of when each film is on and what age group it is suitable for. What do you think *interdit* must mean?

1 écouter **Listen to some young people talking about their favourite TV programmes. Copy out the table. For each programme, write the reason why the person likes it. Answer in English. (1–3)**

	programme	reason
Example	*Masterchef*	interested in cooking
1	*Joker*	
2	*Chefs*	
3	*Zone interdite*	

2 écouter **Listen to these teenagers who have made a podcast about smartphones. What two things does each young person do on their smartphone? Write the correct letters. (1–2)**

A download music
B read emails
C send text messages
D take photos
E go on social media
F play games
G buy things online
H chat online with new people

> Be careful of 'distractors' – things from the list that are mentioned by the speakers but are not things that they actually do. They may say that someone else does this activity, or they may use a negative, for example.

A – Picture-based discussion

- Look at the photo.
- Make any notes you wish to on paper.
- Your teacher will then ask you questions about the photo and about topics related to **free-time activities**.

Your teacher will ask you the following three questions and then **two more questions** which you have not prepared.

- Qu'est-ce qu'il y a sur la photo?
- Quel est ton sport préféré? Pourquoi?
- Qu'est-ce que tu as fait comme sport le week-end dernier?

1 **Look at the photo and read the task. Then listen to Maya's answer to the <u>first</u> question.**

1 In which order does Maya mention these things?

   A the age of the girl in the photo
   B what she looks like
   C where she is
   D what she's wearing
   E what she's doing

2 What else does Maya mention?

2 **Listen to and read how Maya answers the <u>second</u> question.**

1 Write down the missing word for each gap.

> Je fais de la natation depuis **1** _____ ans, c'est ma passion. Je trouve ça **2** _____.
> Je préfère les sports **3** _____ parce que je n'aime pas la compétition. Quand je nage,
> je **4** _____ et j'oublie mes soucis. Je vais à la **5** _____ trois fois par semaine.
> Par contre, je ne fais **6** _____ de natation synchronisée parce que c'est **7** _____
> difficile pour moi!

2 Look at the Answer booster on page 46. Find <u>five</u> examples of things Maya includes to make her answer a strong one.

3 écouter Listen to Maya's answer to the <u>third</u> question. Make a note in English of the details she gives.

> ⭐ Add details to every answer to make it as interesting as possible. Here, Maya not only says what she did, but also who she did this with, where, why and what she thought of it.

4 parler Prepare your own answers to the three questions on the task card. Think about which other two questions you could be asked. Then listen and take part in the full picture-based discussion.

B – General conversation

1 écouter The teacher starts the general conversation by asking Luca, «Qu'est-ce que tu aimes comme musique?» Listen to his answer and complete the sentences in English.

> ⭐ During the general conversation, you have to ask your teacher a question. What question does Luca ask here?

1 Luca likes … because …
2 He listens to music … and he likes …
3 His favourite singer is Zara Larsson because …
4 He plays the … and every Saturday he plays …
5 He loves … but also likes …

2 écouter Listen to and read how Luca answers the question, «Est-ce que tu vas regarder la télé ce soir?» Write down the missing word for each gap.

> Je pense que je vais regarder la télé ce soir mais **1** _____, je vais faire mes devoirs. **2** _____, je vais dîner en famille et **3** _____, je vais regarder *Doctor Who*. Ça va être passionnant! C'est une série géniale et c'est mon émission préférée! Le scénario est **4** _____ et j'adore aussi les effets spéciaux. J'aime les séries **5** _____ je n'aime pas regarder les jeux télévisés parce qu'ils sont **6** _____ divertissants que les autres émissions. **7** _____, je regarde la télé en direct mais **8** _____, je regarde des web-séries. À mon avis, c'est plus pratique.

3 écouter Listen to how Luca answers the next question, «Est-ce que tu aimes la lecture?» Look at the Answer booster on page 46. Write down <u>six</u> examples of what he says to make his answer a strong one.

4 parler Prepare answers to these questions. Then practise with a partner.

1 Qu'est-ce que tu aimes comme musique?
2 Est-ce que tu vas regarder la télé ce soir?
3 Est-ce que tu aimes la lecture?
4 Qu'est-ce que tu aimes comme films?
5 Que fais-tu quand tu es connecté(e)?
6 Qu'est-ce que tu as fait la semaine dernière avec tes copains?

Answer booster	Aiming for a solid answer	Aiming higher	Aiming for the top
Verbs	**Verbs with *je*** **Different time frames:** present, perfect and near future tenses	**Different persons of the verb:** not just *je* but *il/elle/ils/elles*	***depuis* + the present tense:** *Je joue au foot depuis cinq ans.*
Opinions and reasons	**Basic verbs of opinion:** *J'aime/Je n'aime pas/J'adore/Je déteste …* **Opinion verbs with infinitives:** *Je préfère regarder la télé.* **C'est + adjective:** *C'est écologique.*	**A greater variety of opinion verbs:** *J'apprécie …/J'ai horreur de …/J'ai une passion pour …* **Giving reasons with *car* and *parce que*:** *parce que c'est cool*	**Opinion phrases:** *Pour moi, …/ Je pense que …/À mon avis, …/ Je trouve ça …* **Comparative adjectives:** *Les séries sont plus/moins … que …* **Opinions in different tenses:** *Ça va être passionnant./C'était inspirant.*
Connectives	*et, mais, ou*	*car, parce que, où, quand, donc, alors*	*cependant, par contre, en plus*
Other features	**Qualifiers:** *très, assez, vraiment* **Frequency phrases:** *d'habitude, parfois* **Negatives:** *ne … pas*	**More negatives:** *ne … jamais, ne … plus* **Time phrases:** *récemment, dans le futur*	**Interesting vocabulary:** *Ça me détend. Sa musique me donne envie de …*

A – Short writing task

1 **Look at the task card. What do you need to write about for each bullet point?**

> Vous écrivez à votre ami(e) français(e) et vous décrivez votre vie d'internaute.
>
> Mentionnez:
> - vos activités sur Internet
> - votre avis
> - un avantage
> - un danger.
>
> Écrivez environ **40** mots **en français**.

2 **Look at Jonah's answer. Rearrange the sections into the order of the bullet points in the task.**

A Par contre, il est dangereux de passer trop de temps sur Internet.	**C** Sur Internet, je télécharge de la musique et je fais des achats de temps en temps.
B Je pense qu'il est facile de faire des recherches pour ses devoirs.	**D** À mon avis, c'est pratique et éducatif.

3 écrire **Now write your own answer to the task.**

> Make sure that you:
> - write a sentence for each bullet point
> - keep your answer quite simple
> - check your work when you've finished.

B – Extended writing task

 1 **Look at the task. Which bullet point (first, second, third or fourth) asks you to do each of the following?**

1 write about a recent outing with friends
2 give your opinion on TV generally
3 write about what you are going to do tonight
4 write about your favourite type of TV programme

Vous décrivez ce que vous faites pendant votre temps libre pour votre blog.

Décrivez:
- le genre d'émissions que vous préférez et pourquoi
- pourquoi vous aimez/n'aimez pas regarder la télévision
- ce que vous allez faire ce soir
- une soirée récente entre amis.

Écrivez environ **90** mots **en français**.
Répondez à chaque aspect de la question.

2 **Read Rita's answer and decide if the sentences below are true or false.**

Je préfère les émissions comiques parce qu'elles sont plus divertissantes que les actualités. J'adore regarder *Gogglebox*. Je ne rate jamais cette émission!

Personnellement, j'aime bien regarder la télévision. Cependant, je ne regarde pas la télé tous les jours. Il est important de faire du sport ou de passer du temps avec ses amis.

Ce soir, je vais aller au restaurant avec ma famille. Je vais manger des spaghettis. Je pense que ça va être sympa!

Hier soir, je suis allée au centre de loisirs avec une amie. On a fait de la musculation. C'était génial!

1 Rita loves news programmes.
2 She never misses *Gogglebox*.
3 She watches TV every day.
4 She thinks it's important to spend time with her friends.
5 This evening she is going to go to a restaurant with her family.
6 Last night she went to the cinema with her friend.
7 She thinks that last night was boring.

 3 **Look at the Answer booster on page 46. Write down <u>five</u> examples of how Rita writes a strong answer.**

 4 **Now write your own answer to the task.**
- Tackle each bullet point in turn.
- Think about the vocabulary and structures you have learned which you can use.
  Use Rita's answer and the Answer booster for help.
- Check your answer carefully for mistakes.

Check verb forms and endings and make sure that your adjectives agree.

Les passe-temps / Hobbies

Les passe-temps	Hobbies		
Je joue …	I play …	aux cartes/aux échecs	cards/chess
au badminton/au basket	badminton/basketball	du piano/du saxophone	the piano/the saxophone
au billard/au foot/au golf	snooker/billiards/football/golf	du violon	the violin
au hockey/au rugby	hockey/rugby	de la batterie/de la guitare	the drums/the guitar
au tennis/au volley	tennis/volleyball	de l'accordéon (m)	the accordion
à la pétanque	French bowls	de l'harmonica (m)	the harmonica

Les expressions de fréquence / Frequency expressions

Les expressions de fréquence	Frequency expressions		
tous les jours	every day	deux fois par semaine	twice a week
tous les soirs	every evening	souvent	often
tous les samedis	every Saturday	de temps en temps	from time to time
une fois par semaine	once a week	rarement	rarely

Les opinions / Opinions

Les opinions	Opinions		
Je trouve ça …	I find that …	ennuyeux/nul	boring/rubbish
cool/génial	cool/great	stupide	stupid
passionnant/super	exciting/super		

J'aime et je n'aime pas … / I like and I don't like …

J'aime et je n'aime pas …	I like and I don't like …		
Ma passion, c'est …	My passion is …	Je n'aime pas/Je déteste …	I don't like/hate …
le cinéma/le sport/la musique	the cinema/sport/music	le foot/jouer au foot	football/playing football
J'aime/J'adore/Je préfère …	I like/love/prefer …	la lecture/lire	reading
		la photographie/prendre des photos	photography/taking photos

Les films / Films

Les films	Films		
une comédie	a comedy	un film d'aventure	an adventure film
un western	a Western	un film d'horreur	a horror film
un film fantastique	a fantasy film	un film de gangsters	a gangster film
un film d'action	an action film	un film de science-fiction	a science-fiction film
un film d'arts martiaux	a martial arts film		

Acheter des billets / Buying tickets

Acheter des billets	Buying tickets		
Qu'est-ce qu'il y a au cinéma?	What's on at the cinema?	Pour quelle séance?	For which screening?
La séance commence à quelle heure?	At what time does the screening start?	Pour la séance de 19 heures.	For the screening at 7 p.m.
		Ça coûte combien?	How much does it cost?
Je peux vous aider?	Can I help you?	Le tarif réduit, c'est 14 euros	The reduced price is 14 euros
Je voudrais deux billets pour …	I would like two tickets for …	la place.	per seat.

Le sport / Sport

Le sport	Sport		
Je fais …	I …	de l'équitation (f)	go horse-riding
du footing	go jogging	de l'escalade (f)	go climbing
du trampoline	do trampolining	de l'escrime (f)	do fencing
du vélo	go cycling	des randonnées (f)	go hiking
de la boxe	do boxing	Je fais ça depuis …	I have been doing that for …
de la danse	go dancing	six mois/deux ans	six months/two years
de la natation	go swimming		

Parler de sport / Talking about sport

Parler de sport	Talking about sport		
Je préfère les sports individuels.	I prefer individual sports.	Ça booste le moral.	It boosts my/your mood.
Je préfère les sports d'équipe.	I prefer team sports.	C'est bon pour le corps et	It's good for the body and
Je trouve ça …	I find it/that …	le mental.	the mind.
rigolo/facile/rapide	fun/easy/fast	Quand je fais ça, …	When I do/I'm doing it, …
Ça me fait du bien.	It does me good.	je respire	I breathe
Ça me détend.	It relaxes me.	j'oublie mes soucis	I forget my worries

Sur mon téléphone portable/ma tablette, … / On my phone/tablet …

Sur mon téléphone portable/ ma tablette, …	On my phone/tablet …		
je crée des playlists	I create playlists	j'écris des articles pour mon blog	I write posts for my blog
je télécharge de la musique	I download music	je lis mes e-mails	I read my emails
je regarde des clips vidéo	I watch music videos	je vais sur des réseaux sociaux	I go onto social media sites
je joue à des jeux	I play games	je prends des photos	I take photos
je fais des recherches pour mes devoirs	I do research for my homework	je mets mes photos sur Instagram ou Snapchat	I put my photos on Instagram or Snapchat
je fais des achats	I buy things	À mon avis, c'est …	In my opinion, it's …
j'écris des messages	I write messages	génial/très pratique/indispensable	great/very practical/essential

Internet / The internet

Il est facile de (d') … — It is easy to …
Il est possible de (d') … — It is possible to …
   rester en contact avec ses amis — stay in contact with your friends
   faire des recherches pour ses devoirs — do research for your homework
   utiliser un dico en ligne — use an online dictionary
   partager des photos — share photos
Il est dangereux de … — It is dangerous to …
   partager ses détails personnels — share your personal details
passer trop de temps sur Internet — spend too much time on the internet
tchatter en ligne avec des inconnus — chat to strangers online
Il est important de … — It is important to …
   faire du sport — do some sport
   passer du temps avec sa famille — spend some time with your family
   retrouver ses amis en vrai — meet up with your friends in real life

La lecture / Reading

J'apprécie beaucoup les … — I really appreciate/like …
Je préfère les … — I prefer …
J'adore les… — I love …
J'ai une passion pour les … — I'm passionate about …
Je n'aime pas les … — I don't like …
J'ai horreur des … — I hate …
   romans fantastiques — fantasy novels
   romans policiers — detective novels
   romans d'amour — romance novels
livres d'épouvante — horror books
BD — comic books/graphic novels
mangas — mangas
J'aime les illustrations/l'humour. — I like the illustrations/humour.
Je ne lis pas sur une tablette. — I don't read on a tablet.
Je préfère tenir un livre traditionnel dans mes mains. — I prefer holding a traditional book in my hands.
Je ne lis plus de livres traditionnels. — I no longer read traditional books.
Je lis beaucoup en ligne. — I read a lot online.

La musique / Music

J'aime …/Je n'aime pas … — I like …/I don't like …
   le jazz/le rap — jazz/rap
   le reggae/le rock — reggae/rock
   la musique classique — classical music
   la musique pop — pop music
J'écoute ma musique … — I listen to my music …
   sur mon téléphone portable avec mes écouteurs — on my phone with my earphones
   sur mon ordi — on my computer
   sur une tablette — on a tablet
Je regarde des clips vidéo pour écouter ma musique. — I watch music videos to listen to my music.
Mon chanteur préféré/Ma chanteuse préférée, c'est … car … — My favourite singer is … because …
   j'aime ses paroles — I like his/her lyrics
   j'aime ses mélodies — I like his/her tunes
   sa musique me donne envie de danser — his/her music makes me want to dance
   sa musique me donne envie de chanter — his/her music makes me want to sing

Les émissions de télé / TV programmes

J'aime/Je n'aime pas … — I like/I don't like …
   les documentaires (m) — documentaries
   les jeux télévisés (m) — game shows
   les magazines culturels (m) — magazine programmes
   les séries (f) — series
   les émissions de sport (f) — sports programmes
   les émissions de musique (f) — music programmes
   les émissions de télé-réalité (f) — reality TV programmes
   les actualités — the news
parce qu'ils/elles sont … — because they are/it is …
   amusant(e)s — funny
   divertissant(e)s — entertaining
   intéressant(e)s — interesting
   passionnant(e)s — exciting
éducatifs/-ives — educational
ennuyeux/-euses — boring
(trop) sérieux/-euses — too serious
originaux/-ales — original
Mon émission préférée s'appelle … — My favourite programme is called …
C'est un jeu télévisé. — It's a game show.
C'est une série. — It's a drama series.
J'aime bien l'animateur(-trice). — I like the presenter.
Les acteurs sont très doués. — The actors are very talented.
Le scénario est passionnant. — The plot is exciting.
J'apprends beaucoup. — I learn a lot.
Je ne rate jamais cette émission! — I never miss this programme!

Une soirée entre amis / An evening with friends

Je suis allé(e) au cinéma. — I went to the cinema.
Je suis sorti(e) avec … — I went out with …
On est allé(e)s à un concert. — We went to a concert.
On a vu un film. — We saw a film.
On est allé(e)s en ville. — We went into town.
On a fait du patin à glace. — We went ice skating.
J'ai pris beaucoup de photos. — I took lots of photos.
J'ai mis les photos sur Instagram. — I put the photos on Instagram.
On est allé(e)s au restaurant. — We went to a restaurant.
J'ai bu un coca. — I drank a cola.
C'était … — It was …
   génial/lamentable — great/pathetic
   amusant/délicieux — fun/funny/delicious

Les mots essentiels / High-frequency words

en plus — what's more
cependant — however
par contre — on the other hand
normalement — normally
d'habitude — usually
en général — in general
Ça dépend. — It depends.

3 Jours ordinaires, jours de fête
Point de départ 1

● *Talking about food and meals*

 1 Écoutez et notez les bonnes lettres pour chaque personne. (1–5)
Quelles <u>trois</u> choses <u>ne sont pas</u> mentionnées du tout?

a des poires
b du fromage
c du lait
d du pain
e de la confiture
f des bananes

g du yaourt
h des pommes
i du poulet
j des pêches
k de la glace
l des œufs

m de l'eau
n du poisson
o de la viande
p des fraises
q du beurre
r des pommes de terre

Ⓖ Saying 'some' ❯ *Page 198*

To say 'some' in French, you use **du**, **de la**, **de l'** or **des**.

masculine singular noun	feminine singular noun	in front of a vowel or *h*	plural noun
du pain (some bread)	**de la** glace (some ice cream)	**de l'**eau (some water)	**des** poires (some pears)

In English, we don't always use the word 'some', but in French you have to use it.
*Pour le dîner, je prends **du** poulet et **des** frites.* For dinner, I have (some) chicken and (some) chips.

---

2 Trouvez la fin de chaque phrase puis traduisez les phrases en anglais.

1 D'habitude, pour le petit-déjeuner, …
2 À midi, normalement, je mange un sandwich …
3 Comme casse-croûte, je mange des chips ou …
4 Le soir, je mange souvent des pâtes avec de la salade. Je bois …
5 Comme dessert, je …

a des biscuits.
b du jus d'orange.
c au fromage ou au jambon.
d mange de la glace au chocolat ou à la fraise.
e je prends des céréales ou du pain grillé.

comme casse-croûte   as a snack
des pâtes   pasta

3 À deux. Posez les questions et répondez à tour de rôle.

- Qu'est-ce que tu prends pour le petit-déjeuner?
- Qu'est-ce que tu manges à midi?
- Qu'est-ce que tu manges comme casse-croûte?
- Et le soir, qu'est-ce que tu manges?
  Qu'est-ce que tu bois?

 To make your answers more interesting, try using:
Ça dépend. It depends.
d'habitude/normalement usually/normally
parfois/souvent/toujours sometimes/often/always

4 écrire **Copiez et complétez les phrases pour vous.**

1 D'habitude, pour le petit-déjeuner, …
2 À midi, …
3 Comme casse-croûte, …
4 Le soir, …
5 Comme dessert, …

5 écouter **Écoutez et complétez les deux listes de provisions. Il y a deux mots de trop dans l'encadré. (1–2)**

| un paquet de chips |
| une boîte de **1** ▭ |
| un litre de **2** ▭ |
| quatre **3** ▭ |
| de jambon |

| 250 grammes de fraises |
| un kilo de **4** ▭ |
| un **5** ▭ |
| de confiture |
| une **6** ▭ |
| d'eau minérale |

| bouteille | pot | tranches | tomates |
| raisin | petits pois | lait | jus d'orange |

Je n'en ai plus. I haven't got any left.

G *The irregular verbs* boire *and* prendre ❯ *Page 202*

Boire (to drink) and *prendre* (to take*)
are important irregular verbs.

They work like this in the present tense:

boire	**prendre**
je bois	je prends
tu bois	tu prends
il/elle/on boit	il/elle/on prend
nous buvons	nous prenons
vous buvez	vous prenez
ils/elles boivent	ils/elles prennent

*You use *prendre* with food and drink to mean 'have'.
Je prends des céréales. I have cereal.

un kilo de …	a kilo of …
deux cent cinquante grammes de …	250 grams of …
un litre de …	a litre of …
un paquet de …	a packet of …
un pot de …	a jar/pot of …
une boîte de …	a tin/can of …
une bouteille de …	a bottle of …
quatre tranches de …	four slices of …

6 écouter **Écoutez encore et notez le prix total de chaque liste. (1–2)**

7 parler **À deux. Faites ce dialogue. Ensuite, changez de rôle et changez les détails <u>soulignés</u>.**

● *Bonjour. Vous désirez?*
■ *Bonjour. Avez-vous <u>des poires</u>, s'il vous plaît?*
● *Je suis désolé(e). Je n'en ai plus.*
■ *Alors, je voudrais <u>un kilo de pêches</u>, s'il vous plaît.*
● *Et avec ça?*
■ *<u>Un paquet de biscuits</u>, s'il vous plaît.*
● *Bien sûr. Voilà.*
■ *Je prends aussi <u>un pot de yaourt à la fraise</u> et <u>une bouteille de coca</u>.*
● *C'est tout?*
■ *Oui, merci. Ça fait combien?*
● *Ça fait <u>huit</u> euros <u>cinquante</u>.*

⭐ After containers and quantities, you just use
de (or **d'** in front of a vowel or *h*).
*Un kilo **de** pêches. Une bouteille **d'**eau.*

8 écrire **Écrivez une liste de provisions pour un pique-nique.**

Exemple: deux baguettes, trois paquets de …

Point de départ 2

1 lire **Lisez et écrivez le bon prénom pour chaque texte.**

> *Qu'est-ce que tu portes normalement, le week-end?*

1 En été, je porte un polo, un short multicolore, un petit chapeau et des lunettes de soleil.

3 Ça dépend! Je porte souvent une mini-jupe, un blouson en cuir, des bottes et un sac à main.

2 D'habitude, je porte un tee-shirt avec un sweat à capuche, un jean, une casquette et des baskets de marque.

4 En ce moment, il fait froid, alors je porte un manteau, une robe, une écharpe et des gants en laine.

Roxane   Maxime   Nolan   Léa

2 écouter **Écoutez et vérifiez. (1–4)**

3 lire **Relisez les textes de l'exercice 1. Trouvez l'équivalent français des mots suivants.**

1 sunglasses
2 a leather jacket
3 a scarf
4 a handbag
5 woollen gloves
6 a coat
7 a little hat
8 a baseball cap
9 a dress
10 designer trainers
11 boots
12 a hoody

4 écouter **Écoutez les interviews. Notez <u>en anglais</u> les vêtements et les couleurs. (1–3)**

aujourd'hui   today

> **G** *Adjectives of colour*   ❯ *Page 214*
>
> In French, colours, like most other adjectives, go <u>after</u> the noun (e.g. *un tee-shirt* **rouge**).
> Adjective endings must agree with the noun. The patterns are as follows:
>
> | masculine singular | feminine singular | masculine plural | feminine plural |
> |---|---|---|---|
> | (e.g.) *un chapeau* | (e.g.) *une écharpe* | (e.g.) *des gants* | (e.g.) *des bottes* |
> | *bleu*/**noir**/*vert* | *bleue*/**noire**/*verte* | *bleus*/**noirs**/*verts* | *bleues*/**noires**/*vertes* |
> | *rouge*/**jaune**/*rose*/*mauve* | *rouge*/**jaune**/*rose*/*mauve* | *rouges*/**jaunes**/*roses*/*mauves* | *rouges*/**jaunes**/*roses*/*mauves* |
> | *gris* | *grise* | *gris* | *grises* |
> | **blanc** | **blanche** | **blancs** | **blanches** |
>
> Note that *marron* and *orange* are invariable: they never change their ending.

💬 The final consonant is usually silent (e.g. *vert, gris, blanc*).
But if you add *-e*, you <u>do</u> pronounce the final consonant (*verte, grise, blanche*).
The feminine plural endings sound the same as the feminine singular (*vertes, grises, blanches*).

5 **Lisez les textes et répondez aux questions en anglais.**

> Le week-end, je porte souvent une jupe mauve ou noire avec mon sweat à capuche bleu clair et mes bottes grises. Mais samedi soir, je vais aller à la fête d'anniversaire de ma copine Emma, alors je vais porter une robe verte avec un blouson blanc. Je vais aussi acheter un sac à main blanc pour aller avec! *Lucie*

> D'habitude, le week-end, je porte un tee-shirt noir avec un jean moulant et des baskets blanches. Mais samedi prochain, je vais aller au mariage de ma cousine, alors je vais porter mon costume bleu foncé avec une chemise blanche, une cravate rayée bleu et rouge et mes chaussures noires. *Noah*

1 What does Lucie normally wear at the weekend?
2 What is she going to wear for her friend's birthday party?
3 What is she going to buy?
4 What does Noah usually wear at the weekend?
5 Why is he going to wear a suit next Saturday?
6 What is he going to wear with it?

clair(e)	light
le jean moulant	skinny jeans
le costume	suit
foncé(e)	dark
rayé(e)	striped

6 parler **À deux. D'habitude, qu'est-ce que vous portez, le week-end? Et pour les occasions spéciales ci-dessous? Discutez.**

Exemple:
● *D'habitude, qu'est-ce que tu portes, le week-end?*
■ *Normalement, je porte un tee-shirt rouge avec un jean bleu et mes baskets blanches.*
● *Qu'est-ce que tu vas porter pour le barbecue sur la plage?*
■ *Je vais porter une casquette jaune, …*

> ⭐ Present tense: *je porte*
> (I wear/I am wearing)
>
> Near future tense: *je vais porter*
> (I am going to wear)

le barbecue sur la plage

le mariage de ton cousin

la fête d'anniversaire de Chloé

7 écrire **Traduisez ces phrases en français.**

1 Usually, I wear a black hoody with blue <u>jeans</u>.
2 In summer, I wear a red cap and white trainers.
3 Next Saturday, I am going to wear a green dress with a brown jacket.
4 <u>For</u> <u>Nathan's birthday party</u>, I am going to wear <u>shorts</u> and sunglasses!

> 'Jeans', 'shorts' and 'trousers' are plural in English, but singular in French, so use *un*.

> 'For' is *pour*.

> Say 'the birthday party of Nathan' – see the third photo caption in exercise 6.

1 écouter Écoutez et complétez le texte avec *je dois* ou *je peux*.

Je m'appelle Olivia et j'ai quinze ans. Je vais au lycée et j'ai cours tous les jours sauf le dimanche.

Les jours d'école, **1** _____ me lever tôt. Je prends vite mon petit-déjeuner car **2** _____ quitter la maison à sept heures trente!

3 _____ aller au lycée en scooter parce qu'en France, on peut rouler en scooter à quatorze ans.

Le mercredi après-midi, je n'ai pas cours, alors **4** _____ regarder la télé ou écouter de la musique. Ça me déstresse.

Le samedi matin, j'ai cours mais l'après-midi, je suis libre! Parfois, **5** _____ aider mes parents à la maison. Sinon, **6** _____ retrouver mes copains en ville.

Le dimanche, c'est mon jour préféré parce que **7** _____ rester au lit! Mais l'après-midi, **8** _____ ranger ma chambre et faire mes devoirs.

Point culture

Some schools in France have lessons on Saturday mornings. But most have no lessons on Wednesday afternoons. This gives students a mid-week break, as the school day in France is longer than in the UK.

French teenagers can ride a scooter at 14, but they must have the *ASSR* (*Attestation de Sécurité Routière*) school road safety certificate.

le lycée	*secondary school from 15 years old*
sauf	*except*

2 lire Dans le texte de l'exercice 1, trouvez l'équivalent français de ces phrases.

1 I have to get up early
2 I have to leave the house
3 I have to help my parents
4 I can meet up with my friends
5 I can stay in bed
6 I have to tidy my room

G *The modal verbs* devoir *and* pouvoir ❯ *Page 212*

The verbs *devoir* (to have to/must) and *pouvoir* (to be able to/can) are known as **modal verbs**. They are usually followed by another verb in the infinitive.

devoir	pouvoir
je dois	je peux
tu dois	tu peux
il/elle/on doit	il/elle/on peut
nous devons	nous pouvons
vous devez	vous pouvez
ils/elles doivent	ils/elles peuvent

3 lire **Relisez le texte de l'exercice 1. Écrivez V (vrai) ou F (faux) pour chaque phrase.**

1 Les jours d'école, Olivia doit se lever à sept heures trente.
2 Elle peut aller au lycée en scooter.
3 Le mercredi matin, elle doit aller au lycée.
4 Le samedi matin, elle peut rester au lit.
5 Le samedi après-midi, elle peut voir ses copains.
6 Le dimanche, elle doit faire ses devoirs.

 4 écouter **Écoutez l'interview de Youssef qui habite au Sénégal, en Afrique. Choisissez la bonne fin de chaque phrase.**

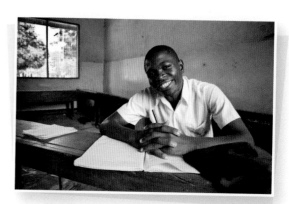

1 Youssef goes to school every day except …
  a Sundays. **b** Saturdays and Sundays.
2 On school days, he has to get up …
  a at six o'clock. **b** at half past six.
3 He and his sister go to school …
  a by bus. **b** on foot.
4 In the evenings, he does his homework, then …
  a goes out with his friends. **b** watches TV.
5 On Saturdays, he …
  a stays in bed. **b** helps his father.
6 On Sundays, he …
  a plays football. **b** watches football on TV.

> Listen carefully for negatives like *ne … pas* – they can completely change the meaning of a sentence!

 5 parler **À deux. À tour de rôle, posez les questions de l'exercice 4 et respondez-y.**

In pairs. Take turns to ask and answer the questions from exercise 4.

- Tu as cours quels jours de la semaine?
- Les jours d'école, tu dois te lever à quelle heure?
- Tu vas au collège comment?
- Qu'est-ce que tu fais, le soir?
- Est-ce que ta routine est différente, le week-end?

J'ai cours	tous les jours sauf (le samedi/ le dimanche).
Les jours d'école,	je dois me lever tôt/quitter la maison à …
Je vais au collège	en bus/en voiture/à pied/à vélo.
Le soir,	je dois faire mes devoirs/aider ma mère. je peux regarder un peu la télé.
Le samedi,/ Le dimanche,	je peux rester au lit/retrouver mes copains/copines en ville.
Le samedi/ dimanche après-midi,	je dois ranger ma chambre. je peux écouter de la musique/jouer au foot avec …

 6 écrire **Écrivez un court paragraphe sur votre vie quotidienne. Utilisez vos réponses aux questions de l'exercice 5.**

Write a short paragraph about your daily life. Use your answers to the exercise 5 questions.

 Look at how Olivia uses words like *parfois* (sometimes), *car/parce que* (because) and *sinon* (if not) in exercise 1, to create extended sentences. Use some of these in your writing.

- *Shopping for clothes*
- *Using* **quel(s)/quelle(s)** *and* **ce/cet/cette/ces**

1 écouter **Écoutez et lisez le dialogue. Complétez les phrases en anglais.**

une veste

un pull

- Bonjour, je peux vous aider?
- Bonjour. Je voudrais <u>un pantalon</u>, s'il vous plaît.
- Bien sûr. De quelle couleur?
- <u>Noir ou marron</u>, s'il vous plaît.
- Vous faites quelle taille?
- <u>Trente-huit</u>.
- Voilà. Quel pantalon préférez-vous?
- Je préfère le pantalon noir. Où sont les cabines d'essayage, s'il vous plaît?
- Elles sont là-bas, à gauche.
- Merci. Je prends aussi <u>des chaussettes</u>, s'il vous plaît.
- Quelles chaussettes voulez-vous?
- <u>Des chaussettes bleues</u>, s'il vous plaît.

une ceinture

un pantalon

des chaussures

des chaussettes

une chemise

1 He wants to buy …
2 His size is …
3 The colour he chooses is …
4 The changing rooms are on the …
5 He also asks for …

G **quel, quelle, quels, quelles** ❯ *Page 204*

To ask 'which …?' you use *quel, quelle, quels* or *quelles* followed by a noun.

masc singular	fem singular	masc plural	fem plural
quel pull? (which jumper?)	*quelle veste?* (which jacket?)	*quels gants?* (which gloves?)	*quelles chaussures?* (which shoes?)

2 écouter **Écoutez. Copiez et complétez le tableau en français. (1–4)**

	vêtement	taille/pointure	couleur choisie
1	une veste		

⭐ When referring to shoes, the word for 'size' is *la pointure*.

une taille moyenne *medium size*

3 parler **À deux. Adaptez le dialogue de l'exercice 1 en changeant les détails <u>soulignés</u>. Utilisez vos propres idées.**

Exemple:

- Bonjour, je peux vous aider?
- Bonjour. Je voudrais <u>une chemise</u>, s'il vous plaît.
- Bien sûr …

4 lire **Lisez et trouvez la fin de chaque phrase.**

J'ai acheté …

ce pull,

cet imperméable,

cette jupe,

cette montre,

ce short,

ces boucles d'oreille,

mais …

a elle est trop grande.
b il y a un trou.
c elle ne marche pas.

d il y a une tache.
e il est trop petit.
f elles sont cassées.

Il y a un trou.	*There is a hole.*
Il y a une tache.	*There is a stain/mark.*
Il/Elle est trop petit(e)/grand(e).	*It is too small/big.*
Ils/Elles sont trop petit(e)s/grand(e)s.	*They are too small/big.*
Il/Elle est cassé(e).	*It is broken.*
Ils/Elles sont cassé(e)s.	*They are broken.*
Il/Elle ne marche pas.	*It doesn't work.*
Je voudrais échanger le/la/les …	*I'd like to exchange the …*
Je voudrais un remboursement.	*I'd like a refund.*

5 écouter **Écoutez et vérifiez. Notez aussi <u>en anglais</u> la solution au problème. (1–6)**

6 parler **À deux. Faites trois dialogues. Utilisez vos propres idées.**

Exemple:

● *J'ai acheté ce/cet/cette/ces … mais …*
■ *Je suis désolé(e). Que voulez-vous faire?*
● *Je voudrais …, s'il vous plaît.*

G ce, cet, cette, ces ❯ *Page 220*

To say 'this …' or 'these …' you use the following:

masculine singular	masculine singular before a vowel or 'h'	feminine singular	plural
***ce** chapeau* (this hat)	***cet** imperméable* (this raincoat)	***cette** montre* (this watch)	***ces** boucles d'oreille* (these earrings)

7 lire **Lisez le texte et répondez aux questions.**

Préférez-vous acheter vos vêtements en ligne ou dans un magasin?

Liliane: J'ai horreur d'aller dans les magasins parce qu'il y a toujours trop de monde. Je préfère faire mes achats en ligne!

Ryan: Souvent, quand on achète un vêtement en ligne, il est trop petit ou trop grand. C'est mieux d'essayer les vêtements dans un magasin.

Nassim: C'est plus facile et plus rapide d'acheter en ligne. De plus, on peut trouver des vêtements moins chers que dans les magasins.

Maryse: Je préfère faire les magasins avec mes copines parce que je peux demander l'opinion de mes amies sur les vêtements que je vais acheter!

Who …

1 likes trying on clothes before buying them?
2 doesn't like crowds of people?
3 likes asking for advice about what to buy?

4 has had problems with clothes bought online?
5 is interested in saving money online?
6 doesn't like going shopping alone?

3 C'est la fête!

1 *lire* **Lisez et trouvez la fin de chaque phrase.**

LES FÊTES EN FRANCE

À Noël, …

À Pâques, …

À la Chandeleur, …

Le 6 janvier, …

À la Saint-Sylvestre, …

Le 1er avril, …

a on prépare et on mange des crêpes.

b on décore le sapin de Noël et on s'offre des cadeaux.

c on cherche des œufs en chocolat dans le jardin.

d on fête la fin de l'année. Souvent, on boit du champagne.

e on colle un poisson dans le dos de quelqu'un et on dit «Poisson d'avril!»

f on mange un gâteau spécial qui s'appelle une galette des Rois.

2 *écouter* **Écoutez et vérifiez. (1–6)**

> As well as meaning 'we', **on** can be used to mean 'people'. It takes the same part of the verb as *il* and *elle*.

3 *écouter* **Écoutez. Qui dit quoi? Pour chaque personne, notez les lettres des <u>deux</u> bonnes phrases. (1–4)**

1 Clara **2** Kader **3** Charlotte **4** Théo

a On ne fête pas Noël parce qu'on est juifs mais on fête Hanoukka.

b Chez moi, on fait un grand repas la veille de Noël, c'est-à-dire le 24 décembre.

c On est musulmans, alors on ne fête pas Noël mais on fête l'Aïd-el-Fitr.

d Chez nous, on mange de la dinde rôtie avec des légumes.

e On allume des bougies et on mange toutes sortes de bonnes choses!

f Puis comme dessert, on mange une bûche de Noël au chocolat.

g D'abord, on va à la mosquée et ensuite, on mange des choses sucrées.

h On ouvre les cadeaux et après, on chante des chants traditionnels.

allumer des bougies *to light candles*

> *chez moi* – at my house/in my home
> *chez nous* – at our house/in our home

4 parler

À deux. Interviewez votre partenaire au sujet des fêtes.

Exemple:

- ● *Est-ce que tu fêtes Noël chez toi?*
- ■ *Oui, on …/Non, on ne …, mais on …*
- ● *Comment est-ce que tu fêtes (Noël/Divali …)?*
- ■ *On …*
- ● *Qu'est-ce que vous mangez?*
- ■ *Chez moi, …*

Oui, on fête Noël.
Non, on ne fête pas Noël parce qu'on est hindous/juifs/ musulmans mais on fête Divali/Hanoukka/l'Aïd-el-Fitr.
On décore le sapin de Noël/ouvre les cadeaux/ chante des chants traditionnels/allume des bougies/ va à la mosquée.
Chez moi,/Chez nous, on mange de la dinde rôtie/ toutes sortes de bonnes choses/des choses sucrées.

G *Asking questions using* est-ce que …? *and* qu'est-ce que …? **〉** *Page 204*

- **Est-ce que …?** turns a statement into a question, like 'do' or 'does' in English.
  Tu fêtes Noël. → **Est-ce que** *tu fêtes Noël?*
  You celebrate Christmas. → **Do** you celebrate Christmas?
- It is also used with question words.
  Comment *est-ce que tu fêtes Noël?* **How** do you celebrate Christmas?
- **Qu'est-ce que …?** means 'What …?'
  Qu'est-ce que *tu manges à Noël?* **What** do you eat at Christmas?

Divali

5 lire

Lisez le texte et les phrases en anglais. Qui dit ça?

Quelle est ta fête préférée et pourquoi?

Alyzée: J'adore fêter mon anniversaire parce que je reçois beaucoup de cadeaux! 😊 De plus, je suis née en août, donc le jour de mon anniversaire, je n'ai pas cours puisque c'est les grandes vacances!

Maëlys: Je suis très romantique 💜, alors une de mes fêtes préférées, c'est la Saint-Valentin. L'année dernière, j'ai reçu trois cartes (anonymes, bien sûr!). Malheureusement, je n'ai pas reçu de fleurs … 😞

Samuel: À part Noël, j'aime la fête des Mères car c'est l'occasion de dire merci à sa maman. On peut lui offrir une carte et des fleurs ou des chocolats. À mon avis, c'est important.

Ronan: J'adore la Saint-Sylvestre parce que j'aime m'habiller bien, sortir avec mes amis et danser toute la soirée. Nous faisons le compte à rebours à minuit puis tout le monde s'embrasse et dit «Bonne année!» C'est génial!

le compte à rebours	*countdown*
s'embrasser	*to kiss (each other)*

1 I love receiving presents!
2 I like dressing well and going out to celebrate with my friends.
3 I really enjoy Mother's Day.

4 I was disappointed not to receive any flowers.
5 I don't have to go to school on my birthday!
6 I love dancing all night!

6 lire

Traduisez en anglais les textes de Maëlys et de Ronan de l'exercice 5.

7 écrire

Écrivez un court texte au sujet des fêtes.

Mention:

- what your favourite festival is (*Ma fête préférée est …/ Une de mes fêtes préférées, c'est …*)
- why you like this festival (*J'adore/J'aime cette fête parce que/car/puisque …*)
- how you celebrate it in your home (*Chez moi,/Chez nous, on …*)
- what you eat and drink. (*On mange/On boit …*)

⭐
- Borrow or adapt phrases from exercises 1, 3 and 5.
- Use sequencers (*d'abord/ensuite/ puis/après …*) to link together a list of activities.
- Use *donc* or *alors* (so/therefore) to connect some of your sentences.

- *Talking about shopping for a special meal*
- *Using the present and near future tenses*

1 écouter **Écoutez et lisez. Mettez les photos dans le bon ordre.**

Jules
Salut, les copains! Vous êtes invités à fêter le Nouvel An chez moi!
Vous pouvez apporter quelque chose à manger ou à boire, s'il vous plaît?
Dites-moi ce que vous allez apporter!

Paul: Merci pour l'invitation! Je vais apporter du jambon, du saucisson et du pâté. Ça va aller?

Alima: Génial! Je vais m'occuper du dessert: je vais acheter des mini-gâteaux et une tarte aux fruits. Miam-miam!

Xavier: Merci, je viens! Je vais chercher le pain. Je vais acheter trois ou quatre baguettes. Tu crois que ça suffit?

Mathis: Moi, je vais apporter de la viande! Je vais faire cuire des morceaux de poulet qu'on va manger froids. Ça va être délicieux!

Lola et Sarah: Compte sur nous! On va préparer des salades composées. On va acheter une laitue, des tomates, du concombre, des oignons …

Jade et Malik: Nous, on va acheter à boire! On va apporter quelques grandes bouteilles de coca et de limonade. À bientôt!

⭐ Remember, you use **aller** + the infinitive to refer to future plans.
*Je **vais** apporter …* (I'm **going to** bring …)
How many other examples can you find in exercise 1 and what do they mean?

le Nouvel An	*New Year*
s'occuper de	*to take care of*
faire cuire	*to cook (something)*

2 écrire **Qui va aller à quel magasin? Écrivez une phrase pour chaque personne de l'exercice 1.**

Exemple:
Paul **va** aller à la charcuterie. Lola et Sarah **vont** aller au …

⭐ Remember: à + *le* = **au**

3 parler **Vous allez acheter des provisions pour la fête de votre copain/copine. Laissez-lui un message vocal.**

You are going to buy food for your friend's party. Leave him/her a voicemail.

Exemple:
Je vais acheter <u>cinq paquets de chips</u>, <u>une tarte aux fruits</u>, …
D'abord, je vais aller <u>à l'épicerie</u>. Ensuite, je vais aller au/à la … Puis … Après, … Finalement, …

4 lire **Lisez le texte et répondez aux questions en anglais.
Pour vous aider, utilisez un dictionnaire.**

Point culture

In France, 14 July is *la fête nationale*, a national holiday. It is a celebration of the French Revolution and in Paris there are big military parades and fireworks. Many smaller towns and villages also celebrate with fireworks and a local dance.

Le blog de **Najoua**

Pour fêter le 14 juillet, normalement, on mange chez mes grands-parents. Mais cette année, je vais inviter toute ma famille à un barbecue chez nous. La ville où on habite est toute petite, donc je ne peux pas aller au supermarché: je dois acheter les provisions dans des petits magasins indépendants.

À la boucherie-charcuterie, je vais acheter des biftecks et des saucisses que je vais griller sur le barbecue. Avec ça, je vais servir une salade de riz avec des poivrons et des champignons. Comme dessert, je vais préparer une salade de fruits avec des abricots, du raisin et des framboises fraîches. Je vais chercher tous ces ingrédients au marché ou à l'épicerie.

Après le repas, on va aller au bal sur la place principale de la ville et plus tard, on va regarder le feu d'artifice. On va bien s'amuser!

1 This year what is Najoua going to do on 14 July that is different?
2 Why is she not going to go to the supermarket?
3 Name one thing she is going to cook on the barbecue.
4 What is she going to serve with the meat? (Give <u>three</u> details.)
5 Which of the following is she <u>not</u> going to put in the fruit salad: apricots, strawberries, raspberries, grapes?
6 Name <u>two</u> things they are going to do after the meal.

5 écouter **Écoutez William qui parle du 14 juillet. Notez en anglais:
a) <u>trois</u> choses qu'il fait normalement
et b) <u>trois</u> choses qu'il va faire cette année.**

les défilés   *parades*

6 écrire **Copiez et complétez les phrases en mettant les verbes au bon temps.**

Copy and complete the sentences, using the correct tense of the verb.

1 Normalement, je mange avec ma famille mais cette année, je ▭ au restaurant.
2 D'habitude, je prépare une salade mais cette année, je ▭ des crêpes.
3 Normalement, on fait un barbecue mais cette année, on ▭ un pique-nique.
4 D'habitude, je ▭ un jean mais cette année, je vais porter une robe.
5 Normalement, je ▭ au supermarché mais cette année, je vais aller au marché.
6 D'habitude, on ▭ du coca mais cette année, on va boire de la limonade.

7 parler **Préparez une courte présentation pour répondre à ces questions. Utilisez votre imagination!**

- Normalement, comment est-ce que tu fêtes le Nouvel An?
- Et cette année, comment est-ce que tu vas fêter le Nouvel An?

Exemple:
Normalement, je fête le Nouvel An avec ...
On mange/boit/fait ... Mais cette année, je vais aller/faire/inviter/préparer ...

G *The present and near future tenses*

Use the **present tense** to say what you **normally or usually do**.	Use the **near future tense** to say what you **are going to do**.
Je mange/danse (etc.)	*Je **vais** manger/danser* (etc.)
On mange/danse (etc.)	*On **va** manger/danser* (etc.)

5 Félicitations!

• Describing family celebrations
• Using past, present and future tenses

1 Écoutez et lisez. Reliez les messages et les photos. Ensuite, pour chaque texte, notez <u>trois</u> détails en anglais. (1–4)

1 Hier, c'était mon anniversaire. J'ai reçu beaucoup de cadeaux et j'ai mangé trop de gâteau d'anniversaire!

2 Ce matin, ma sœur a eu son premier bébé. Il est né à trois heures du matin et il est adorable!

3 Le week-end dernier, je suis allé au mariage de ma cousine Zohra et son fiancé, Nassim. Il y avait beaucoup d'invités et c'était génial.

4 Avant-hier, je suis allée à la mairie parce que mon frère s'est pacsé avec son compagnon. Félicitations, Nathan et Hugo!

la mairie   town hall
se pacser   to become civil partners

G *The perfect and imperfect tenses*   ❯ *Pages 208 and 217*

• You use the **perfect tense** to describe completed actions in the past.
  – Some verbs have irregular past participles:
    avoir – *j'ai* **eu** (I had)
    boire – *j'ai* **bu** (I drank)
    prendre – *j'ai* **pris** (I took)
    recevoir – *j'ai* **reçu** (I received)

– Some verbs take *être* in the perfect tense:
  aller – *je* **suis** *allé(e)* (I went)
  naître – *je* **suis** *né(e)* (I was born)

• You use the **imperfect tense** to say 'was' or 'were'.
The imperfect of *c'est* is **c'était** (it was).
The imperfect of *il y a* is **il y avait** (there was/were).

Find examples of both tenses in exercise 1.

---

2 Écoutez et complétez le texte avec les verbes de l'encadré.

Samedi dernier, **1** ▢▢▢ à la mairie pour le mariage de mon cousin.
2 ▢▢▢ une robe bleue avec une veste blanche.

Après la cérémonie, **3** ▢▢▢ des photos puis on est allés à l'hôtel pour le vin d'honneur. **4** ▢▢▢ du coca, mais mes parents ont bu du champagne.
Ensuite, **5** ▢▢▢ toutes sortes de bonnes choses. **6** ▢▢▢ un gâteau spécial qui s'appelle un croquembouche. **7** ▢▢▢ délicieux!
Après le repas, **8** ▢▢▢ jusqu'à minuit. C'était une excellente soirée.
Noémie

> il y avait   on a mangé   je suis allée   j'ai porté
> j'ai pris   c'était   j'ai bu   on a dansé

le vin d'honneur
drinks reception

un croquembouche

3 lire **Lisez le texte et choisissez la bonne fin de chaque phrase.**

BON ANNIVERSAIRE

L'année dernière, j'ai fêté mon anniversaire avec mes copains. D'habitude, on va au cinéma ou à la piscine. Mais cette fois, on est allés au bowling et ensuite, on a mangé un hamburger-frites au fast-food. Je me suis bien amusé et j'ai reçu beaucoup de cadeaux.

Cette année, je vais avoir seize ans, donc je vais inviter mes amis à une fête chez moi. On va manger des sandwichs, des chips et un gros gâteau au chocolat que ma mère va préparer. Après le repas, on va écouter mes chansons préférées et on va danser.
Gabriel

1 Last year, on his birthday, Gabriel and his friends went …
a to the cinema. **b** swimming. **c** bowling. **d** to a party.
2 They ate …
a burgers and chips. **b** sandwiches. **c** crisps.
d chocolate cake.
3 This year, Gabriel is going to …
a go to a cafe. **b** have a party. **c** go to a night club.
d stay at home with his mother.
4 One of the things he and his friends are going to do is …
a download music. **b** dance. **c** watch his favourite film.
d go to an amusement park.

> • Look closely at verbs to distinguish between past, present and future: *on a mangé/on mange/on va manger*.
> • Sometimes, time expressions can give you a clue. For example, which time frame does *l'année dernière* refer to?
> • However, time expressions are not always helpful! *Cette année* (this year) could refer to the past, the present or the future.

4 écouter **Écoutez. Copiez et complétez le tableau en anglais. (1–5)**

	what special occasion?	past, present or future?	two details (activities, food, etc.)
1			

5 parler **À deux. Posez les questions et répondez à tour de rôle.**

- *D'habitude, comment est-ce que tu fêtes ton anniversaire?*
- *D'habitude, je fête … avec … Je vais/Je mange …*
- *L'année dernière, comment as-tu fêté ton anniversaire?*
- *L'année dernière, je suis allé(e)/j'ai reçu/j'ai mangé …*
- *Comment vas-tu fêter ton prochain anniversaire?*
- *Je vais faire/aller/manger/danser …*

6 écrire **Traduisez ces phrases en français.**

> Which tense do you need in this sentence, to go with 'usually'?

1 Usually, I go to the cinema with my family, then we eat a big cake.
2 Last year, I invited my friends to a party and we danced. It was great!
3 This year, I am going to stay at home and watch my favourite film.
4 Normally, I wear jeans and trainers, but next Saturday I am going to go to a wedding, so I have bought a blue shirt and black trousers.

> Do you need the perfect or imperfect tense here?

> You need three different tenses for this sentence!

> Don't forget to make the colour adjectives agree correctly!

1 📖 The website 'Fêtes de France' has posted a question about the French national holiday. Read some of the responses it has received.

> **Quel aspect de la fête nationale aimez-vous le plus?**
>
> **Enzo:** Pour moi, le mieux c'est que le 14 juillet est un jour férié donc je n'ai pas cours!
>
> **Samira:** Le soir, j'aime aller sur la place de la ville pour regarder le feu d'artifice. Ensuite, mes amis et moi allons danser au bal!
>
> **Caspar:** Moi, j'aime préparer toutes sortes de bonnes choses pour faire un grand pique-nique avec ma famille.

Which of the following aspects is the most important for each person? Write the correct letter for each person.

A	the evening activities	D	having a day off school
B	watching the celebrations on TV	E	creating a special meal
C	going to visit family members	F	going shopping in town

1 Enzo   **2** Samira   **3** Caspar

> ⭐ Don't jump to conclusions because you see words like *regarder* or *famille*! Read the text <u>and</u> the questions very carefully for <u>detail</u>.
>
> Also remember that the text may not use exactly the same wording as the questions. For example, the word *collège* does not appear in the text even though one of the questions is about having a day off school, but can you spot any other school-related words?

2 📖 Read this abridged extract from *Le Petit Nicolas, c'est Noël!* by Jean-Jacques Sempé and René Goscinny. Answer the questions in **English**.

> Il y avait un tas de bonbons dans le sac de mémé, des en chocolat et des en caramel. Elle est vraiment chouette, mémé. J'aime bien papa et maman, mais ils ne me donnent jamais autant de bonbons. […]
>
> Comme c'était l'heure du dîner, papa est redescendu dans le salon. Moi, j'avais fini les bonbons, et, c'est drôle, […] j'avais la bouche toute sucrée et un peu mal au ventre. […]
>
> Nous nous sommes mis à table dans la salle à manger. […] Mais là, je ne sais pas pourquoi, je n'avais plus faim. […]
>
> Quand le dîner s'est terminé, maman m'a envoyé me coucher tout de suite, et j'ai été très malade. Très, très malade.
>
> **mémé** *granny*

© IMAV éditions / Goscinny-Sempé

> ⭐ Don't worry if you don't understand every word – you don't need to. Start by reading the questions. They will help give you an idea what the text is about. What information about the text do these questions give you?

1 What was in Nicolas's granny's bag?
2 What does Nicolas think of his granny?
3 Why did Nicolas not feel hungry at dinner?
4 What did Nicolas's mother do at the end of the meal?

3 lire Your sister's French friend has posted the following message online. Your sister asks you to translate it into English for her.

> D'habitude, le week-end, j'aime porter un tee-shirt, un jean et des baskets blanches. Mais samedi dernier, je suis allée au mariage de mon oncle donc j'ai porté une robe jaune. Demain, je vais acheter une cravate à mon père, pour son anniversaire.

1 écouter Listen to the podcast. What <u>two</u> things does each student like about Christmas? Write the correct letters. (1–2)

A the food
B watching TV
C the decorations
D seeing family members
E Christmas shopping
F the presents
G Christmas songs
H going to church

> ⭐ Listen for <u>clue words</u>, e.g. you may not hear the word *manger*, so you need to listen for words associated with eating, such as items of food.

2 écouter You hear these announcements in a French supermarket. Choose the correct letter to complete each sentence. (1–3)

1 There is a special offer on …
  A fruit.
  B jam.
  C bread.

2 They sell the ingredients for making …
  A pancakes.
  B sandwiches.
  C cakes.

3 This announcement is advertising gifts for …
  A Easter.
  B Mother's Day.
  C Valentine's Day.

> ⭐ Multiple-choice tasks will usually include <u>distractors</u>. In each question, you may hear words associated with all three options. So you need to listen carefully for <u>detail</u> to choose the correct answer.

3 écouter You listen to a French radio programme about the advantages of online shopping. Write down <u>in English</u> <u>one</u> advantage of online shopping given by each speaker. (1–3)

A – Role play

1 parler

Look at the role play card and prepare what you are going to say.

> Your teacher will play the part of the sales assistant and will speak first.
>
> You should address the sales assistant as *vous*.
>
> When you see this – **!** – you will have to respond to something you have not prepared.
>
> When you see this – **?** – you will have to ask a question.
>
> **Vous parlez avec le vendeur/la vendeuse dans un magasin de vêtements en France.**
> - Vêtement que vous cherchez
> - Couleur
> - **!**
> - **?** Cabines d'essayage
> - Votre opinion sur le vêtement et <u>une</u> raison

You could start with 'I would like …', or 'I am looking for …'

Listen carefully. What sort of thing might the assistant ask you?

How do you say 'Where are …?' Look back at page 56.

You could say 'I like this (shirt)' – use the correct word for 'this' (look back at page 57) and then give a reason. If you want to say 'because it is (pretty, great, etc.)', use the correct word for 'it' (*il* for a masculine singular noun, *elle* for a feminine singular noun).

Remember to be polite! Use *s'il vous plaît* and *merci*.

2 parler

With a partner, practise what you have prepared. Give each other feedback on pronunciation, intonation and clarity.

- **Pronunciation**: How French does your partner sound? Are there any words he/she is not pronouncing correctly?
- **Intonation**: Do your partner's questions sound like questions? Remember, his/her voice should rise at the end of a question.
- **Clarity**: How clearly does your partner get across the message? If you were a French person, how easily would you understand him/her?

3 écouter

Using your notes, listen and respond to what the teacher says or asks.

4 écouter

Now listen to Julie doing the role play and compare her answers with yours. Is there anything you could do differently to improve your performance?

B – General conversation

1 The teacher starts the general conversation by asking Sayed, «Quels vêtements aimes-tu porter?» Listen to his answer and correct the mistake in each of these sentences.

A At the weekend Sayed likes wearing skinny jeans with a red or brown hoody.

B He likes wearing this because it's trendy.

C On Saturday evening he is going to go to his friend's wedding.

D He is going to put on a light blue polo shirt and a black jumper.

E To go to school he has to wear a white shirt with a red and green striped tie.

F He hates this because it's boring.

> It's important to <u>develop</u> your answers. Don't just give a basic reply, but volunteer extra information and details – like Sayed does.

> During the general conversation, you will have to ask your teacher a question. What question does Sayed ask here?

2 Next, the teacher says to Sayed, «Parle-moi de ta vie quotidienne.» Listen and note down the order in which he mentions the following things.

A what he has for breakfast

B having a lie-in at weekends

C meeting his friends in town

D how he travels to school

E tidying his room and doing homework

F what time he gets up on school days

> Add variety to what you say by using a range of verbs. Sayed uses some verbs on their own (e.g. *je mange*), as well as *je dois* and *je peux* + an infinitive. How many different verb forms can you spot in Sayed's answer?

3 Listen to and look at how Sayed answers the next question: «Comment as-tu fêté ton dernier anniversaire?» Write down the missing word(s) for each gap. Then look at the Answer booster on page 68 and write down <u>five</u> examples of what he says to make his answer a strong one.

> Je fête **1** ▭▭▭ mon anniversaire avec mes copains parce que c'est marrant. D'habitude, on va au cinéma ou **2** ▭▭▭ au bowling et on s'amuse bien. Mais **3** ▭▭▭ , on est allés à un centre de loisirs où on a fait de l'escalade. C'était génial! Ensuite, on a mangé un hamburger-frites à la cafétéria et j'ai **4** ▭▭▭ mes cadeaux. Le soir, mon père a **5** ▭▭▭ un super gâteau au chocolat **6** ▭▭▭ j'adore le chocolat. Cette année, je vais avoir seize ans donc je **7** ▭▭▭ mes amis à une fête chez moi.

4 Prepare answers to the following questions. Then practise with your partner.

1 Quels vêtements aimes-tu porter?

2 Parle-moi de ta vie quotidienne.

3 Comment as-tu fêté ton dernier anniversaire?

4 Qu'est-ce que tu vas manger ce soir?

5 Décris-moi une occasion spéciale que tu as fêtée récemment.

6 Préfères-tu acheter en ligne ou dans un magasin? Pourquoi?

Answer booster	Aiming for a solid answer	Aiming higher	Aiming for the top
Verbs	**Verbs with** *je* **Different time frames:** present, perfect and near future tenses	**Different persons of the verb:** *il/elle/on* ... **Modal verbs:** *Je peux/Je dois* + infinitive	**The imperfect and perfect tenses together:** *Je suis allé(e) ... C'était ...* *Il y avait ...*

Opinions and reasons	**Basic verbs of opinion:**
	J'aime/J'adore ...
	   parce que c'est ...
		Different opinions with reasons:
		Mon/Ma ... préféré(e), c'est ...
		   car ...
		Un(e) de mes ... préféré(e)s,
		   c'est ...
			Add more variety:
			À mon avis, .../Je crois que ...
			Opinions in different tenses:
			C'était .../Ça va être ...

Connectives	*et, mais, aussi, ou, parce que*	*où, car, quand, donc, alors*	*sauf, sinon*
Other features	**Sequencers:** *d'abord, ensuite, puis, après* **Time and frequency phrases:** *normalement, d'habitude, tous les jours, souvent, le week-end, hier*	**More time and frequency phrases:** *parfois, toujours, avant-hier, les jours d'école, cette année*	***Chez:*** *Chez moi/Chez nous, ...* **Interesting structures and vocabulary:** *Ça dépend.* *Comme casse-croûte, ...*

A – Picture-based task

1 Look at the photo and the task. Write your answer, then check carefully what you have written.

Votre ami(e) français(e) a posté cette photo sur Facebook.

Qu'est-ce qu'il y a sur la photo? Écrivez **quatre** phrases **en français**.

- Aim for at least five words per sentence. You could say how many people there are in the photo, what they are doing, what the weather is like ...
- Remember, you will need to use the *il/elle* or *ils/elles* parts of the verb: *La famille/ Le garçon (etc.) est/fait/ mange/boit ...* Or: *Ils font/ mangent/boivent ...*

B – Translation

1 Translate the following sentences into French.

Which verb could you use here for 'have'? Look back at page 51.

Remember to use a definite article before the noun: *le, la, l'* or *les*?

1 I like strawberries.
2 My birthday is in June.
3 For breakfast I have cereal.
4 On Sunday evening I have to do my homework.
5 I wore a white shirt and a black jumper.

You don't need a word for 'on'. Just say 'Sunday evening ...'

Use the perfect tense.

Remember to make adjectives agree. In French, do colour adjectives go before or after the noun? Look back at page 52.

C – Extended writing task

1 *lire* **Look at the task. Which bullet (first, second, third or fourth) asks you to do each of the following?**

1 write about a past event?

2 give two contrasting opinions?

3 write about future plans?

4 write about a favourite celebration?

Vous décrivez des occasions spéciales pour votre blog.

Décrivez:

• votre fête préférée

• les aspects positifs et négatifs d'une fête en famille

• une occasion spéciale récente que vous avez célébrée

• vos projets pour une autre occasion spéciale.

Écrivez environ **90** mots **en français**. Répondez à chaque aspect de la question.

> ⭐ In the 90-word writing task, you will always be required to refer to the present, past and future. Look for words like *récent(e)* and *projets*, which point you towards a particular time frame. Which tense(s) will you use for each? You will also be required to give <u>opinions</u>.

2 *lire* **Look at the verbs and other phrases below. Which could you use to cover each of the bullets in the task?**

Example: first bullet: E, …

A Hier, je suis allé(e) …

B La semaine prochaine, je vais fêter …

C Chez moi, on mange … et on boit …

D J'adore … avec ma famille mais je n'aime pas …

E Une de mes fêtes préférées, c'est …

F Le week-end dernier, on a fêté …

G Cette année, on va faire …

3 *lire* **Read Nathan's answer and work with a partner to answer the questions below.**

1 How has Nathan covered each of the bullets in the task?

2 Look at the Answer booster and find <u>five</u> examples of how Nathan has given a strong answer.

Une de mes fêtes préférées, c'est Pâques parce que j'aime chercher des œufs en chocolat dans le jardin. À mon avis, c'est très amusant.

J'aime aussi fêter Noël avec ma famille mais je n'aime pas le repas de Noël car ma mère prépare toujours des choux de Bruxelles et je déteste ça.

Le week-end dernier, je suis allé au mariage de ma cousine. Après la cérémonie, il y avait un gros gâteau délicieux, puis tout le monde a dansé. C'était une très belle fête.

Samedi prochain, on va aller au restaurant pour fêter l'anniversaire de mon grand-père. Ça va être génial!

4 *écrire* **Now write your own answer to the task. Borrow or adapt ideas from Nathan's answer and use the Answer booster to aim as high as possible.**

> ⭐ When you have finished, go back and check what you have written for accuracy, e.g. have you used the correct auxiliary verb (*j'ai* or *je suis*) in the perfect tense?

La nourriture et les boissons — Food and drink

du beurre/du fromage	*butter/cheese*	de la viande	*meat*
du lait/du pain	*milk/bread*	de l'eau (f)	*water*
du poisson/du poulet	*fish/chicken*	des bananes/des fraises	*bananas/strawberries*
du yaourt	*yoghurt*	des œufs/des pêches	*eggs/peaches*
de la confiture	*jam*	des poires/des pommes	*pears/apples*
de la glace	*ice cream*	des pommes de terre	*potatoes*

Les repas — Meals

Qu'est-ce que tu prends pour le petit-déjeuner?	*What do you have for breakfast?*	Comme dessert, …	*For dessert …*
Qu'est-ce que tu manges à midi?	*What do you eat at lunchtime?*	Je prends/je mange …	*I have/I eat …*
Qu'est-ce que tu manges comme casse-croûte?	*What do you have as a snack?*	des céréales	*cereal*
		du pain grillé	*toast*
Qu'est-ce que tu manges le soir?	*What do you eat in the evening?*	un sandwich	*a sandwich*
Qu'est-ce que tu bois?	*What do you drink?*	des chips/des biscuits	*crisps/biscuits*
Pour le petit-déjeuner, …	*For breakfast …*	des pâtes	*pasta*
À midi, …	*At lunchtime …*	de la salade	*salad*
Comme casse-croûte, …	*As a snack …*	de la glace au chocolat	*chocolate ice cream*
Le soir, …	*In the evening …*	Je bois du jus d'orange.	*I drink orange juice.*

Les quantités — Quantities

un kilo de …	*a kilo of …*	un pot de …	*a jar/pot of …*
deux cent cinquante grammes de …	*250 grams of …*	une boîte de …	*a tin/can of …*
un litre de …	*a litre of …*	une bouteille de …	*a bottle of …*
un paquet de …	*a packet of …*	quatre tranches de …	*four slices of …*

Les vêtements — Clothes

Je porte …	*I wear/am wearing …*	une chemise/une écharpe	*a shirt/a scarf*
un blouson/un chapeau	*a jacket/a hat*	une mini-jupe/une montre	*a mini-skirt/a watch*
un costume	*a suit*	une robe/une veste	*a dress/a jacket*
un imperméable	*a raincoat*	des baskets (de marque)	*(designer) trainers*
un jean (moulant)	*(a pair of) (skinny) jeans*	des boucles d'oreille	*earrings*
un manteau/un pantalon	*a coat/(a pair of) trousers*	des bottes	*boots*
un polo/un pull	*a polo shirt/a jumper*	des chaussettes	*socks*
un sac à main/un short	*a handbag/(a pair of) shorts*	des chaussures	*shoes*
un sweat à capuche	*a hoody*	des gants	*gloves*
un tee-shirt	*a T-shirt*	des lunettes de soleil	*sunglasses*
une casquette	*a cap*	en laine/en cuir	*woollen/leather*
une ceinture	*a belt*	rayé(e)(s)	*striped*

Les couleurs — Colours

blanc(he)(s)	*white*	orange	*orange*
bleu(e)(s)	*blue*	rose(s)	*pink*
gris(e)(s)	*grey*	rouge(s)	*red*
jaune(s)	*yellow*	vert(e)(s)	*green*
marron	*brown*	clair	*light*
mauve(s)	*purple*	foncé	*dark*
noir(e)(s)	*black*	multicolore(s)	*multi-coloured*

La vie quotidienne — Daily life

J'ai cours tous les jours sauf …	*I have lessons every day except …*	Le samedi,/Le dimanche, …	*On Saturdays/Sundays …*
Les jours d'école, …	*On school days …*	je peux rester au lit	*I can stay in bed*
je dois me lever tôt	*I have to get up early*	je peux retrouver mes copains/copines en ville	*I can meet up with my friends in town*
je dois quitter la maison à (7h30)	*I have to leave the house at (7.30)*	je dois ranger ma chambre	*I have to tidy my room*
Le soir, …	*In the evening …*	je peux écouter de la musique	*I can listen to music*
je dois faire mes devoirs	*I have to do my homework*		
je dois aider ma mère	*I have to help my mother*		
je peux regarder un peu la télé	*I can watch a bit of TV*		

Au magasin de vêtements — In the clothes shop

la taille	*size*	trop grand(e)(s)	*too big*
la pointure	*shoe size*	cassé(e)(s)	*broken*
les cabines d'essayage	*changing rooms*	Il/Elle ne marche pas.	*It is not working/doesn't work.*
une taille moyenne	*medium size*	Je voudrais …	*I would like …*
Il y a un trou.	*There's a hole (in it).*	échanger (la jupe/le pantalon, etc.)	*to exchange (the skirt/trousers, etc.)*
Il y a une tache.	*There's a stain (on it).*	un remboursement	*a refund*
Il/Elle est/Ils/Elles sont …	*It is/They are …*		
trop petit(e)(s)	*too small*		

Faire les magasins ou faire du shopping en ligne?

Go to the shops or shop online?

Je préfère …
   faire les magasins
   faire mes achats en ligne
parce que/qu' …
   c'est mieux d'essayer les
      vêtements dans un magasin

I prefer …
   to go to the shops
   to make my purchases online
because …
   it's better to try clothes on in
      a shop

je peux demander l'opinion de
   mes ami(e)s
il y a trop de monde dans les
   magasins
on peut trouver des vêtements
   moins chers
c'est plus facile/plus rapide

I can ask my friends' opinion

there are too many people in
   the shops
you can find cheaper clothes

it's easier/faster

Les fêtes

Festivals

Noël
la veille de Noël
Pâques
Divali
Hanoukka
Aïd-el-Fitr
le 6 janvier/la fête des Rois
le premier avril
la Chandeleur
le Nouvel An
la Saint-Sylvestre
la Saint-Valentin
la fête des Mères
le 14 juillet/la fête nationale
   française
On est chrétiens.
On est juifs.
On est musulmans.

Christmas
Christmas Eve
Easter
Diwali
Hanukkah
Eid al-Fitr
Epiphany
April Fool's Day
Candlemas
New Year
New Year's Eve
Valentine's Day
Mother's Day
Bastille Day, 14 July

We are Christian.
We are Jewish.
We are Muslim.

Chez moi,/nous, …
   on fête (Noël/Divali, etc.)

   on boit du champagne
   on décore le sapin de Noël
   on s'offre des cadeaux
   on ouvre les cadeaux
   on chante des chants traditionnels
   on allume des bougies
   on cherche des œufs dans le jardin
On prépare/mange …
   de la dinde rôtie
   des légumes
   une bûche de Noël au chocolat
   des crêpes
   une galette des Rois
   toutes sortes de bonnes choses
   des choses sucrées

At my/our house …
   we celebrate (Christmas/Diwali,
      etc.)
   we drink champagne
   we decorate the Christmas tree
   we give each other presents
   we open the presents
   we sing traditional songs
   we light candles
   we look for eggs in the garden
We prepare/eat …
   roast turkey
   vegetables
   a chocolate Yule log
   crêpes
   tart eaten for Epiphany
   all sorts of good things
   sweet things

Un repas spécial

A special meal

Je vais/On va apporter …
   du jambon/du pâté
   du saucisson
   des baguettes
   des biftecks
   des saucisses
   des salades composées
   une salade de riz
   du concombre

I am/We are going to bring …
   ham/pâté
   salami
   baguettes
   steaks
   sausages
   mixed salads
   a rice salad
   cucumber

une laitue
des tomates/des oignons
des poivrons
des champignons
des abricots
des framboises
du raisin
des mini-gâteaux
une tarte aux fruits

a lettuce
tomatoes/onions
peppers
mushrooms
apricots
raspberries
grapes
mini-cakes
a fruit tart

Les magasins

Shops

le marché/le supermarché
la boucherie
la boulangerie

market/supermarket
butcher's
bakery/baker's

la charcuterie
la pâtisserie
l'épicerie (f)

pork butcher's/delicatessen
cake shop/pastry shop
greengrocer's

Fêter le 14 juillet

Celebrating Bastille Day

On va aller au bal.
On va regarder le feu d'artifice.

We're going to go to the dance.
We're going to watch the fireworks.

On va s'amuser.
On va inviter …

We're going to have fun.
We're going to invite …

Félicitations!

Congratulations!

l'anniversaire (m)
le mariage
la fête
C'était mon anniversaire.
J'ai reçu beaucoup de cadeaux.
Ma sœur a eu son premier bébé.
Je suis allé(e) au mariage de
   (ma cousine).

birthday
wedding/marriage
party
It was my birthday.
I received lots of presents.
My sister had her first baby.
I went to (my cousin)'s wedding.

Mon frère s'est pacsé avec son
   compagnon.
Il y avait …
   beaucoup d'invités
   un gâteau spécial
C'était …
   génial

My brother entered into a civil
   partnership with his partner.
There was/were …
   lots of guests
   a special cake
It was …
   great

Les mots essentiels

High-frequency words

avec
pour
donc, alors
car/parce que
malheureusement
sinon
parfois
quelque(s)
beaucoup de

with
for
so, therefore
for/because
unfortunately
if not, otherwise
sometimes
some/a few
lots of

en ce moment
en été
avant-hier
il y a (trois) jours
Je suis désolé(e).
bien sûr
quel/quelle/quels/quelles …?
ce/cet/cette/ces

at the moment
in summer
the day before yesterday
(three) days ago
I'm sorry.
of course
which …?
this/these

4 De la ville à la campagne

Point de départ 1

● *Talking about where you live and what you can do there*

1 écouter **Où habitent-ils? Écoutez et écrivez la lettre de la bonne photo. (1–5)**

J'habite *(I live)*	**dans** une ville/un village *(in a town/village).*
On habite *(We live)*	**au** centre-ville *(in the town centre).*
Ma famille et moi habitons	**au** bord de la mer *(at the seaside).*
(My family and I live)	**à la** campagne/montagne *(in the countryside/mountains).*
	en ville *(in town).*

⭐ In French, there are several different words for 'in'. Make sure you use the correct one.

2 écouter **Écoutez encore. Écrivez P (positif), N (négatif) ou PN (positif <u>et</u> négatif) pour l'avis de chaque personne. Notez aussi la raison en anglais. (1–5)**

se baigner	to swim, bathe
tranquille	quiet, peaceful

3 lire **Reliez les phrases. Ensuite, traduisez-les en anglais.**

1 J'habite dans une jolie ville au bord de la mer.
2 J'habite dans un petit village à la campagne.
3 On habite dans une grande ville historique.
4 Nous habitons à la montagne.
5 Ma famille et moi habitons au centre-ville.

a On peut faire du ski ou du snowboard.
b On peut se baigner dans la mer ou se détendre sur la plage.
c On peut faire les magasins ou aller au cinéma.
d On peut visiter le château et les musées.
e On peut faire des promenades ou faire du cheval.

se détendre	to relax

G **On peut + *infinitive*** ❯ *Page 212*

On peut means 'you can'. It comes from the verb *pouvoir* (to be able to, can). It is usually followed by the infinitive of another verb.

On peut aller *à un match de foot.* **You can go** to a football match.
On peut visiter *le château.* **You can visit** the castle.

4 écouter **Écoutez. Copiez et complétez le tableau en anglais. (1–5)**

	city	location	what you can do there (3 things)
1	Leeds	north of England	

J'habite		
à Londres/Manchester/Paris, etc.		
dans le nord/le sud/ l'est/l'ouest **dans** le centre	**de l'**	Angleterre/Écosse/Irlande (du Nord).
	de la	France.
	du	Canada/pays de Galles.

le nord
le nord-ouest | le nord-est
l'ouest | l'est
le sud-ouest | le sud-est
le sud

faire de l'escalade   to go climbing

5 parler **À deux. Faites quatre dialogues en utilisant les images.**

Exemple: **a**

● *Où habites-tu?*
■ *J'habite à Bordeaux, dans le sud-ouest de la France.*

● *Qu'est-ce qu'on peut faire à Bordeaux?*
■ *On peut …*

a **Bordeaux** south-west of France

b **York** north of England

c **Swansea** south of Wales

d **Strasbourg** east of France

6 lire **Lisez. Copiez et complétez les textes avec les bons mots de l'encadré.**

J'habite à Dieppe, **1** ▢ le nord-ouest de la France. C'est une assez grande ville au **2** ▢ de la mer. En été, on peut se baigner dans la **3** ▢ ou faire du vélo.

Moi, j'habite dans le **4** ▢ du Canada. J'habite dans un petit **5** ▢ à la montagne. En hiver, c'est génial parce qu'on **6** ▢ faire du ski ou de la luge.

Ma famille et moi habitons à Londres, la capitale de l'**7** ▢ ! Ici, c'est super parce qu'il y a beaucoup de choses à faire. **8** ▢ peut faire les magasins, visiter les musées et les monuments ou **9** ▢ au théâtre.

aller	sud	dans
Angleterre		bord
mer	peut	village
	on	

7 écrire **Écrivez un court texte sur la ville ou le village où vous habitez.**

Say:
- whether you live in a town, in a village, by the sea, etc.
- where it is (in the north/south, etc. of England/Scotland, etc.)
- what you can do there (two or three things)
- what you think about where you live.

 UK town names are the same in French, except:

London – *Londres*
Dover – *Douvres*
Edinburgh – *Édimbourg*

1 écouter **Écoutez et regardez les images. Qui parle? Écrivez le bon prénom. (1–4)**

Samuel | Tatiana | Naima | Charles

Qu'est-ce qu'il y a dans ta ville/ton village?

Dans ma ville/mon village, il y a …		
un bureau de poste/une poste *(a post office)* un centre de loisirs *(a leisure centre)* un château *(a castle)* un marché *(a market)* un musée *(a museum)* un parc/jardin public *(a park)* un stade *(a stadium)* un supermarché *(a supermarket)*	une bibliothèque *(a library)* une église *(a church)* une gare (SNCF) *(a railway station)* une mosquée *(a mosque)*	des hôtels *(some hotels)* des restaurants *(some restaurants)*

2 écrire **Écrivez des phrases pour chaque personne de l'exercice 1.**

Exemple: **Samuel**

Dans ma ville, il y a une mosquée, un …
et un … Il n'y a pas de …

3 parler **À deux. Parlez de chaque ville en utilisant les idées de chaque encadré.**

Exemple: **a**

● *Qu'est-ce qu'il y a dans ta ville ou ton village?*

■ *Dans ma ville, il y a un/une/des … et … mais il n'y a pas de …*

> *il y a …* means 'there is …' or 'there are …'.
> *Il y a un stade.* There is a stadium.
>
> *Il y a des magasins.* There are some shops.
>
> *Il n'y a pas de/d'* … means 'there isn't a …'
> or 'there aren't any …'.
>
> *Il n'y a pas de gare.* There isn't a station.
>
> *Il n'y a pas d'hôtels.* There aren't any hotels.
>
> Note: after the negative *il n'y a pas de …*, you do
> not need *un*, *une* or *des*.

a
train station ✓
post office ✓
park ✓
museum ✗

b
supermarket ✓
library ✓
restaurants ✓
mosque ✗

c
church ✓
castle ✓
market ✓
leisure centre ✗

4 *lire* **Lisez et trouvez le bon plan pour chaque message.**

1 Allez tout droit, traversez la place et tournez à droite.
2 Prends la première rue à droite puis tourne à gauche.
3 Descendez la rue puis prenez la deuxième rue à droite.
4 Traverse le pont, va tout droit et prends la troisième rue à gauche.

Va/Allez tout droit. *(Go straight on.)*
Tourne/Tournez à gauche/droite. *(Turn left/right.)*
Prends/Prenez la première/deuxième/troisième rue à gauche/droite. *(Take the first/second/third street on the left/right.)*
Traverse/Traversez le pont/la place. *(Cross the bridge/square.)*
Descends/Descendez la rue. *(Go down the street.)*
C'est près/loin? *(Is it near/far?)*
C'est tout près/assez loin. *(It's very near/quite far.)*

G *The imperative*

You use the **imperative** to give instructions. Take the *tu* or *vous* form of the verb (minus the word *tu* or *vous*):

Tu prends (You take) → **Prends** … (Take …)
Vous prenez (You take) → **Prenez** … (Take …)

Drop the final 's' from *-er* verbs in the *tu* form:
Tu vas (You go) → **Va** … (Go …)
Tu tournes (You turn) → **Tourne** … (Turn …)

• Use *tu* with <u>one person you know well</u>.
• Use *vous* <u>to be polite</u> (e.g. with an adult you don't know).
• Also use *vous* when speaking to <u>more than one person</u>.

Which messages in exercise 4 use the *tu* form and which use the *vous* form?

5 *écouter* **Écoutez. Copiez et complétez le tableau en anglais. (1–4)**

	where they want to go	directions	near or far?
1	station	go straight on, …	

6 *parler* **À deux. Faites quatre dialogues en utilisant le plan. Changez les détails <u>soulignés</u>.**

Exemple:
● *Pardon. Pour aller <u>au musée</u>, s'il vous plaît?*
■ *<u>Traversez la place et prenez la première rue à droite, puis allez tout droit.</u>*
● *C'est loin?*
■ *<u>Non, c'est tout près.</u>*
● *Merci beaucoup.*
■ *De rien.*

⭐ To ask the way, you can use:
Où est/sont …? Where is/are …?

*Où est **le** marché? Où est **la** piscine?*
*Où est **l'**église? Où sont **les** toilettes?*

Or you can use: *Pour aller au/à la/à l'/aux …?*
How do I get to the …?

*Pour aller **au** marché? Pour aller **à la** piscine?*
*Pour aller **à l'**église? Pour aller **aux** toilettes?*

Vous êtes ici

1 Ma région est top!

1 écouter **Écoutez et écrivez les <u>deux</u> bonnes lettres pour chaque personne. (1–4)**

> *Qu'est-ce qu'il y a dans ta région?*

> *Dans ma région, il y a …*

des vignobles

des collines

un port de pêche

des forêts

un lac

des fermes et des champs

des stations de ski

une rivière/un fleuve

2 lire **Lisez le texte puis copiez et complétez la fiche en anglais.**

Enzo Ma famille va déménager en Bretagne! Qu'est-ce qu'il y a là-bas?

Chloé Il y a des villes historiques comme Saint-Malo, avec de vieilles maisons et un vieux port de pêche.

Thomas Il y a un beau château qui s'appelle le château de Pontivy. Il y a aussi une belle cathédrale à Quimper.

Enzo Les vieux bâtiments ne m'intéressent pas beaucoup. Qu'est-ce qu'on peut faire comme activités sportives?

Yasmine Il y a de belles plages et on peut faire de la voile!

Mathis Il y a aussi de grandes forêts et de beaux champs où on peut faire des randonnées à vélo.

Enzo Ça, c'est plus intéressant! Merci à tous!

Name of region: Bretagne (Brittany)
Places of historical interest: …
Geographical features: …
Sporting activities: …

déménager *to move (home)*

G *Irregular adjectives* **> Page 214**

The following adjectives are irregular:

masc sg	fem sg	masc pl	fem pl
beau	*belle*	*beaux*	*belles*
vieux	*vieille*	*vieux*	*vieilles*

- Most adjectives go <u>after</u> the noun, e.g. *une ville **intéressante***.
- But some go <u>before</u> the noun, e.g. *un **grand** château, un **petit** village, une **belle** plage, de **vieux** bâtiments, de **jolies** maisons*.
- NB *des* changes to *de* when the adjective comes before the noun.

3 parler **À deux. Faites des conversations en utilisant les images.**

● *Qu'est-ce qu'il y a dans ta région?*   ■ *Dans ma région, il y a <u>un grand lac</u> et …*

a

(big)   (old)

b

(beautiful)

(pretty)

c

(old)

(big)

d

(interesting)

(beautiful)

4 *lire* Lisez et faites le quiz. Devinez les réponses ou faites des recherches!

LA FRANCE DES RECORDS

QUE SAVEZ-VOUS DE LA FRANCE? FAITES NOTRE QUIZ!

1 Le plus long fleuve de France est …
a la Loire.   **b** la Seine.

2 La plus haute tour de France est …
a la tour Eiffel.   **b** la tour First, à Paris.

3 Le monument le plus populaire de
France est …
a la cathédrale Notre-Dame de Paris.
b la tour Eiffel.

4 La plus haute montagne de France
(et d'Europe) est …
a le mont Blanc, dans les Alpes.
b le Pic du Midi, dans les Pyrénées.

5 Le plus grand château de France
(et du monde) est …
a le château de Chenonceau.
b le château de Versailles.

5 *écouter* Écoutez et vérifiez.

6 *écouter* Quelle est la meilleure région de France? Pourquoi? Écoutez et notez
les <u>deux</u> bonnes lettres pour chaque région. (1–4)

1 la Provence   **2** l'Alsace   **3** la Bretagne   **4** la région parisienne   *célèbre* famous

a le meilleur climat

b la meilleure équipe
de football

c les stations de ski
les plus populaires

d le plus beau paysage

e les plus
belles plages

f les monuments
les plus célèbres

g la région la plus
historique

h la plus longue
piste de ski

G *The superlative*   **>** *Page 215*

You use the **superlative** to say 'the biggest',
'the longest', 'the most popular', etc. To form the
superlative, put **le/la/les + plus** before an adjective.
The adjective must agree with the noun.
le plus long fleuve   the longest river
la plus haute tour   the highest tower
les plus belles plages   the most beautiful beaches
If the adjective goes after the noun, so does the
superlative:
*le musée **le plus populaire***   the most popular museum
To say 'the best …' use **le/la/les meilleur(e)(s) …**

---

7 *écrire* À votre avis, quelle est la meilleure région de votre pays?
Écrivez un court paragraphe.

Exemple:
À mon avis, la meilleure région <u>d'Angleterre</u> est <u>le Devon</u>
parce que nous avons <u>le plus beau paysage</u>. Il y a <u>de grandes
forêts</u> où on peut …

Look back at exercises 2 and 6 for
useful words and phrases. Use a
variety of adjectives and superlatives.
Position them correctly and make
them 'agree'.

● *Finding out tourist information*
● *Asking questions*

1 lire **Lisez et trouvez la fin de chaque phrase.**

> ⭐ *Je voudrais/J'aimerais* + infinitive
> I would like to

①
Je voudrais visiter …

④
J'aimerais faire …

② LOCATION: 7€ PAR HEURE
Je voudrais louer …

⑤
J'aimerais monter …

③ Jardin des sciences
Exposition: les navettes spatiales
Je voudrais voir …

⑥
Spectacle son et lumière
Je ne voudrais pas rater …

a une promenade en bateau sur le canal.	**d** l'aquarium pour voir les requins.
b le spectacle son et lumière au château.	**e** des vélos pour faire une randonnée à la campagne.
c l'exposition sur les navettes spatiales.	**f** à la Tour de l'Horloge pour voir le panorama.

2 écrire **Copiez les phrases complètes de l'exercice 1 et traduisez-les en anglais.**

> ⭐ *pour* means 'to' or 'in order to'. It is followed by the infinitive:
> ***pour voir** le panorama* (in order) to see the view

3 écouter **Écoutez. Baptiste et sa famille sont en vacances à Dinan. Qui dit quoi? Pour chaque phrase de l'exercice 2, écrivez B (Baptiste), P (son papa), M (sa maman) ou S (sa sœur).**

Exemple: **1** S

DINAN, EN BRETAGNE

4 parler **À deux. Qu'est-ce que vous voudriez faire à Dinan? Discutez.**

Exemple:
● *Qu'est-ce que tu voudrais faire à Dinan?*
■ *Je voudrais (faire/voir/visiter …). Mais je ne voudrais pas … Et toi?*

5 écouter **Écoutez la conversation à l'office de tourisme. Mettez les questions dans le bon ordre.**

Exemple: **f**, …

a Est-ce qu'il y a un restaurant à l'aquarium?	**e** Où est-ce qu'on peut acheter des billets?
b C'est combien, l'entrée?	**f** Avez-vous un dépliant, s'il vous plaît?
c Avez-vous un plan de la ville, s'il vous plaît?	**g** C'est ouvert quels jours de la semaine?
d Quels sont les horaires d'ouverture?	

> **le dépliant**   leaflet

6 **Écoutez encore. Écrivez V (vrai) ou F (faux) pour chaque phrase.**

1 L'aquarium et ouvert tous les jours.
2 C'est ouvert de 9h00 à 21h00.
3 Ça coûte 12€ pour les adultes.
4 On peut acheter des billets en ligne.
5 À l'aquarium, il y a un restaurant.
6 On peut imprimer un plan de la ville à partir du site web.

G *Asking questions* **➤** *Page 204*

- To ask <u>for</u> something (e.g. a map), use *Avez-vous …?*
- To ask whether <u>there is</u> something (e.g. a restaurant), use *Est-ce qu'il y a un/une …?*
- For other types of information, use question words like *combien?, à quelle heure?, où?*
- *Quel/quelle/quels/quelles …?* ('which …?' or 'what …?') is an adjective and must agree with the noun.

***Quels** sont **les horaires** d'ouverture?*
What are the opening hours?

---

7 **Lisez la publicité et répondez aux questions en anglais.**

**Jaman V
Promenades en bateau**

Promenade commentée

Durée: 1 heure environ
Accessible aux personnes handicapées
Du 2 avril au 30 septembre
Départs tous les jours sauf le lundi
• 11h   • 14h30   • 16h   • 17h30

Tarifs
Adulte: 13€
Enfant (-12 ans): 3,50€
Gratuit enfants de -2 ans
Nos amis les chiens sont acceptés.

1 How long does the boat trip last?
2 During which months of the year can you <u>not</u> do the boat trip?
3 On which days of the week does the boat trip take place?
4 How much does the trip cost for a ten-year-old child?
5 Who can go on the boat trip free of charge?
6 True or false? You cannot take dogs on the boat trip.

⭐ Small words are key to understanding the advert and answering the questions correctly.
What do these mean?
durée   du … au …   sauf   gratuit

---

8 **À deux et à tour de rôle. Faites deux dialogues en utilisant les détails dans les encadrés.**

Exemple:
● *<u>Le château</u> est ouvert quels jours de la semaine?*
■ *C'est ouvert tous les jours sauf …*
● *Quels sont les horaires d'ouverture?*
■ *C'est ouvert de … à …*
● *C'est combien, l'entrée?*
■ *Ça coûte … pour les adultes et … pour les enfants.*
● *Est-ce qu'il y a un restaurant ou une cafétéria?*
■ *Oui, il y a …*
● *Merci.*

Tous les jours ✗ le dimanche
9h00–17h30
Adultes: 10€   Enfants: 8€
restaurant

Tous les jours ✗ le mardi
10h30–19h00
Adultes: 15€   Enfants: gratuit
cafétéria

● *Discussing plans and the weather*
● *Using si clauses*

1 Écoutez et regardez la carte météo. Chaque personne qui parle habite où? Écrivez le nom de la bonne ville. (1–4)

la Manche

Rouen

Strasbourg

l'Atlantique

Bordeaux

Nice

la Méditerranée

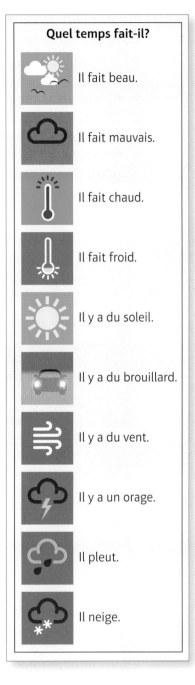

Quel temps fait-il?

Il fait beau.

Il fait mauvais.

Il fait chaud.

Il fait froid.

Il y a du soleil.

Il y a du brouillard.

Il y a du vent.

Il y a un orage.

Il pleut.

Il neige.

2 Lisez et regardez la carte de l'exercice 1. Corrigez les <u>deux</u> erreurs dans chaque phrase.

1 Dans le nord de la France, près de la Manche, il fait mauvais. Il neige et il y a du soleil.
2 Dans l'est de la France, il pleut et il fait très chaud.
3 Dans le sud-ouest de la France, sur la côte atlantique, il y a du soleil et il y a du brouillard.
4 Dans le sud de la France, sur la côte méditerranéenne, il fait très beau. Il y a du vent et il fait froid.

3 Lisez le message. Copiez et complétez les phrases en anglais.

Salut, William.

Voici une liste d'activités pour ta visite la semaine prochaine:

Lundi, s'il fait chaud, on va aller à la plage. Mardi, s'il fait beau, on va faire une randonnée à vélo. Mercredi, s'il ne pleut pas, on va faire un barbecue dans le jardin. Jeudi, s'il y a du soleil, on va aller à la pêche. Vendredi, s'il fait mauvais, on va jouer à des jeux vidéo. D'accord?

Antoine

aller à la pêche to go fishing

1 On Monday, if it's ▒▒▒▒, they are going to go ▒▒▒▒.
2 On Tuesday, if the weather is ▒▒▒▒, they are going to ▒▒▒▒.
3 On Wednesday, if it doesn't ▒▒▒▒, they are going to ▒▒▒▒.
4 On Thursday, if it's ▒▒▒▒, they are going to ▒▒▒▒.
5 On Friday, if the weather is ▒▒▒▒, they are going to ▒▒▒▒.

G *Si clauses*

Si (*s'* before the vowel *i*) means 'if'. Use *si* + a weather phrase + the near future tense to describe future plans.

S'il pleut, on va aller au cinéma.
If it rains, we're going to go to the cinema.

4 écouter **Écoutez. Copiez et complétez le tableau en anglais. (1–5)**

	when?	weather	activity
1	Saturday		

aujourd'hui	*today*
demain	*tomorrow*
après-demain	*the day after tomorrow*
ce week-end	*this weekend*
cette semaine	*this week*

faire de la luge   to go tobogganing

5 parler **À deux. Parlez de la météo et des activités que vous allez faire.
Utilisez les idées ci-dessous.**

Exemple:

● *Qu'est-ce qu'on va faire <u>aujourd'hui</u>?*

■ *<u>Aujourd'hui</u>, s'il y a du soleil, on va <u>aller à la plage</u>. D'accord?*

● *D'accord./Bonne idée!/Génial!/Oui, je veux bien!*

aujourd'hui

demain

après-demain

samedi

dimanche

S'il pleut/fait beau (etc.), S'il y a du soleil (etc.),	on va	aller au cinéma/à la pêche/à la plage/à la piscine (en plein air). faire un barbecue/un pique-nique/du ski/de la luge. jouer au foot/au tennis/à des jeux vidéo. rester à la maison/regarder la télé.

6 écrire **Faites des projets ridicules! Copiez et complétez les phrases en utilisant vos propres idées.**

Exemple: **1** Demain, s'il neige, <u>on va faire un pique-nique sur la plage!</u>

1 Demain, s'il neige, …

2 Le week-end prochain, s'il fait chaud, …

3 Aujourd'hui, s'il pleut, …

4 Cette semaine, s'il y a un orage, …

5 Pendant les vacances, s'il y a du brouillard, …

7 écrire **Préparez un message vidéo pour un(e) ami(e) français(e) qui va vous rendre visite. Adaptez le message de l'exercice 3.**

Exemple:

Salut! Voici une liste d'activités pour ta visite la semaine prochaine. Lundi, s'il fait beau, on va …

8 parler **À deux. Enregistrez votre message. Votre partenaire écoute et note les détails.**

4 Ville de rêve ou ville de cauchemar?

- *Talking about your town, village or neighbourhood*
- *Using negatives*

1 | lire | **Lisez les tweets. Reliez les tweets et les photos.**

Votre ville ou village est parfait(e) ou nul(le)? Il/Elle mérite combien d'étoiles? Dites-nous pourquoi!

1 ★★☆☆☆ Mon village est tout petit et c'est trop tranquille. Il y a seulement des maisons et une église. Il n'y a rien pour les jeunes.

2 ★★★★☆ Ma ville est très animée. Il y a un centre commercial, un centre de loisirs et un bowling mais il y a trop de circulation et il n'y a pas de zone piétonne.

3 ★☆☆☆☆ Mon quartier n'est jamais propre. Il y a toujours des déchets par terre. De plus, il y a trop de bruit à cause de la boîte de nuit en face de chez moi.

4 ★★★☆☆ J'habite en banlieue et il y a de bons transports en commun mais il n'y a pas grand-chose à faire. Il n'y a plus de cinéma: il est fermé depuis deux ans.

animé(e)	*lively*
le quartier	*neighbourhood*
en banlieue	*in the suburbs*

2 | lire | **Relisez les tweets. Trouvez l'équivalent français des phrases anglaises. Utilisez un dictionnaire, si nécessaire.**

1. It's too quiet.
2. There's too much traffic.
3. There's always rubbish on the ground.
4. There's too much noise.
5. There's good public transport.
6. There's nothing for young people.
7. There isn't a pedestrian precinct.
8. My neighbourhood is never clean.
9. There's not much to do.
10. There's no longer a cinema.

> ☆
> - *trop* means 'too', e.g. *trop tranquille* (too quiet)
> - *trop **de*** means 'too much' or 'too many', e.g. *trop de bruit* (too much noise)

3 | écouter | **Écoutez et notez <u>en anglais</u> le problème dans chaque ville, village ou quartier. (1–5)**

> **G** Negatives   ❯ Page 206
>
> Most negative expressions work like *ne … pas* (not). They are in two parts and go <u>around</u> the verb:
> *ne … rien* (nothing)
> *ne … jamais* (never)
> *ne … plus* (no longer, not any more)
> With *il y a* (there is/are), negatives go around the *y a* and *ne* shortens to *n'*:
>
> | | |
> |---|---|
> | Il **n'y a rien** à faire. | There's nothing to do. |
> | Il **n'y a jamais** de bus. | There are never any buses. |
> | Il **n'y a plus** de magasins. | There are no longer any shops. |

parler À deux. Regardez les images et parlez des problèmes dans chaque ville.

Exemple: **a** Ma ville n'est jamais propre. Il y a trop de … et …

a

b

5 **lire** Lisez et trouvez la deuxième partie de chaque texte. Puis traduisez les deux parties des textes 1 et 2 en anglais.

1 Avant, dans ma ville, il y avait un centre de loisirs et un club pour les jeunes.

2 Avant, au centre-ville, il y avait trop de circulation, donc c'était dangereux et pollué.

3 Avant, mon village était sale: il n'y avait pas de poubelles et il y avait toujours des déchets par terre.

4 Avant, dans mon quartier, les transports en commun étaient bons.

a Mais maintenant, il n'y a plus de voitures parce qu'il y a une zone piétonne. C'est beaucoup mieux.

b Mais maintenant, il y a seulement un bus par jour pour aller en ville. C'est complètement nul.

c Mais maintenant, ils sont fermés et il n'y a rien pour les jeunes. C'est vraiment triste.

d Mais maintenant, il y a beaucoup de poubelles, donc c'est plus propre.

sale	dirty
la poubelle	bin
mieux	better

G *Using the present tense and the imperfect tense together*

• You use the **imperfect tense** to say how things <u>used to be</u>.
• You use the **present tense** to say how things are <u>now</u>.

*Avant, **c'était** sale. Maintenant, **c'est** plus propre.*   Before, **it was** dirty. Now, **it is** cleaner.
*Avant, **il y avait** un cinéma. Maintenant, **il n'y a** rien.*   Before, **there was** a cinema. Now, **there is** nothing.

6 **écouter** Écoutez Malik. Choisissez la bonne fin de chaque phrase.

1 La ville de Malik … **a** est propre. **b** n'est pas propre.
2 Dans sa ville, … **a** il y a trop de bruit. **b** il n'y a pas trop de bruit.
3 Avant, les transports en commun étaient … **a** bons. **b** nuls.
4 Maintenant, … **a** il y a trop de circulation. **b** il n'y a pas trop de circulation.

Pay close attention to:

• **tenses and time markers** like *avant* and *maintenant* – they will tell you whether a sentence refers to the past or the present
• **negatives** – they can completely change the meaning.

7 **écrire** Traduisez ces phrases en français.

trop, or *trop **de**?*

Use *ne … pas de* (you don't need a word for 'a').

1 In my town, there is a shopping centre, but <u>there isn't a</u> cinema.
2 My neighbourhood is <u>too</u> quiet and there is nothing for young people.
3 There is no longer a leisure centre, so there isn't much to do.
4 Before, <u>there was</u> too much traffic, but now <u>it's</u> better, because <u>there is</u> a pedestrian precinct.

Use the imperfect tense in the first half of the sentence and the present tense in the second.

1 lire **Read the results of the survey on what matters to teenagers about the place where they live and answer the questions.**

> *Nous avons demandé à des adolescents:*
>
> **«Selon vous, quels sont les aspects les plus importants de la ville ou du village où vous habitez?»**
>
> *Voici les résultats:*
>
> La majorité (53%) veut habiter dans une ville où il y a beaucoup de choses à faire.
>
> 20% recherchent un endroit propre, sans pollution et sans déchets par terre.
>
> 12% veulent avoir de bons transports en commun pour sortir avec leurs amis.
>
> 7% veulent vivre près de la mer pour se baigner ou pour pratiquer des sports nautiques.
>
> 5% veulent habiter une ville historique pour profiter des lieux culturels comme les musées.
>
> Enfin, pour 3% des ados, il est important d'habiter un endroit tranquille, sans trop de bruit.

1 What percentage of teenagers want to live by the sea?
2 What percentage of teenagers want to be able to travel around easily?
3 What percentage of teenagers want to live somewhere clean?
4 What is the least important thing for teenagers, according to the survey? Answer <u>in English</u>.

2 lire **Lisez ces annonces dans un office de tourisme.**

A *Château*
» Ouvert tous les jours de 9h30 à 16h30.
» Adultes: 7,50€
» Enfants: 3,50€
» Accès à la tour à prix supplémentaire.

B *Spectacle son et lumière*
» Tous les jours sauf le dimanche, à 20h.
» Apportez votre pique-nique!
» Gratuit aux enfants de moins de 12 ans.
» Chiens interdits.

C *Promenades en bateau*
» Location de deux heures pour quatre personnes: 65€
» Départ toutes les heures.
» Les chiens sont acceptés.
» Fermé le dimanche.

D *Musée de la mode*
» Ouvert du lundi au vendredi, de 10h à 17h.
» Boissons et casse-croûtes disponibles à la cafétéria.
» Billets à prix réduit en ligne.

Quelle attraction recommandez-vous à ces personnes? Écrivez la lettre de la bonne annonce. Attention! Vous pouvez utiliser la même lettre plus d'une fois.

1 une personne avec un chien
2 une personne qui a trois petits enfants et qui n'a pas beaucoup d'argent
3 une personne qui aime voyager sur la rivière
4 une personne qui veut acheter un sandwich à midi
5 une personne qui veut faire quelque chose le dimanche

> Don't rush and always read <u>the whole text</u>, or you may choose the wrong answer, e.g. two of the adverts mention dogs and two mention children! Also look carefully at small words such as *sauf* or *fermé*, which can completely change the meaning of a sentence.

3 *lire* Read this extract from *Le Petit Prince* by Antoine de Saint-Exupéry. In this story, the little prince is visiting another planet and meets a geographer.

> – Quel est ce gros livre? dit le petit prince. Que faites-vous ici?
> – Je suis géographe, dit le vieux monsieur.
> – Qu'est-ce qu'un géographe?
> – C'est un savant qui connaît où se trouvent les mers, les fleuves, les villes, les montagnes et les déserts.
> – Ça c'est bien intéressant, dit le petit prince. Ça c'est enfin un véritable métier!

le savant *scholar*

Which two statements are true? Write down the letters.

A The little prince asks where the geographer lives.
B The geographer is an old man.
C The geographer mentions rivers and mountains.
D The geographer lives in a town by the sea.
E The little prince doesn't think the geographer's job sounds interesting.

1 *écouter* **Listen to some Belgian students talking about where they live. Copy out the table. For each location, write down the reason why the person likes living there. Answer in English. (1–3)**

	location	reason
1	in the countryside	
2	near a lake	
3	by the sea	

⭐ Prediction is an important listening skill. Look at the locations and predict what the reasons might be. Then think of which key words you might hear in French.

2 *écouter* **Listen to Alex and Myriam discussing the weather and what they are going to do at the weekend. Copy out the table. For each day, write the correct letter for the weather and for the activity. (1–2)**

weather		activity	
A cold		**E** swimming	
B hot		**F** cinema	
C fine		**G** shopping	
D rainy		**H** bike ride	

	weather	activity
1 Saturday		
2 Sunday		

3 *écouter* **Listen to Nabila and Mohamed discussing their town. What is their opinion of each of the aspects below? Write P for a positive opinion, N for a negative opinion and PN for a positive and negative opinion.**

1 Nabila: **(a)** the buildings **(b)** things to do

2 Mohamed: **(a)** the traffic **(b)** public transport

⭐ Negatives like *ne … rien* and *ne … plus* often signal a negative opinion, but not always, so be careful. The phrase *trop de* usually implies something negative, but what about *il n'y a pas trop de …*?

Words like *mais* (but), *cependant* (however) and *par contre* (on the other hand) signal a contrast from what has been said before.

A – Role play

1 parler

Look at the role play card and prepare what you are going to say.

Your teacher will play the part of the employee and will speak first.

You should address the employee as *vous*.

When you see this – **!** – you will have to respond to something you have not prepared.

When you see this – **?** – you will have to ask a question.

Say what you would like to visit. Use *Je voudrais …*

Use the correct question word. Look back at Unit 2 on pages 78–79 if you are not sure.

Vous parlez avec un(e) employé(e) dans un office de tourisme en France.

• Château – visite
• **?** Horaires d'ouverture
• **!**
• Autres activités (<u>deux</u> détails)
• Hôtel – votre opinion

Listen for the question word. Are you being asked, 'When?', 'Where?', 'How much/many?' … Then listen for the verb, so you know what kind of information to give.

Try to say more than just *C'est bien*! Say what you like or don't like about it.

2 parler

Compare your answers with a partner and practise what you are going to say.

⭐ Give your partner feedback. Are there any grammar mistakes in what he/she says? Has he/she missed out or mispronounced any words?

3 écouter

Using your notes, listen and respond.

4 écouter

Now listen to Matthew doing the role play. What differences are there between his answers and yours? Is there anything you could borrow from his answers?

B – General conversation

1 The teacher starts the general conversation by asking Lydia, «Où habites-tu?» Listen to Lydia's answer. In which order does she mention the following things?

A what there is in her town
B what she likes to do at the weekend
C the location of her town
D why she likes living there
E what you can do in summer

> ⭐ As part of the general conversation, you must ask the teacher at least one question. What question does Lydia ask?

2 The teacher then asks Lydia, «Ta région est comment?» Listen to how Lydia develops her answer. What 'hidden questions' does she also answer?

Example: What do you think of your region?

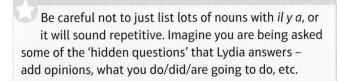

> ⭐ Be careful not to just list lots of nouns with *il y a*, or it will sound repetitive. Imagine you are being asked some of the 'hidden questions' that Lydia answers – add opinions, what you do/did/are going to do, etc.

3 Next, the teacher says to Lydia, «Parle-moi de ta maison ou de ton appartement.» Listen and look at the transcript. What do the words in bold mean? Use a dictionary if necessary.

J'habite un appartement moderne dans **un grand immeuble**. Notre appartement est **au quatrième étage**. Il y a six **pièces**. Nous avons une jolie cuisine et **une petite salle à manger**. **Le salon** est assez grand et confortable avec **un canapé et deux fauteuils**. Il n'y a pas de jardin mais nous avons un balcon avec une belle vue sur la mer. Nous avons trois chambres mais malheureusement, **je dois partager ma chambre** avec ma sœur. Quelle horreur! Je veux avoir **ma propre chambre**!

malheureusement unfortunately

4 Listen to how Lydia answers the next question: «Le week-end prochain, qu'est-ce que tu vas faire dans ta ville/ton village?» Look at the Answer booster on page 88. Write down <u>five</u> examples of things she says to make her answer a strong one.

5 Prepare answers to the following questions. Then practise with your partner.

1 Où habites-tu?
2 Qu'est-ce qu'on peut faire dans ta ville/ton village?
3 Ta région est comment?
4 Parle-moi de ta maison ou de ton appartement.
5 Le week-end prochain, qu'est-ce que tu vas faire dans ta ville/ton village?
6 Le climat est comment, dans ta région?
7 Qu'est-ce que tu as fait récemment, dans ta région?

Answer booster	Aiming for a solid answer	Aiming higher	Aiming for the top
Verbs	**Verbs with *je*** **Different time frames:** present, perfect and near future tenses	**Different persons of the verb:** *il/elle/on/nous* **Modal verbs:** *on peut* + infinitive ***Je voudrais/J'aimerais …:*** *Je voudrais faire une randonnée à vélo.*	***si* clauses using two tenses:** *S'il fait beau demain, on va faire un pique-nique.* **The imperfect and present tenses together:** *Avant, c'était sale. Maintenant, c'est plus propre.*
Opinions and reasons	**Basic verbs of opinion:** *J'aime bien/J'adore … parce que c'est …*	**Add more variety:** *À mon avis, …/Je crois que …*	**Negative opinions with *trop* (de):** *C'est trop tranquille./ Il y a trop de circulation.* **Superlatives:** *Nous avons les plus belles plages/la meilleure équipe de foot.*
Connectives	*et, mais, aussi, ou, parce que*	*où, donc, alors, cependant, car, puisque*	***pour* + infinitive:** *On peut aller au lac pour faire de la voile.*
Other features	**Sequencers:** *d'abord, ensuite, puis, après* **Time and frequency phrases:** *en été, le week-end prochain, toujours*	**Negatives:** *Il n'y a rien pour les jeunes./Il n'y a pas grand-chose à faire.* **Interesting vocabulary:** *malheureusement, vraiment triste, en plein air*	**Less common negatives:** *Il n'y a plus de …* *Mon quartier n'est jamais …*

A – Short writing task

1 | lire | **Look at the task card. What do you need to write about for each bullet point?**

> Vous écrivez à un(e) ami(e) français(e) qui va vous rendre visite.
>
> Mentionnez:
> - votre maison ou appartement
> - votre ville ou village
> - la météo
> - les activités dans votre région.
>
> Écrivez environ **40** mots **en français**.

2 | lire | **Look at Samuel's answer. Rearrange the sections into the order of the bullet points in the task.**

A D'habitude, en été, il fait beau mais aujourd'hui, il pleut.	**C** Ici, on peut faire des randonnées à la campagne ou visiter les monuments.
B Ma ville est grande. Il y a beaucoup de magasins, un cinéma et une piscine.	**D** Ma maison est assez jolie et nous avons un petit jardin.

3 | lire | **Read Samuel's answer in exercise 2 again and find examples of the following.**

1 three different adjectives
2 a 'we'-form verb ending in *-ons*

3 three time or frequency expressions
4 a modal verb + infinitive

4 écrire **Now write your own answer to the task.**

- Use Samuel's answer as a model and adapt what he has written.
- Check your answer carefully for spelling, accents and grammar.

> ⭐ Check verb forms and endings. Also make sure your adjectives agree with the noun they describe: is the noun masculine, feminine or plural?

B – Extended writing task

1 lire **Look at the task and answer the questions.**

> Vous décrivez votre région pour un magazine français.
>
> Décrivez:
> - votre région et ses attractions
> - les aspects positifs et négatifs de votre ville ou village
> - une activité récente dans votre région
> - où vous voulez aller le week-end prochain.
>
> Écrivez environ **90** mots **en français**.
> Répondez à chaque aspect de la question.

1 What do you need to write about for each bullet point?
2 Which tense(s) do you need to use for each bullet point?

> ⭐ Look at the bullets for time phrases or words like *récente* to help you to decide which time frame (present, past or future) you are being asked to write about. Then make sure you use the correct tense for each.

2 lire **Read Emma's answer and copy and complete the sentences below in English.**

> J'habite dans le nord de l'Écosse et c'est très beau car il y a des montagnes et de grandes forêts. En hiver, on peut faire du ski puisque nous avons des stations de ski.
>
> Dans ma ville, il y a trop de circulation et il n'y a plus de bowling. Cependant, il y a une zone piétonne. Avant, c'était un peu sale mais maintenant, c'est très propre.
>
> Hier, j'ai fait une randonnée à vélo avec mes copains et après, on a mangé une pizza. C'était génial!
>
> Le week-end prochain, j'aimerais faire de la natation mais s'il fait froid, je vais aller au cinéma pour voir une comédie.

1 Emma lives in the north of ▮▮▮▮▮, where there are ▮▮▮▮▮ and ▮▮▮▮▮.
2 In winter you can ▮▮▮▮▮ because they have ▮▮▮▮▮.
3 Her town has too much ▮▮▮▮▮ and there's no longer ▮▮▮▮▮, but there is ▮▮▮▮▮. It used to be a bit ▮▮▮▮▮ but now it's ▮▮▮▮▮.
4 Yesterday she ▮▮▮▮▮ and afterwards they ▮▮▮▮▮. It was ▮▮▮▮▮.
5 Next weekend she'd like to go ▮▮▮▮▮, but if ▮▮▮▮▮, she's going to ▮▮▮▮▮.

 3 lire **Look at the Answer booster and note down <u>five</u> examples of how Emma writes a strong answer.**

 4 écrire **Now write your own answer, using Emma's text and the Answer booster to help you.**

Où habites-tu?
Where do you live?

J'habite … | *I live …*
dans une ville/un village | *in a town/village*
au centre-ville | *in the town centre*
au bord de la mer | *at the seaside*
à la campagne/montagne | *in the countryside/mountains*
en ville | *in town*
à Londres/Manchester, etc. | *in London/Manchester, etc.*

dans le nord/le sud/l'est/ l'ouest … | *in the north/south/east/west …*
dans le centre … | *in the centre …*
  de l'Angleterre/Écosse/Irlande (du Nord) | *of England/Scotland/ (Northern) Ireland*
  de la France | *of France*
  du pays de Galles | *of Wales*

Qu'est-ce qu'on peut faire?
What can you do?

On peut … | *You can …*
aller à un match de foot | *go to a football match*
aller au cinéma | *go to the cinema*
faire du cheval | *go horse-riding*
faire du ski | *go skiing*
faire du snowboard | *go snowboarding*

faire des promenades | *go for walks*
faire les magasins | *go shopping*
se baigner dans la mer | *swim/bathe in the sea*
se détendre sur la plage | *relax on the beach*
visiter le château | *visit the castle*
visiter les musées | *visit the museums*

Dans ma ville/mon village
In my town/village

Dans ma ville/mon village, il y a … | *In my town/village there is/are …*
un bureau de poste/une poste | *a post office*
un centre de loisirs | *a leisure centre*
un château | *a castle*
un marché | *a market*
un musée | *a museum*
un parc/jardin public | *a park*
un stade | *a stadium*

un supermarché | *a supermarket*
une bibliothèque | *a library*
une église | *a church*
une gare (SNCF) | *a (railway) station*
une mosquée | *a mosque*
des hôtels | *some hotels*
des restaurants | *some restaurants*
Il n'y a pas de … | *There isn't a/aren't any …*

Les directions
Directions

Où est le/la/l' …? / Où sont les …? | *Where is the …? / Where are the …?*
Pour aller au/à la/à l'/aux …? | *How do I get to the …?*
Va/Allez tout droit. | *Go straight on.*
Tourne/Tournez à gauche/droite. | *Turn left/right.*
Prends/Prenez la première/ deuxième/troisième rue à gauche/droite. | *Take the first/second/third street on the left/right.*

Traverse/Traversez le pont/la place. | *Cross the bridge/square.*
Descends/Descendez la rue. | *Go down the street.*
C'est près/loin? | *Is it near/far?*
C'est tout près/assez loin. | *It's very near/quite far.*

Qu'est-ce qu'il y a dans ta région?
What is there in your region?

Dans ma région, il y a … | *In my region there is/are …*
un lac | *a lake*
un port de pêche | *a fishing port*
une rivière/un fleuve | *a river*
des champs | *fields*
des collines | *hills*
des fermes | *farms*
des forêts | *forests*
des stations de ski | *ski resorts*
des vignobles | *vineyards*

En Bretagne, il y a … | *In Brittany there is/are …*
un beau château | *a beautiful castle*
une belle cathédrale | *a beautiful cathedral*
des villes historiques | *historical towns*
de vieilles maisons | *old houses*
de vieux bâtiments | *old buildings*
On peut … | *You can …*
faire de la voile | *go sailing*
faire des randonnées à vélo | *go for bike rides*

Le meilleur …
The best …

le meilleur climat | *the best climate*
la meilleure équipe de football | *the best football team*
le plus beau paysage | *the most beautiful countryside*
les plus belles plages | *the most beautiful beaches*
le plus long fleuve | *the longest river*
la plus longue piste de ski | *the longest ski slope*

la plus haute tour | *the highest tower*
le musée le plus populaire | *the most popular museum*
la région la plus historique | *the most historical region*
les stations de ski les plus populaires | *the most popular ski resorts*
les monuments les plus célèbres | *the most famous monuments*

Visiter une ville
Visiting a town

Je voudrais visiter/voir … | *I would like to visit/see …*
Je ne voudrais pas rater … | *I wouldn't like to miss …*
l'aquarium | *the aquarium*
l'exposition sur … | *the exhibition on …*
le spectacle son et lumière | *the sound and light show*

Je voudrais louer des vélos. | *I would like to hire bikes.*
J'aimerais … | *I would like to …*
faire une promenade en bateau | *go on a boat trip*
monter à la tour de l'horloge | *climb the clock tower*

Les renseignements touristiques — *Tourist information*

(Le château) est ouvert quels jours de la semaine?	*On which days is (the castle) open?*
C'est ouvert (tous les jours/tous les jours sauf le dimanche).	*It's open (every day/every day except Sundays).*
Quels sont les horaires d'ouverture?	*What are the opening hours?*
C'est ouvert de (9h) à (17h).	*It's open from (9 a.m.) until (5 p.m.).*
C'est combien, l'entrée?	*How much is the entrance fee?*
Ça coûte … pour les adultes et … pour les enfants.	*It costs … for adults and … for children.*
Est-ce qu'il y a un restaurant ou une cafétéria?	*Is there a restaurant or a cafeteria?*
Avez-vous un dépliant/un plan de la ville?	*Do you have a leaflet/a map of the town?*
Où est-ce qu'on peut acheter des billets?	*Where can we buy tickets?*
la durée	*duration*
les tarifs	*prices*
gratuit	*free*
accessible aux personnes handicapées	*accessible to disabled people*
les chiens sont acceptés	*dogs are welcome*

Le temps/La météo — *The weather/The weather forecast*

Quel temps fait-il?	*What is the weather like?*
Il fait beau.	*The weather is good.*
Il fait mauvais.	*The weather is bad.*
Il fait chaud.	*It's hot.*
Il fait froid.	*It's cold.*
Il y a du soleil.	*It's sunny.*
Il y a du brouillard.	*It's foggy.*
Il y a du vent.	*It's windy.*
Il y a un orage.	*There's a storm.*
Il pleut.	*It's raining.*
Il neige.	*It's snowing.*
près de la Manche	*near the Channel*
sur la côte atlantique	*on the Atlantic coast*
sur la côte méditerranéenne	*on the Mediterranean coast*

Les projets — *Plans*

aujourd'hui	*today*
demain	*tomorrow*
après-demain	*the day after tomorrow*
ce week-end	*this weekend*
cette semaine	*this week*
S'il fait beau/mauvais (etc.), on va …	*If the weather's good/bad (etc.), we're going to …*
aller à la pêche	*go fishing*
aller à la piscine (en plein air)	*go to the (open-air) swimming pool*
faire un barbecue	*have a barbecue*
faire un pique-nique	*have a picnic*
faire de la luge	*go tobogganing*
rester à la maison	*stay at home*
regarder la télé	*watch TV*

Ville de rêve ou ville de cauchemar? — *Dream town or nightmare town?*

C'est …	*It's …*
très animé	*very lively*
trop tranquille	*too quiet*
sale	*dirty*
pollué	*polluted*
triste	*sad*
Ce n'est jamais propre.	*It's never clean.*
Il y a …	*There is/are …*
de bons transports en commun	*good public transport*
seulement des maisons et une église	*only houses and a church*
trop de circulation	*too much traffic*
trop de bruit	*too much noise*
toujours des déchets par terre	*always rubbish on the ground*
Il n'y a rien pour les jeunes.	*There is nothing for young people.*
Il n'y a pas grand-chose à faire.	*There is not much to do.*
Il n'y a pas de zone piétonne.	*There is no pedestrian precinct.*
Il n'y a plus de cinéma.	*There is no longer a cinema.*
Le cinéma est fermé.	*The cinema is closed (down).*
un club pour les jeunes	*a youth club*
les poubelles	*bins*
en banlieue	*in the suburbs*
le quartier	*neighbourhood, district, part of town*

Les mots essentiels — *High-frequency words*

s'il te plaît/s'il vous plaît	*please*
merci	*thank you*
de rien	*you're welcome*
aussi	*also*
sauf	*except (for)*
si	*if*
trop	*too*
trop de	*too much/many*
seulement	*only*
avant	*before*
maintenant	*now*
D'accord!	*OK!*
Bonne idée!	*Good idea!*

5 Le grand large ...
Point de départ

● *Talking about what you normally do on holiday*

1 *lire*   **C'est le drapeau de quel pays? Écrivez la bonne réponse.**

la Belgique	le pays de Galles	l'Allemagne	l'Angleterre	les Pays-Bas	l'Espagne	l'Italie	le Pakistan
l'Algérie	les États-Unis	le Danemark	la Suisse	la Russie	le Royaume-Uni	la Pologne	l'Autriche

2 *écouter*   **Écoutez et vérifiez vos réponses. (1–16)**

3 *écouter*   **Écoutez. Copiez et complétez le tableau en anglais. (1–4)**

	country	means of transport	lodging	companions	opinion
1					

Où vas-tu en vacances?
Je vais ...
- en France.
- en Espagne.
- au Danemark.
- aux Pays-Bas.

Comment voyages-tu?
Je voyage ...
- ✈ en avion.
- 🚋 en train.
- 🚗 en voiture.
- 🚢 en bateau.
- 🚌 en car.
- 🚲 à vélo.

Où loges-tu?
Je loge ...
- 🏨 dans un hôtel.
- 🏕 dans une auberge de jeunesse.
- 🚐 dans une caravane.
- ⛺ dans un camping.

Avec qui pars-tu en vacances?
Je pars en vacances ...
- avec mes copains/copines.
- avec ma famille.
- avec mes grands-parents.
- seul(e).

C'est comment?
- C'est extra/ formidable! 👍👍
- C'est bien. 👍
- Ce n'est pas mal. 👌
- C'est (un peu) ennuyeux/nul. 👎

Ⓖ *Saying 'in' or 'to' with countries*

J'habite ... (I live ...)
Je vais en vacances ... (I go on holiday ...)

en + feminine country, e.g. *en Angleterre/France/Belgique/Autriche* (in/to England/France/Belgium/Austria)
au + masculine country, e.g. *au pays de Galles/Royaume-Uni* (in/to Wales/the UK)
aux + plural country, e.g. *aux États-Unis/Pays-Bas* (in/to the United States/the Netherlands)

4 parler

À deux. Faites le jeu de rôle sur les vacances.

a
- Où vas-tu en vacances?
- Comment voyages-tu?
- Où loges-tu?
- Avec qui pars-tu en vacances?
- C'est comment?

b
- Say where you spend your holidays.
- Say how you travel.
- Say where you stay.
- Say who you go with.
- Say what you think of your holidays.

G *Questions with inversion* 〉 *Page 204*

When asking questions, you can put the **question word** at the end.

*Tu loges **où**?*   *Tu pars en vacances **avec qui**?*

You can also use **inversion**: put the question word first and swap the order of the subject (e.g. *tu*) and the verb.

*Où **loges-tu**?*   *Avec qui **pars-tu** en vacances?*

---

5 lire

Lisez les textes et répondez aux questions en anglais.

Léonie: Normalement, je passe mes vacances en Italie. Je voyage en train et je fais du camping. J'adore ça! Je vais au bord de la mer avec ma famille.

Zoé: D'habitude, je vais à la campagne en France. Je passe mes vacances dans un petit hôtel avec mes grands-parents. C'est assez ennuyeux mais il fait toujours beau.

Karim: Tous les ans, je vais chez ma tante qui habite en Tunisie, à la montagne. Je voyage en avion. Je passe tout le mois d'août là-bas. C'est génial!

Eliott: En juillet, je passe deux semaines en Angleterre avec mes parents et mon petit frère. Je loge dans une caravane, dans un petit village. Je prends le ferry et puis la voiture. C'est extra!

1 Who normally spends their holidays by the sea?
2 Who goes on holiday for four weeks?
3 Who likes to go camping?

4 Who goes by boat?
5 Who gets a bit bored?
6 How long does Eliott spend in England?

---

6 écrire

Imaginez que vous êtes une célébrité. Écrivez un texte sur vos vacances.

Say:
- where you normally spend your holidays
- how you travel and who you go with
- where you stay
- what you think of your holidays.

Use words and phrases like *d'habitude, normalement* and *tous les ans,* and linking words like *mais* and *puis* to make your writing more interesting and less like a list.

1 Les hôtels, mode d'emploi …

- *Dealing with a hotel stay*
- *Using the* nous *form of the verb and* notre/nos *('our')*

 1 lire **Lisez les annonces. Écrivez les lettres des <u>quatre</u> bonnes images pour chaque établissement.**

☆ The words in bold in the texts will help you!

★★★★ OÙ DORMIR À BAYONNE? ★★★★

1

Chambres d'hôtes spacieuses, confortables et charmantes

Nos cinq chambres d'hôtes sont situées au rez-de-chaussée et au premier étage de notre maison.

Toutes nos chambres ont **une télévision à écran plat**, **un micro-ondes** et **une douche**.

Le petit-déjeuner est inclus!

Nous mettons **un parking** à votre disposition.

2

Hôtel familial bien situé

Nous proposons des chambres avec **un grand lit**, des chambres avec **un lit simple** et des chambres avec deux lits: nous avons toutes les formules possibles pour les familles!

Nos chambres sont bien équipées avec **une salle de bain** privée, bien sûr.

Nous avons aussi des chambres avec un balcon et **une vue sur la mer**.

Réservez tout de suite: nous sommes prêts à vous accueillir!

3

HORTENSIAS DU LAC ★★★★

Hôtel 4 étoiles

Notre hôtel de luxe se trouve dans le centre historique de Bayonne. Notre restaurant et nos chambres modernes vous attendent!

Toutes nos chambres ont **la climatisation** et **le Wi-Fi**, bien évidemment.

Vous allez adorer notre **piscine extérieure**, et pour vos enfants, nous avons aussi **une aire de jeux**.

 a   **b**   **c**   **d**   **e**   **f**

 g   **h**   **i**   **j**   **k**   **l**

 2 lire **Trouvez ces expressions en français dans les textes de l'exercice 1.**

1 Our five guest rooms are situated on the ground floor and first floor of our house.
2 Breakfast is included.
3 We have all the possible options for families.
4 Our rooms are well equipped.
5 We are ready to welcome you.
6 Our restaurant and modern rooms await you.

3 écouter **Écoutez. Notez en anglais <u>cinq</u> détails pour chaque chambre. (1–2)**

Exemple: **1** on the second floor, …

en bas	downstairs/below

G *Using the* nous *form and* notre/nos ⟩ *Pages 200 and 216*

The *nous* form almost always ends in *-ons*. The only exception is *nous sommes* (we are), from the verb *être*.

Nous proposons *des chambres avec …*
We offer rooms with …

Use ***notre/nos*** to say 'our'.

notre *parc*   ***notre*** *terrasse*   ***nos*** *chambres*

4 écrire **Vous logez dans un hôtel. Écrivez une carte postale pour décrire votre chambre.**

> Voici notre hôtel.
> C'est charmant/moderne/bien situé.
> Voici notre chambre. Elle est au premier/deuxième étage.
> Il y a … et nous avons aussi …

5 lire **Lisez ce dialogue. Copiez et complétez le tableau en anglais.**

room? (details)	nights?	floor?	payment?	breakfast?

> **Client:** Nous voulons une chambre, s'il vous plaît.
> **Employé:** Quelle sorte de chambre voulez-vous?
> **Client:** Une chambre pour deux personnes avec une salle de bains et un grand lit.
> **Employé:** Pour combien de nuits, monsieur?
> **Client:** Pour une nuit.
> **Employé:** Nous avons la chambre 215, au deuxième étage. Vous voulez payer comment?
> **Client:** Avec ma carte bancaire.
> **Employé:** Très bien. Donc, votre chambre est au deuxième étage, avec une belle vue sur la mer.
> **Client:** Le petit-déjeuner est inclus?
> **Employé:** Oui, le petit-déjeuner est inclus et il est servi entre 8h et 10h au restaurant.
> **Client:** Parfait. Merci beaucoup.

> ⭐ Use *votre/vos* to say 'your'.
>
> *votre chambre* your room
> *vos enfants* your children

6 écouter **Écoutez. Écrivez les <u>quatre</u> bonnes lettres pour chaque conversation. (1–3)**

compris included

7 parler **À deux. Adaptez le dialogue de l'exercice 5 en utilisant ces détails.**

1   on the ground floor

> ⭐ To ask if the hotel has Wi-Fi or a swimming pool, start with *Est-ce que vous avez …?*

2

- *Talking about travelling*
- *More practice of the comparative*

1 lire Copiez le diagramme de Venn et mettez les mots au bon endroit.
Utilisez un dictionnaire, si nécessaire.

le guichet	le quai	l'autoroute
la ceinture de sécurité	la route	les bagages
	le billet	un aller-retour
un aller simple	la douane	en deuxième classe
le contrôle des passeports	la circulation	le/la pilote
	la gare	le conducteur/ la conductrice
en première classe	l'aéroport	

voyager ...

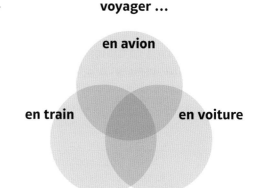

en avion

en train   en voiture

2 lire Lisez et complétez le rôle du client. Choisissez des phrases à droite.

Au guichet

- *Bonjour, monsieur. Je peux vous aider?*
- ■ **1** ____
- *D'accord. En quelle classe?*
- ■ **2** ____
- *25 euros, s'il vous plaît.*
- ■ **3** ____
- *C'est le quai numéro 5.*
- ■ **4** ____
- *À 15h15.*
- ■ **5** ____
- *Deux heures et treize minutes.*
- ■ **6** ____
- *Non, c'est un train direct. Au revoir et bon voyage!*

a Voilà. C'est quel quai?

b Le voyage dure combien de temps?

c En deuxième classe.

d Je voudrais un aller simple pour Metz, s'il vous plaît.

e Est-ce qu'il faut changer de train?

f Et le train part à quelle heure?

3 écouter Écoutez et vérifiez vos réponses.

4 écouter Écoutez ces conversations. Copiez et complétez le tableau en anglais. (1–3)

	ticket type (single/return)	destination	class	price (euros)	platform no.
1					

⭐ Listen carefully for the prices and platform numbers. For higher numbers, it can help to write them out as words and then convert them into figures afterwards, e.g. *soixante-quatre* → 64.

5 parler À deux. Adaptez le dialogue de l'exercice 2 en utilisant les détails ci-dessous.

1 ↔ **Bordeaux**
2ème classe   44€
Quai 3
15h00   2h 25 minutes
direct

2 → **Dijon**
1ère classe   84€
Quai 9
20h40   1h 59 minutes
direct

⭐ '15h00' said out loud is *quinze heures*.

6 écouter **Écoutez et lisez les avis. Copiez et complétez le tableau en anglais.**

name	preferred means of transport	reasons
Zao		

 Moi, je vais en Italie tous les ans et j'y vais toujours en avion parce que c'est plus confortable que voyager en voiture ou en bateau. En plus, on arrive plus vite! Ce n'est pas du tout fatigant. J'aime beaucoup prendre l'avion. **Zao**

 Moi, je voyage toujours en bateau parce que c'est plus pratique et … c'est la classe! Il y a beaucoup de place et ce n'est pas du tout ennuyeux. En juillet, je vais aller en Angleterre avec ma famille et nous allons y aller en ferry, bien sûr! **Amandine**

 Moi, je voyage toujours en car parce que c'est moins cher et c'est moins fatigant que voyager en voiture. En plus, on peut rencontrer des gens sympa! **Camille**

 Moi, je voyage toujours à vélo. C'est plus aventureux et c'est beaucoup plus vert que tous les autres moyens de transport, donc c'est nettement mieux pour notre planète. Mon pays préféré pour faire du vélo, c'est la Croatie. **Noé**

G *More on the comparative* > *Page 215*

You use comparative adjectives to compare things:

plus + adjective + *que*	more … than
plus pratique que	more practical than
moins + adjective + *que*	less … than
moins cher que	less expensive than

The word for 'better' is *mieux*.

The pronoun **y** means 'there'. You need to be able to recognise and understand it. In the present tense, *y* goes in front of the verb:

*J'**y** vais toujours en avion.* I always go **there** by plane.

7 lire **Traduisez l'avis d'Amandine de l'exercice 6 en anglais.**

Amandine uses two tenses – the present and the near future. Make sure you translate them correctly. Take care as well not to miss out small words like *y*.

8 écrire **Écrivez une phrase <u>de 14 ou 15 mots</u> pour donner votre avis sur les moyens de transport.**

Moi, je voyage toujours	en car en train en avion en voiture	parce que c'est	plus	rapide/confortable/pratique/ vert/aventureux.
	à vélo à moto		moins	ennuyeux/fatigant/cher.
		mieux pour l'environnement/la planète.		

écouter **Écoutez. Écrivez les <u>trois</u> bonnes lettres pour chaque personne. (1–4)**

> *Que fais-tu quand tu es en vacances?*

a Je fais de la planche à voile.

b Je fais de la voile.

c Je fais de l'accrobranche.

d Je fais du ski.

e Je visite les musées.

f Je visite les monuments.

g Je vais à la pêche.

h Je vais à la plage.

i Je joue à la pétanque.

j Je me baigne.

k Je me promène.

l Je me repose.

2 **parler** **À deux. Faites ces dialogues. Regardez les images de l'exercice 1.**

● *Que fais-tu quand tu es en vacances?*
■ *Quand je suis en vacances, je …, je … et je … Quelquefois, je … Le soir, je …*

1 a b f g l   **2** c d f i k   **3** e c h j l

3 **lire** **Lisez les textes et répondez aux questions.**

> Quand je suis en vacances, je me repose.
> Je me lève tard, je vais à la plage et je me baigne.
> Ensuite, je me promène un petit peu. Le soir,
> je m'habille bien et je sors au restaurant.   **Jeanne**

> Quand je suis en vacances à la montagne,
> je suis super actif! Je me lève tôt, je me
> couche tard et je fais du sport toute la
> journée. Je ne m'ennuie jamais.   **Thomas**

Who …
1 gets up early?
2 gets up late?
3 swims in the sea?
4 goes to bed late?
5 never gets bored?
6 goes to a restaurant in the evening?

G **Reflexive verbs**   ❯ *Page 201*

Reflexive verbs have a **reflexive pronoun** (*me*, *te*, *se*, etc.)
in front of the verb. The verb is conjugated as usual.

Je **me** *douche.*	I am having a shower.
Tu **te** *baignes.*	You go swimming.
On **se** *lève?*	Shall we get up?

4 lire **Lisez les articles de blog et répondez aux questions en anglais.**

Shogo

D'habitude, quand je suis en vacances au bord de la mer, je me repose, tout simplement. Donc, je me lève tard, je me promène un peu et je lis des romans au soleil. Mais hier, comme c'était mon dernier jour de vacances, j'ai décidé de faire quelque chose de différent. Je me suis levé super tôt et je suis allé à la plage où j'ai vu le lever du soleil. Qu'est-ce que c'était beau!

Arielle

Normalement, quand je suis en vacances, je me lève très tôt et je visite des monuments et des musées. Mais samedi soir, j'ai retrouvé des amis en ville et on est allés en boîte. On a dansé jusqu'à trois heures du matin! C'était super! Le lendemain, je me suis levée à midi. Mais bon, pendant les vacances, je peux faire ce que je veux, non?

quelque chose de différent something different

le lendemain the next day

1 What does Shogo usually do on holiday?
2 Why did he decide to do something different yesterday?
3 What did he see when he went to the beach?
4 What does Arielle normally do when she is on holiday? Give <u>two</u> details.
5 How late did she stay out on Saturday night?
6 What happened the next day?

> Both blog posts use the present and the perfect. In the perfect tense, reflexive verbs are conjugated with *être*, and the past participle must agree. Learn to recognise this.
>
> ***Elle** s'est couché**e** tard.*
> She went to bed late.

5 écouter **Écoutez. Copiez le tableau et écrivez les lettres des images dans la bonne colonne. (1–2)**

activities they normally do	activities they did yesterday

> Listen carefully for the tenses used.
>
> **present:** *je fais* *je vais* *je me repose*
> **perfect:** *j'ai fait* *je suis allé(e)* *je me suis reposé(e)*

6 écrire **Écrivez un texte de 60 mots au sujet de vos vacances.**

Say:
- what you normally do when you are on holiday (*D'habitude, quand je suis en vacances, je vais/je fais/je joue/je me baigne/je me repose …*)
- what you did on a particular day (*Hier, je suis allé(e) … et ensuite, j'ai fait/visité/je me suis reposé(e) …*)
- what it was like (*C'était génial/beau/fatigant./Ce n'était pas mal.*).

4 Bon appétit!

1 **Reliez le français et l'anglais.**

1 Le plat du jour, c'est …
2 Pour commencer, je vais prendre …
3 Comme plat principal, je voudrais …
4 Et comme boisson?
5 Qu'est-ce que vous avez comme desserts?

a The daily special is …
b What desserts do you have?
c And to drink?
d For my main course, I would like …
e To start, I am going to have …

2 **Écoutez et lisez. Répondez aux questions en anglais.**

Serveur:	Bonjour messieurs-dames. Voici la carte. Le plat du jour, c'est <u>un filet de loup de mer</u>.
	…
Serveur:	Vous avez fait votre choix?
Cliente:	Oui, pour commencer, je vais prendre <u>l'assiette de crudités</u> et ensuite, je voudrais le plat du jour, <u>le loup de mer</u>. J'ai très faim!
Serveur:	Très bien, madame. Et pour vous, monsieur?
Client:	Je vais prendre <u>le menu à 30 euros</u> avec <u>les escargots</u> en entrée et comme plat principal, <u>le rôti de veau</u>.
Serveur:	Et comme boisson?
Cliente:	En effet, j'ai soif! Je voudrais de l'eau gazeuse.
Client:	J'en veux moi aussi, s'il vous plaît.
	…
Serveur:	Un petit dessert?
Client:	Moi, j'ai envie d'un dessert. Qu'est-ce que vous avez comme desserts, monsieur?
Serveur:	Nous avons <u>une tarte aux pommes, des sorbets, un roulé au chocolat …</u>
Client:	<u>La tarte aux pommes</u> pour moi.
Cliente:	Pour moi aussi.
	…
Serveur:	Vous avez besoin d'autre chose?
Cliente:	Non, merci. C'était délicieux. On a seulement besoin de l'addition, s'il vous plaît.

le loup de mer   *sea bass*

1 What does the female customer order as a starter?
2 Who chooses the set menu?
3 What drink is ordered?
4 What dessert is ordered?
5 What does the female customer say about the meal?

> ⭐ **En** means 'some', 'of it' or 'of them'.
> You need to recognise it and understand it. It goes in front of the verb.
> J'**en** veux. I want some.

G **Expressions with** avoir

These expressions use *avoir* ('to have'), but are not translated literally.

avoir faim	to be hungry	→ *J'ai faim.*
avoir soif	to be thirsty	→ *J'ai soif.*
avoir besoin de	to need	→ *On a besoin de l'addition.*
avoir envie de	to want (to)	→ *J'ai envie d'un dessert.*

3 parler À trois. Utilisez le dialogue de l'exercice 2 comme modèle. Choisissez pour vous en changeant les éléments <u>soulignés</u>.

> ⭐ Make sure you know what you're ordering! Check any dishes you aren't sure of on page 111.

Menu à 25 euros

Entrées
la soupe à la tomate
les brochettes de crevettes
la tarte à l'oignon

Plat du jour
le poulet basquaise

Plats principaux
l'épaule d'agneau
la cuisse de canard
les lasagnes végétariennes

Desserts
la crème brûlée
la mousse au chocolat
la tarte au citron

4 lire Lisez les avis et répondez aux questions.

Écureuil curieux
Bistro de la Gare

★★★☆ J'y suis allée pour le dîner. Mon entrée était trop salée mais mon plat principal était parfait. **Catherine**

★★★☆ Le service était lent et les portions étaient petites mais la nourriture était délicieuse. **Marco**

☆☆☆☆ Malheureusement, la nourriture était froide! Je ne recommande pas ce restaurant. **Yann**

★★★★ J'ai déjeuné ici hier. J'ai pris le filet de loup de mer et c'était bien cuit. En plus, le serveur était très poli. Je recommande ce restaurant. **Toni**

salé(e)	salty

1 Who was pleased with the service?
2 Whose meal was not hot?
3 Who enjoyed one course but not the other?
4 Who went to the restaurant for lunch?
5 Who would have preferred to have more on their plate?

> ⭐ You may have to work out some new words from the context. For example, in the phrase *la nourriture était froide*, replace *la nourriture* with 'beep': 'beep was cold'. What would make sense?

5 écouter Écoutez et choisissez la bonne fin de chaque phrase. (1–4)

1 Le client a commandé … **a** une salade. **b** de la viande. **c** du poisson.
2 Le steak de la fille … **a** était parfait. **b** n'était pas cuit. **c** était trop salé.
3 La galette du garçon était … **a** froide. **b** au jambon. **c** très bonne.
4 La dame est allée au Bistro de Mario pour … **a** déjeuner. **b** dîner. **c** prendre son petit-déjeuner.

6 écrire Écrivez votre avis sur un restaurant où vous avez mangé pour un forum en ligne.

J'y suis allé(e) pour	le déjeuner/le dîner.		C'était	délicieux/bien cuit.
Le service était	lent/exceptionnel.		La nourriture	était froide/trop salée.
Le serveur/la serveuse	était/n'était pas	poli(e).		n'était pas cuite.
J'ai pris	le plat du jour/un steak/ …		Je recommande/Je ne recommande pas ce restaurant.	

● *Talking about holiday disasters*
● *Using three time frames*

1 Écoutez et lisez les textes. Écrivez la lettre de la bonne image pour chaque personne.

Malahat

Normalement, je vais en vacances en Espagne avec ma famille mais cette année, j'ai oublié mon passeport! J'ai donc raté l'avion. Quel dommage! ☹ L'année prochaine, je vais donner mon passeport à ma mère.

a

Orlando

Je passe mes vacances en Grèce tous les ans avec mes grands-parents. Il fait toujours très chaud et j'adore ça. Mais l'année dernière, j'ai pris un coup de soleil. J'ai dû aller chez le médecin. Quelle horreur! ☹ À l'avenir, je vais mettre de la crème solaire.

b

Diego

Cette année, quand j'étais en vacances en Irlande avec ma famille (on y va tous les ans), j'ai cassé mon appareil photo sur la plage. J'ai donc perdu toutes mes photos. ☹ À l'avenir, je vais faire plus attention.

c

Albane

En général, je passe mes vacances en France. L'année dernière, je suis allée à Lyon avec mes parents et on m'a volé mon sac à main dans le métro. Il y avait tout dedans: mon porte-monnaie, mon portable, mon permis de conduire … C'était catastrophique! ☹ J'ai dû aller au commissariat. La prochaine fois, je vais faire plus attention.

d

| *j'ai dû aller …* | *I had to go …* |
| *voler* | *to steal* |

2 Trouvez l'équivalent français de ces phrases dans les textes de l'exercice 1.

1 I got sunburnt.
2 I broke my camera.
3 I missed the plane.
4 I lost all my photos.
5 I forgot my passport.

6 I had to go to the doctor.
7 I had to go to the police station.
8 Someone stole my handbag.
9 In future, I'll put on sun cream.
10 Next time I'll be more careful.

3 Copiez et complétez le tableau pour chaque personne de l'exercice 1.

	perfect	present	near future
Malahat	j'ai oublié, …	je vais	je vais donner

4 Écoutez Salma. Écrivez V (vrai) ou F (faux) pour chaque phrase.

1 Salma goes on holiday to Germany every year.
2 She goes with her family.
3 Last winter she ate some fish in a restaurant.
4 She was very sick.
5 She will not go back to this restaurant.

| *vomir* | *to vomit* |

G *Using three time frames*

Use the **present tense** to say what you normally do.
Use the **perfect tense** to say what happened in the past.
Use the **near future tense** to say what you are going to do.

present	perfect	near future
je vais	*je suis allé(e)*	*je vais aller*
je fais	*j'ai fait*	*je vais faire*
je passe	*j'ai passé*	*je vais passer*

Use the **imperfect tense** to say 'was' or 'were'.

c'était … it was …   *il y avait …* there was/there were …

5 lire **Lisez le texte et complétez les phrases en anglais.**

> L'année dernière, j'ai passé une nuit dans un hôtel horrible à Nice.
>
> D'abord, la chambre était sale et il y avait une odeur bizarre. Il y avait aussi des cafards! ☹
>
> La salle de bains n'était pas propre non plus et il n'y avait pas de serviettes.
>
> Enfin, la climatisation était cassée et en plus, il y avait trop de bruit!
>
> **Karim**

| *des cafards* | *cockroaches* |

1 Karim stayed in a … hotel in Nice.
2 The room was dirty and there was a strange …
3 The bathroom was not … and there were no towels.
4 The … was broken and there was too much …

6 écouter **Écoutez. Copiez et complétez le tableau en anglais. (1–3)**

	problem	consequence	next time
1	rained all the time		

| *il pleut* | *it's raining* |
| *il a plu* | *it rained* |

7 parler **À deux. Faites la description de ces vacances catastrophiques.**

	En général …	Cette année …	Donc …
1			
2			

En général, je …		
Cette année,	Donc	
j'ai oublié mon passeport.	j'ai raté l'avion.	
j'ai pris un coup de soleil.	j'ai dû aller chez le médecin.	
j'ai cassé mon appareil photo.	j'ai perdu mes photos.	
j'ai été malade.	j'ai vomi.	
on m'a volé mon sac.	j'ai dû aller au commissariat.	
il a plu tous les jours.	il n'y avait rien à faire.	
il y avait des cafards dans notre chambre.	on a dû chercher un autre hôtel.	

Quelle catastrophe!/Quelle horreur!/ Quel dommage!

| La prochaine fois, je vais … | faire plus attention. mettre de la crème solaire. aller en vacances en Espagne. loger dans un camping. |

8 écrire **Écrivez un texte sur des vacances catastrophiques.**

Say:
- where you normally go on holiday and who with
- what happened this year
- what the consequence was
- what you are going to do next year.

1 You see these messages on electronic noticeboards while travelling by train in France. What does each sign tell you about? Write the correct letter for each one.

1 Le train 7459 en provenance de Poitiers va arriver voie 16.

2 En raison d'un incident technique, le trafic est ralenti aujourd'hui.

3 Service de restauration à bord de ce TGV.

4 La voie est indiquée 20 minutes avant le départ du train.

A	departures
B	train facilities
C	station facilities
D	delays to the service
E	arrivals

> You don't need to understand every word in the messages. Can you work out the gist? Do any of the unfamiliar words (e.g. *incident technique* and *restauration*) look like English words? Can you then use them to work out what topic the sign is giving information about?

2 Guillemette vous envoie un e-mail. Lisez cet extrait de son e-mail et répondez aux questions.

> Objet: Re: Tes vacances
>
> …
>
> Quand je suis en vacances, je ne me repose jamais! Je fais de la voile, de la planche à voile et je me baigne dans la mer! Mon frère adore jouer à la pétanque car selon lui, c'est facile. Moi, je trouve ça difficile mais c'est amusant.

1 Quelle est la réponse correcte? Écrivez la bonne lettre.
   A Guillemette n'est pas active quand elle est en vacances.
   B Guillemette fait des sports nautiques.
   C Guillemette nage à la piscine.

2 Guillemette aime la pétanque. Pourquoi? Répondez <u>en français</u>.

3 You have received this message on Facebook. Translate it into English for a friend.

> Je loge chez ma tante au bord de la mer. Tous les jours, on se promène en ville mais demain, elle va rester à la maison. Hier, j'ai mangé des escargots pour la première fois. C'était délicieux!

4 lire Read this abridged extract from *Le cahier de mes vacances nulles … et de gribouillages* by Bernard Friot and answer the questions <u>in English</u>. Ben's parents are talking about their holiday plans.

> **Ma mère:** On part quand à Salins? Il faut que je prévienne ma mère, tu sais comme elle est, elle aime tout organiser à l'avance.
>
> Salins, c'est là où habite mamie Annie, et on y passe toujours trois semaines de vacances.
>
> **Mon père:** Quand tu veux. Le 7 ou le 8. Le 8, ce serait peut-être mieux, c'est un lundi, il y aura moins de circulation.
>
> **Ma mère:** Le 8? C'est un jeudi, j'en suis sûre et certaine.
>
> **Mon père:** Ah, non, le 8 juillet est un lundi, regarde le calendrier.
>
> **Ma mère:** Juillet, comment ça? On part en vacances en août!
>
> **Mon père:** Qu'est-ce que tu racontes? J'ai pris trois semaines en juillet!

ce serait	*it would be*
il y aura	*there will be*

1 In which town does Ben's grandmother live?
2 How long does Ben's family normally go on holiday for?
3 Why does Ben's dad think it would be better to travel on a Monday?
4 In which month does Ben's mum think they are going on holiday?

1 **Vous écoutez une radio française en ligne. Ces jeunes parlent des vacances. Pour chaque personne, choisissez un sujet et écrivez la bonne lettre. (1–4)**

A le transport
B le logement
C la nourriture
D le climat
E les achats
F les activités

> ⭐ Be careful not to make your mind up too quickly. For example, the third speaker mentions *des sites historiques* but you need to listen to everything that she says in order to work out which topic she is talking about.

2 **Vos amis Anaïs et Thomas parlent de leurs vacances. De quelles activités parlent-ils? Quand font-ils chaque activité? Copiez et complétez les tableaux <u>en français</u>. (1–2)**

	dans le passé	normalement	dans le futur
1 Anaïs	aller au bord de la mer		

	dans le passé	normalement	dans le futur
2 Thomas			rendre visite à sa cousine

> ⭐ Remember to look carefully at any examples. In this exercise, listen carefully to Anaïs and Thomas, then complete the grid with the activities in the infinitive form.

A – Role play

 1 Look at the role play card and prepare what you are going to say.

> Your teacher will play the part of the employee and will speak first.
>
> You should address the employee as *vous*.
>
> When you see this – **!** – you will have to respond to something you have not prepared.
>
> When you see this – **?** – you will have to ask a question.

Billet means 'ticket', but how do you ask for a single or return train ticket? You could start with *je voudrais …*

You're buying a train ticket. You know you have to ask about the platform. What other questions might you be asked?

> **Vous parlez avec un(e) employé(e) dans une gare en France.**
> - Billet – où
> - **!**
> - **?** Quai
> - Votre opinion sur les vacances
> - Activités de vacances (<u>deux</u> détails)

How do you ask 'Which platform …?'

You are asked to give two details – you could say two different holiday activities, or just one and say who you do it with.

 2 Compare your answers with a partner and practise what you are going to say.

- Use your notes until you feel confident enough to have a go without them.
- Can you think of a question to ask your partner for the second bullet point (**!**)?

 3 Using your notes, listen and respond.

> ⭐ Listen carefully to the unprepared question (**!**) and respond appropriately. If you don't understand the teacher's question straight away in the exam, you could always ask them to repeat the question by saying: *Vous pouvez répéter la question, s'il vous plaît?*
>
> You can also use fillers to play for time while you come up with your answers: *Voyons, …* or *Alors, …*

 4 Now listen to Shuaib doing the role play. Note down the following.

1 three details about the train ticket that Shuaib asks for
2 which platform the train leaves from
3 his opinion on his holidays
4 which activities he does when he's on holiday
5 anything that Shuaib says that you could use to improve your performance

B – Picture-based discussion

 1 Look at the photo and read the task. Then listen to Millicent's answer to the **first** question.

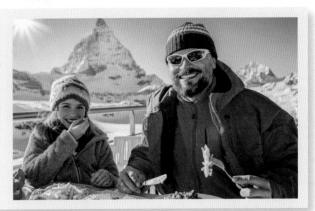

- Look at the photo.
- Make any notes you wish to on paper.
- Your teacher will then ask you questions about the photo and about topics related to **travel and tourism**.

Your teacher will ask you the following three questions and then **two more questions** which you have not prepared.

- Qu'est-ce qu'il y a sur la photo?
- Parle-moi de la dernière fois que tu as mangé au restaurant pendant les vacances.
- Où aimes-tu passer tes vacances?

1 In what order does she mention the following?

- **A** where the people in the photo are
- **B** what they are wearing
- **C** their ages
- **D** what they are eating
- **E** what the weather is like

2 Which two phrases does Millicent use to introduce her opinions?

 2 Listen to and read how Millicent answers the **second** question.

1 Write down the missing word(s) for each gap.

1 [_____], je suis allée au restaurant avec ma famille. **2** [_____], quand nous sommes en vacances, **3** [_____] au fast-food. Mais c'était l'anniversaire de ma mère donc **4** [_____] un restaurant français. Moi, j'ai pris la soupe à l'oignon et mes parents ont pris le loup de mer. Le poisson était **5** [_____] mais la soupe était **6** [_____]. Comme dessert, j'ai pris une mousse au chocolat, **7** [_____] délicieux et j'ai mis une photo sur Instagram!

2 Look at the Answer booster on page 108. Find **five** examples of language that Millicent includes to make her answer a strong one.

 3 Listen to Millicent's answer to the **third** question. She develops a basic answer by using several techniques – can you find an example of each of these in what she says?

1 providing extra information such as who with and when
2 discussing both positive and negative aspects of something
3 justifying an opinion by saying what something is like and also what it isn't like
4 giving someone else's opinion
5 using connectives to make longer sentences
6 saying what she doesn't do
7 using frequency expressions to introduce alternatives

 4 Prepare your own answers to the three questions on the task card. Think about which other two questions you could be asked. Then listen and take part in the full picture-based discussion.

Answer booster	Aiming for a solid answer	Aiming higher	Aiming for the top
Verbs	**Verbs with** *je* **Different time frames:** present, perfect and near future tenses	**Different persons of the verb:** *il/elle/on/nous* **Modal verbs:** *on peut* + infinitive *Je voudrais/J'aimerais …* **Reflexive verbs:** *je me baigne/ on se promène*	**The perfect and imperfect tenses together:** *Je suis allé(e) … C'était … Il y avait …*
Opinions and reasons	**Basic verbs of opinion:** *J'aime/J'adore … parce que c'est …*	**Add more variety:** *À mon avis, …/Je pense que …/ Pour moi, …*	**Opinions in different tenses:** *C'était …/Ça va être …* **Comparative adjectives:** *C'est plus pratique que voyager en train.*
Connectives	*et, mais, aussi, ou, quand, parce que*	*où, car, donc, alors, cependant*	*par contre, en plus, comme (plat principal/dessert)*
Other features	**Qualifiers:** *très, assez, trop, vraiment* **Time and frequency phrases:** *cet été, l'année dernière, tous les jours*	**Negatives:** *ne … pas, ne … jamais, ne … plus, ne … rien*	**Exclamations:** *Quel dommage!/ Quelle horreur!*

A – Picture-based task

1 Look at the photo and the task. Write your answer, then check carefully what you have written.

> Write four complete sentences about things that you know how to say confidently. You could describe where the people are, what is in the room or what the people look like.

Vous envoyez une photo via WhatsApp à votre ami(e) français(e).

Qu'est-ce qu'il y a sur la photo? Écrivez **quatre** phrases **en français**.

B – Translation

1 Translate the following sentences into French.

> Remember to use a definite article before the noun: *le, la, l'* or *les*?

How do you say 'by'?

How do you say 'my' here: *mon, ma* or *mes*?

1 I like holidays.
2 I travel by boat or by car.
3 There is a big swimming pool at the hotel.
4 My sister goes sailing.
5 Last year I played volleyball at the beach with my friends.

> Remember to make adjectives agree. Does this adjective go before or after the noun?

How do you say 'at the' here?

Use the perfect tense.

How do you say 'at the' here?

C – Extended writing task

1 lire Look at the task card. What is it asking you to do? Complete the English version of the task.

> You are ___on holiday___ .
> You are writing **1** _____
> Describe:
> • where you **2** _____
> • how you prefer **3** _____
> • a recent **4** _____
> • your plans **5** _____ .

> Vous êtes en vacances et vous écrivez une lettre à un(e) ami(e) français(e).
> Décrivez:
> • où vous logez
> • comment vous préférez voyager
> • des vacances récentes
> • vos projets pour cet été.
> Écrivez environ **90** mots **en français**.
> Répondez à chaque aspect de la question.

2 lire Read Bill's answer. Find the French equivalent of the phrases below and copy them out.

> En ce moment, je suis en vacances avec mes parents en Turquie où on loge dans un camping. Il y a une piscine, c'est extra parce que j'adore nager.
>
> En général, je préfère voyager en train car on peut lire ou écouter de la musique. En plus, je pense que c'est plus écologique que voyager en voiture.
>
> L'année dernière, je suis allé en Italie avec ma famille. On a fait des randonnées tous les jours. C'était très intéressant mais un jour, j'ai pris un coup de soleil. Quelle horreur!
>
> Cet été, je vais aller en colonie de vacances. Je voudrais essayer des sports nautiques. À mon avis, ça va être super!

1 I am on holiday
2 we are staying
3 you can read
4 it's greener than travelling by car

5 we went hiking every day
6 how horrible!
7 I am going to go to a holiday camp
8 I would like to try water sports

3 lire Look at the Answer booster. Find <u>six</u> examples of language Bill uses to write a strong answer.

4 écrire Now write your own answer to the task, using the Answer booster and Bill's text for support.

> You will need to use different tenses in the longer (90-word) writing task. Remember to use:
> • the present tense to say what you normally do and to give your opinion
> • the near future tense to say what you are going to do
> • the perfect tense to say what you did in the past (you can also use *c'était* and *il y avait* to describe things in the past).

Les pays / *Countries*

le Danemark	*Denmark*	la Belgique	*Belgium*
le Pakistan	*Pakistan*	l'Espagne	*Spain*
le pays de Galles	*Wales*	l'Italie	*Italy*
le Royaume-Uni	*the UK*	la Pologne	*Poland*
l'Algérie	*Algeria*	la Russie	*Russia*
l'Allemagne	*Germany*	la Suisse	*Switzerland*
l'Angleterre	*England*	les États-Unis	*the USA*
l'Autriche	*Austria*	les Pays-Bas	*the Netherlands*

Les vacances / *Holidays*

Où vas-tu en vacances?	*Where do you go on holiday?*	une auberge de jeunesse	*a youth hostel*
Je vais …	*I go …*	une caravane	*a caravan*
en France	*to France*	Avec qui pars-tu en vacances?	*Who do you go on holiday with?*
au pays de Galles	*to Wales*	Je pars …	*I go …*
aux États-Unis	*to the USA*	avec ma famille	*with my family*
Comment voyages-tu?	*How do you travel?*	avec mes copains/copines	*with my friends*
Je voyage …	*I travel …*	avec mes grands-parents	*with my grandparents*
en avion/en bateau	*by plane/by boat*	seul(e)	*alone*
en car/en train	*by coach/by train*	C'est comment?	*What's it like?*
en voiture	*by car*	C'est …	*It's …*
à vélo	*by bike*	extra/formidable	*amazing/great*
Où loges-tu?	*Where do you stay?*	bien	*good*
Je loge dans …	*I stay in/on …*	ennuyeux/nul	*boring/rubbish*
un camping	*a campsite*	Ce n'est pas mal.	*It's not bad.*
un hôtel	*a hotel*		

Les hôtels / *Hotels*

un hôtel	*a hotel*	un balcon	*a balcony*
des chambres d'hôtes	*guest rooms (i.e. in a B&B/ guest house)*	la climatisation	*air conditioning*
		Nous avons aussi …	*We also have …*
Nous proposons des chambres avec …	*We offer rooms with …*	une aire de jeux	*a games area*
		un parking	*a car park*
un grand lit	*a double bed*	une piscine	*a swimming pool*
un lit simple	*a single bed*	un restaurant	*a restaurant*
une salle de bains	*a bathroom*	le Wi-Fi	*Wi-Fi*
une douche	*a shower*	Nos chambres sont bien équipées.	*Our rooms are well equipped.*
un micro-ondes	*a microwave*	Le petit-déjeuner est inclus/compris.	*Breakfast is included.*
une télévision à écran plat	*a flat-screen TV*	Notre hôtel est situé/se trouve …	*Our hotel is located …*
une vue sur la mer	*a sea view*		

Réserver une chambre / *Booking a room*

Nous voulons/Je voudrais réserver	*We want/I would like to book*	Votre chambre est …	*Your room is …*
une chambre …	*a room …*	au rez-de-chaussée	*on the ground floor*
pour une/deux personne(s)	*for one person/two people*	au premier étage	*on the first floor*
avec un lit simple/un grand lit	*with a single/double bed*	au deuxième étage	*on the second floor*
pour une nuit/deux nuits	*for one night/two nights*	Je voudrais payer avec ma carte bancaire.	*I would like to pay with my debit/ credit card.*
Est-ce que vous avez …	*Do you have …*		
une piscine?	*a swimming pool?*		
la climatisation?	*air conditioning?*		

Voyager / *Travelling*

l'aéroport (m)	*airport*	l'autoroute (f)	*motorway*
le billet	*ticket*	la ceinture de sécurité	*seatbelt*
le conducteur/la conductrice	*driver*	la circulation	*traffic*
le contrôle des passeports	*passport control*	la douane	*customs*
le guichet	*ticket office/counter*	la gare	*station*
le/la pilote	*pilot*	la route	*road*
le quai	*platform*	les bagages	*luggage*

Au guichet / *At the ticket counter*

Je peux vous aider?	*Can I help you?*	C'est quel quai?	*Which platform is it?*
Je voudrais un aller simple/ un aller-retour pour (Lyon), s'il vous plaît.	*I would like a single/a return to (Lyon), please.*	Le train part à quelle heure?	*What time does the train leave?*
		Le voyage dure combien de temps?	*How long does the journey last?*
En quelle classe?	*In which class?*	Est-ce qu'il faut changer?	*Do I/we have to change?*
En première/deuxième classe.	*In first/second class.*	C'est un train direct.	*The train is direct.*

Moyens de transports préférés et raisons / *Favourite means of transport and reasons*

Je voyage toujours (en train, etc.) parce que c'est …	*I always travel (by train, etc.) because it's …*
plus rapide/plus confortable	*faster/more comfortable*
plus pratique/plus vert	*more practical/greener*
plus aventureux	*more adventurous*
mieux pour la planète	*better for the planet*
moins ennuyeux/fatigant	*less boring/tiring*
moins cher	*less expensive*

Les activités en vacances / *Holiday activities*

Je fais de la planche à voile.	*I go windsurfing.*
Je fais de la voile.	*I go sailing.*
Je fais de l'accrobranche.	*I do a tree-top adventure.*
Je fais du ski.	*I go skiing.*
Je visite les musées.	*I visit the museums.*
Je visite les monuments.	*I visit the monuments.*
Je vais à la pêche.	*I go fishing.*
Je vais à la plage.	*I go to the beach.*
Je joue à la pétanque.	*I play French bowls.*
Je me baigne.	*I swim (in the sea).*
Je me promène.	*I go for a walk.*
Je me repose.	*I rest.*
Je me lève (tôt/tard).	*I get up (early/late).*
Je m'habille.	*I get dressed.*
Je ne m'ennuie pas.	*I don't get bored.*
Je sors au restaurant.	*I go out to a restaurant.*

Au restaurant / *At the restaurant*

Voici la carte.	*Here is the menu.*
Le plat du jour, c'est …	*The daily special is …*
Vous avez fait votre choix?	*Have you made your choice?*
Pour commencer, je vais prendre …	*To start, I am going to have …*
Comme plat principal, je voudrais …	*As a main course, I would like …*
Je vais prendre le menu (à 30 euros).	*I am going to have the (30 euro) set menu.*
Et comme boisson?	*And to drink?*
Qu'est-ce que vous avez comme desserts?	*What desserts do you have?*
Vous avez besoin d'autre chose?	*Do you need anything else?*
On a besoin de l'addition.	*We need the bill.*
J'ai faim.	*I am hungry.*
J'ai soif.	*I am thirsty.*
J'ai envie d'un dessert.	*I want a dessert.*

Les plats / *Dishes*

les entrées	*starters*
les brochettes de crevettes	*prawn skewers*
les escargots	*snails*
la soupe à la tomate	*tomato soup*
la tarte à l'oignon	*onion tart*
les plats principaux	*main dishes*
l'épaule d'agneau	*shoulder of lamb*
la cuisse de canard	*duck leg*
les lasagnes végétariennes	*vegetarian lasagne*
le loup de mer	*sea bass*
le poulet basquaise	*Basque-style chicken*
le rôti de veau	*roast veal*
les desserts	*desserts*
la crème brûlée	*crème brûlée*
la mousse au chocolat	*chocolate mousse*
le roulé au chocolat	*chocolate roll*
le sorbet	*sorbet*
la tarte au citron	*lemon tart*
la tarte aux pommes	*apple tart*
l'eau gazeuse	*sparkling water*

Critiques / *Reviews*

J'y suis allé(e) pour le déjeuner/le dîner.	*I went there for lunch/dinner.*
Le service était lent/exceptionnel.	*The service was slow/exceptional.*
Le serveur/La serveuse était/n'était pas (très) poli(e).	*The waiter/waitress was/wasn't … (very) polite.*
C'était …	*It was …*
délicieux/bien cuit.	*delicious/well cooked.*
La nourriture était froide/trop salée.	*The food was cold/too salty.*
La nourriture n'était pas cuite.	*The food wasn't cooked.*
Je recommande/Je ne recommande pas ce restaurant.	*I recommend/I don't recommend this restaurant.*

Des vacances catastrophiques / *Catastrophic holidays*

J'ai oublié mon passeport.	*I forgot my passport.*
J'ai pris un coup de soleil.	*I got sunburnt.*
J'ai cassé mon appareil photo.	*I broke my camera.*
J'ai été malade.	*I got sick.*
On m'a volé mon sac.	*Someone stole my handbag.*
Il a plu tous les jours.	*It rained every day.*
Il y avait des cafards dans notre chambre.	*There were cockroaches in our room.*
J'ai raté l'avion.	*I missed the plane.*
J'ai dû aller chez le médecin.	*I had to go to the doctor.*
J'ai perdu mes photos.	*I lost my photos.*
J'ai vomi.	*I vomited.*
J'ai dû aller au commissariat.	*I had to go to the police station.*
Il n'y avait rien à faire.	*There was nothing to do.*
On a dû chercher un autre hôtel.	*We had to look for another hotel.*
La prochaine fois, je vais …	*Next time, I am going …*
faire plus attention	*to be more careful*
mettre de la crème solaire	*to put on sun cream*
loger dans un camping	*to stay on a campsite*

Les mots essentiels / *High-frequency words*

d'habitude	*usually*
normalement	*normally*
tous les ans	*every year*
le lendemain	*the next day*
à l'avenir	*in future*
toujours	*always/still*
parfois	*sometimes*
un peu	*a bit*
plutôt	*rather, quite*
enfin	*finally*
évidemment	*obviously*
malheureusement	*unfortunately*
y	*there*
gratuit	*free*

6 Au collège
Point de départ

● *Revising school subjects and talking about your timetable*

1 lire **Copiez et complétez le tableau avec les matières en-dessous.**

1 les matières que j'aime	2 les matières que je n'aime pas	3 les matières que je n'étudie pas

le dessin   la technologie   l'art dramatique/le théâtre   l'instruction civique

le commerce   la géographie   l'allemand   l'histoire   l'anglais   l'espagnol

le français   la religion   l'informatique   l'étude des médias   les arts ménagers

la biologie   la physique   l'EPS/le sport   la musique   la chimie   les maths

2 écouter **Écoutez. Copiez et complétez le tableau en français. (1–6)**

	🙂	🙁
1	le français, les maths	l'anglais

> **G** **School subjects with aimer/adorer/détester**   > *Page 198*
>
> Use *le/la/l'/les* with school subjects after verbs like *j'adore, j'aime, je n'aime pas* and *je déteste*.
>
> *J'adore **la** géographie.* I love geography.

3 parler **À deux. Donnez votre opinion sur ces matières puis demandez l'opinion de votre camarade.**

Exemple: **1**
● *J'aime le dessin. Et toi, tu aimes le dessin?*
■ *Oui, j'adore le dessin.*

4 écrire **Traduisez ces phrases en français.**

1 I love art and music.
2 I don't like drama.
3 I hate history but I like geography.
4 I like French but I don't like chemistry.
5 I hate business studies and biology.
6 I love food technology but I don't like English.

5 lire **Trouvez les paires.**

1 neuf heures vingt   2 neuf heures et quart   3 neuf heures
4 dix heures moins vingt   5 dix heures moins le quart   6 neuf heures et demie
7 neuf heures dix   8 dix heures moins cinq

6 Écoutez et complétez l'emploi du temps de Chadia en français.

Chadia

	lundi	**mardi**	**mercredi**	**jeudi**	**vendredi**
8h	français	anglais	**5**	géographie	**9**
9h	**1**	maths	**5**	maths	français
10h	RÉCRÉATION				
10h15	anglais	dessin	maths	maths	français
11h15	**2**	**3**	histoire	**6**	allemand
12h15	HEURE DU DÉJEUNER				
13h30	sport	**3**		biologie	technologie
14h30	sport	chimie		chimie	**10**
15h30	biologie	**4**		**7**	histoire
16h30				**8**	

7 lire Regardez l'emploi du temps. Écrivez V (vrai) ou F (faux) pour chaque phrase.

1 Mercredi, à onze heures moins le quart, j'ai histoire.
2 Mardi, j'ai maths à neuf heures.
3 Vendredi, j'ai deux heures de français.
4 La récré commence à midi et quart.
5 Vendredi, à une heure et demie, j'ai technologie.
6 Je finis à quatre heures et demie tous les jours.
7 Je n'ai pas de cours de religion.
8 Je n'ai pas cours le mercredi après-midi.

> **midi**   *midday, 12 noon*

> ⭐ Lessons in French schools usually last for an hour.
>
> Note that *une heure* means 'one hour' or 'a lesson', but *il est une heure* means 'it is one o'clock'.

> **G** *School subjects with avoir*
>
> Don't use *le/la/les/l'* in front of school subjects when you talk about which subjects you <u>have</u>.
>
> *À neuf heures, j'ai* **maths**.   I have maths at nine o'clock.

8 écrire Choisissez un jour de la semaine et décrivez votre emploi du temps. Pour vous aider, utilisez les expressions en mauve dans l'exemple.

Exemple:

> **Lundi,** à neuf heures dix, j'ai anglais. **La récréation commence à** dix heures vingt-cinq. À onze heures moins le quart, j'ai français. **Puis** à midi, j'ai technologie. **L'heure du déjeuner commence à** une heure vingt. **Après,** à deux heures, j'ai dessin. **La journée finit à** trois heures et quart.

9 parler À deux. Discutez de votre emploi du temps avec votre partenaire. Donnez aussi votre opinion.

Exemple:

● *Lundi, à neuf heures dix, j'ai anglais. J'adore l'anglais. Et toi?*
■ *Moi, j'ai histoire. Je déteste l'histoire. Après la récré, j'ai biologie. J'aime bien la biologie. Et toi?*
● *J'ai français. Je n'aime pas le français.*

● *Giving opinions on school subjects and facilities*
● *Understanding direct object pronouns*

1 *lire* Lisez le blog. Copiez et complétez le tableau pour les <u>huit</u> matières mentionnées.

	matière	
1	EPS	🙂

Mes matières

Ma matière préférée, c'est l'EPS parce que je suis fort en sport.
J'aime aussi le français car c'est facile et le prof est très marrant.
L'art dramatique, c'est ennuyeux. Ma prof s'appelle Madame Pinaud et je la déteste.
Je pense que l'allemand est vraiment utile et amusant mais on a trop de devoirs.
Pour moi, les maths, c'est difficile. Mais les profs de maths sont excellents et je les adore.
Je suis faible en histoire. Le professeur est trop sévère. Je le déteste.
J'aime la biologie parce que c'est passionnant mais je ne suis pas doué en chimie.

Thomas

2 *lire* Relisez le blog et trouvez l'équivalent français de ces phrases.

1 My favourite subject is PE.
2 I am good at sport.
3 It's easy.
4 The teacher is very funny.
5 I think German is really useful.
6 We get too much homework.
7 I am weak at history.
8 The teacher is too strict.
9 It's exciting.
10 I don't have a talent for chemistry.

 Direct object pronouns *Page 219*

To say 'him', 'her', 'it' or 'them', you need a direct object pronoun. This comes <u>before</u> the verb.

*Je **le** déteste.* I hate **him/it**.
*Je **la** déteste.* I hate **her/it**.
*Je **les** aime.* I like **them**.

The pronouns *le* and *la* shorten to *l'* before a vowel.

*Je **l'**adore.* I love **him/her/it**.

3 *écouter* Écoutez Mélodie. Copiez et complétez le tableau en anglais. (1–6)

	subject	🙂, ☹ or 🙂+☹ ?	reasons
1	music	🙂	easy and teacher is funny

4 *parler* À deux. Parlez de vos matières pendant deux minutes.

• Quelle est ta matière préférée?
• Quelles matières aimes-tu?
• Quelles matières n'aimes-tu pas? Pourquoi?

Ma matière préférée est X J'adore/J'aime X Je n'aime pas/Je déteste X	parce que/qu' car	c'est	facile/difficile/utile/inutile/intéressant/ ennuyeux/fascinant/passionnant.	
		je suis	fort(e)/faible/doué(e)	en X.
		le/la prof est	bon(ne)/marrant(e)/sympa/gentil(le)/ patient(e)/impatient(e)/sévère.	
		on a trop de devoirs.		
Mon prof de X s'appelle … et	je l'adore/je l'aime bien/je ne l'aime pas. je le déteste/je la déteste.			

5 écouter **Écoutez. Notez les bonnes lettres pour chaque personne. (1–5)**

Exemple: **1** d, …

a le gymnase
b le hall
c le terrain de sport
d le terrain de basket
e la cantine
f la cour de récréation
g la bibliothèque
h la salle de sport
i la piscine
j les salles de classe
k les labos de science
l les vestiaires

6 lire **Lisez le forum et écrivez P (positif), N (négatif) ou PN (positif <u>et</u> négatif) pour chaque commentaire.**

Comment est ton collège?

 Dans mon collège, il y a environ 30 grandes salles de classe modernes mais malheureusement, il n'y a pas de piscine. **Sally**

 Je trouve mon collège assez cool car nous avons une grande cour de récréation, deux terrains de basket et un gymnase immense. **Ivan**

 Dans mon école, il y a une très bonne cantine. Je la trouve bien parce qu'il y a un grand choix et ce n'est pas cher. **Maciej**

 J'ai de la chance car mon collège a un laboratoire de langues. Je le trouve très utile. Par contre, les toilettes et les vestiaires sont sales. **Hélène**

 Je pense que mon école est bien aménagée car il y a beaucoup de labos de sciences et une grande bibliothèque avec des livres et plein d'ordinateurs. **Zenia**

> **bien aménagé(e)**   *well equipped*

7 écrire **Copiez et complétez ces phrases pour décrire votre collège. Utilisez le vocabulaire de l'exercice 6.**

- Dans mon collège, il y a …
- J'ai de la chance car nous avons …
- Malheureusement, il n'y a pas de …

> Give plenty of opinions. Use adjectives and make them <u>agree</u>:
> *il y a une grand**e** cantine; les vestiaires sont sale**s**.*

> Remember to use 'a' or 'some' when needed.
> *Il y a **une** cantine.*
> There is a canteen.
> After *il n'y a pas de*, you just use the noun.
> *Il n'y a pas de **piscine**.*
> There isn't a swimming pool.

2 L'école chez nous, l'école chez vous

• *Talking about your school and school in France*
• *Using the* ils *form of the verb*

1 lire **Reliez les questions et les réponses.**

1 Comment s'appelle ton école?
2 C'est quelle sorte d'école?
3 Il y a combien d'élèves?
4 Quels sont les horaires?

5 Il y a combien de cours par jour?
6 Comment sont les professeurs?
7 Qu'est ce que tu penses de ton école?

a Les cours commencent à 8h30 et finissent à 16h ou à 17h. La récré est à 10h20 et dure 15 minutes. On a aussi une heure pour le déjeuner.

b C'est un collège mixte pour les élèves de onze à seize ans.

c Il y a 750 élèves et 45 professeurs.

d Je pense que les journées sont longues, et on a trop de contrôles.

e Mon école s'appelle le collège Molière.

f Il y a six ou sept cours par jour. Mais le mercredi après-midi, il n'y a pas cours.

g Les profs sont gentils mais parfois un peu sévères.

2 écouter **Maria est française mais elle habite à Londres. Écoutez l'interview avec Maria. Complétez en français ses réponses aux questions de l'exercice 1.**

LYCÉE FRANÇAIS CHARLES DE GAULLE DE LONDRES

1 Mon école s'appelle le Lycée ▨▨▨ Charles de Gaulle.
2 C'est une école française à Londres. Il y a une école primaire, un ▨▨▨ et un lycée au même endroit.
3 Il y a ▨▨▨ élèves. Il y a ▨▨▨ nationalités différentes dans mon école!
4 La journée commence à ▨▨▨ et finit à ▨▨▨ ou à 18h.
5 Il y a ▨▨▨ ou ▨▨▨ cours par jour.
6 Les profs sont très ▨▨▨ en général. Ils nous préparent bien pour nos ▨▨▨.
7 Je pense que mon école est énorme mais je la trouve ▨▨▨.

3 parler **À deux. Préparez une interview sur votre collège. Utilisez les questions de l'exercice 1 et adaptez les réponses.**

⭐ *une école mixte* a mixed school
une école publique a state school
une école privée a private school
une école pour filles/garçons a school for girls/boys

4 *lire* Lisez le quiz et choisissez la bonne fin de chaque phrase.

QUIZ

Que savez-vous sur le système scolaire en France?

1 À 11 ans, les élèves en France sont en …
a première.   **b** sixième.

2 Les élèves n'ont pas de cours …
a de sport.   **b** de religion.

3 À l'école, les élèves portent …
a un uniforme scolaire.   **b** leurs propres vêtements.

4 Généralement, les cours commencent …
a avant 8h30.   **b** après 9h30.

5 Les grandes vacances durent …
a 6 semaines.   **b** 2 mois.

6 Les élèves qui ne font pas assez de progrès …
a redoublent.
b passent en classe supérieure.

7 À l'âge de 15 ans, les élèves passent …
a le brevet des collèges.
b le baccalauréat.

8 Après le collège, les élèves continuent leurs études …
a au lycée.   **b** à l'université.

5 *écouter* Écoutez et vérifiez vos réponses. (1–8)

G *The present tense: ils and elles* 〉 *Pages 200 and 202*

Ils and *elles* both mean 'they'.

For regular *-er* verbs, the *ils/elles* ending is **-ent**: *ils* port**ent**.

The *-ent* verb ending is silent: *ils portent* sounds the same as *il porte*.

Remember that these verbs are irregular:
avoir → ils/elles **ont**   *être* → ils/elles **sont**
aller → ils/elles **vont**   *faire* → ils/elles **font**

The possessive adjective 'their' is *leur(s)*:
leur école (their school), *leurs stylos* (their pen**s**).

---

6 *écouter* Écoutez et notez si chaque personne préfère le système scolaire en France (F) ou en Grande-Bretagne (GB). Notez aussi la lettre de la bonne raison. (1–5)

Exemple: **1** GB, c

a Le redoublement est une bonne idée.	*Repeating a year is a good idea.*
b L'uniforme scolaire est pratique.	*School uniform is practical.*
c Les horaires sont plus raisonnables.	*The hours are more reasonable.*
d On n'étudie pas la religion.	*You/We/They don't study RE.*
e Les vacances sont plus longues.	*The holidays are longer.*

⭐ You will not hear the exact sentences a–e. You have to work out which statement <u>best fits</u> what each speaker says.

7 *écrire* Écrivez un blog sur les similarités et les différences entre le système scolaire en France et dans votre pays.

En Grande-Bretagne,	la journée commence à …h et finit à …h	mais en France,	la journée commence …
	on porte/on étudie …		ils portent/ils n'étudient pas …
	on ne redouble pas		ils redoublent.
Je préfère le système britannique/français car		le redoublement (n')est (pas) une bonne idée, etc.	

● *Discussing rules and regulations*
● *Using* il faut *and* il est interdit de

1 lire **Lisez et reliez les règles et les images.**

Règlement intérieur

a. Il faut être à l'heure.

b. Il faut faire ses devoirs.

c. Il faut porter l'uniforme scolaire.

d. Il est interdit de mâcher du chewing-gum.

e. Il est interdit d'utiliser son portable en classe.

f. Il est interdit de porter des bijoux, des piercings ou trop de maquillage.

g. Il est interdit de sortir de l'école pendant l'heure du déjeuner.

h. Il est interdit de manquer les cours.

G *Using* il faut *and* il est interdit de ❯ *Page 212*

il faut it is necessary to/you must …
il est interdit de it is forbidden to/you must not …

Both expressions are followed by the infinitive.

*Il faut **être** à l'heure.* You must **be** on time.
*Il est interdit de **manquer** les cours.* You must not **skip** lessons.

2 écouter **Écoutez. On discute de quelle règle? Écrivez la bonne lettre de l'exercice 1. (1–8)**

When listening for whether somebody agrees or disagrees, listen out for adjectives that show a point of view, e.g. *juste* (fair), *injuste* (unfair).

3 écouter **Écoutez encore une fois et notez si la personne est d'accord (✓) ou pas d'accord (✗) avec la règle. (1–8)**

4 parler **À deux. Donnez votre opinion sur les règles de l'exercice 1.**

Exemple:
● *Règle a: Il faut être à l'heure. Quelle est ton opinion?*
■ *Je trouve ça raisonnable parce que c'est important. L'école, c'est pour apprendre. Règle b: Il faut faire ses devoirs. Quelle est ton opinion?*
● *Moi, je trouve ça …*

Point culture

In France, religion and education are completely separate. State schools in France do not teach religious education. All religious symbols, including crosses and headscarves, are banned in French state schools.

Je trouve ça	raisonnable	parce que/qu'	c'est/ce n'est pas dangereux.
	juste	car	c'est/ce n'est pas important.
	logique		on n'est pas des bébés.
			il faut respecter les autres.
	injuste		la mode/la religion n'a pas de place à l'école.
	ridicule		l'école, c'est pour apprendre.
	frustrant		

5 écrire **Écrivez cinq phrases sur le règlement de votre collège.**

Exemple: Dans mon collège, il faut être à l'heure. Je trouve ça juste parce qu'il faut respecter les autres. …

6 écouter **Écoutez le podcast sur l'uniforme scolaire. Pour chaque personne, notez la lettre de ses vêtements pour le collège et la lettre de son opinion sur l'uniforme. (1–5)**

VÊTEMENTS

a une veste, une cravate, une chemise, un pantalon ou une jupe

b un jean et un pull

c un jogging ou un short, un tee-shirt

d un sweat, un polo, un pantalon

e mes propres vêtements

OPINION SUR L'UNIFORME SCOLAIRE

f La mode n'a pas de place à l'école.
g L'uniforme coûte cher.
h Tout le monde se ressemble.
i C'est démodé et embarrassant.
j C'est pratique et confortable.

7 lire **Annie habite en Angleterre. Elle a écrit un blog. Traduisez le blog en anglais.**

> Which English translation would sound best here?

> Does 'a trouser black' make sense?

> What does *le* mean in this sentence?

Dans mon collège, il faut porter un uniforme scolaire. Je le trouve démodé et embarrassant. Tout le monde porte un pantalon noir, une chemise blanche, une cravate verte et une veste verte. Il est interdit de porter trop de maquillage ou du vernis à ongles. L'uniforme coûte cher aux parents et, en uniforme, on se ressemble tous. Je voudrais porter mes propres vêtements.

> Use the context and how the word looks to guess what this might mean.

> Be sure not to miss out small words like this.

> How will you translate *on* here?

8 écrire **Écrivez un blog sur ce que vous portez pour aller au collège et votre opinion sur l'uniforme scolaire.**

 Read through the different ways of starting this task below, and consider what is good about each one. Then write your own blog, trying to choose language that shows off what you have learned.

For example, in your blog, you could start with:
• *Au collège,* **je porte** … (straightforward and simple)
• *Au collège,* **nous portons** … (shows that you can use the *nous* form of the verb)
• *Au collège,* **tout le monde porte** … (shows that you know some nice vocabulary, i.e. *tout le monde*)
• *Au collège,* **il faut porter** … (shows that you can use *il faut* + the infinitive).

4 En pleine forme

1 *lire* Lisez l'article et trouvez les <u>deux</u> bonnes photos pour chaque personne.

> ## Que faites-vous pour être en pleine forme pour le collège? Voici quatre de vos réponses.
>
> Pour être en pleine forme pour le collège, je mange sainement. J'essaie de manger au moins cinq portions de fruits et légumes par jour. Je mange bien le matin avant d'aller au collège: un bon petit-déjeuner est essentiel!   **Dimitri**
>
> Pour éviter le stress au collège, je fais du sport régulièrement. Pendant l'heure du déjeuner, je joue au foot et je fais de la natation trois fois par semaine. Quand je suis en bonne forme physique, je peux me concentrer facilement en classe.   **Imane**
>
> Pour être en pleine forme, je mange rarement des bonbons ou des gâteaux. En plus, je ne bois jamais de boissons gazeuses: je bois uniquement de l'eau.   **Tanguy**
>
> Pour éviter le stress, je me couche tôt. Quand je dors mal, je suis trop fatiguée pour apprendre! Par ailleurs, j'essaie de me déconnecter des écrans de temps en temps, surtout juste avant de dormir.   **Apolline**

2 *lire* Relisez l'article et trouvez l'équivalent français de ces phrases.

1 I eat healthily
2 I eat well
3 I do sport regularly
4 I can concentrate easily
5 I rarely eat …
6 I only drink …
7 I go to bed early
8 I sleep badly

> ### Ⓖ *Adverbs*
>
> You use adverbs to say <u>how</u> you do something. In English, most adverbs end in '-ly'. In French, many of them end in *-ement*:
>
> sain**ement** (healthily)
> rar**ement** (rarely)
>
> The following adverbs are irregular: *bien* (well), *mal* (badly), *tôt* (early).
>
> NB In French, adverbs usually go <u>straight after the verb</u>:
> *Je bois uniquement de l'eau.*   (I only drink water).

3 *écouter* Écoutez et écrivez les lettres des <u>deux</u> bonnes photos de l'exercice 1 pour chaque personne. (1–4)

4 *parler* À quatre. Qu'est-ce que vous faites pour être en pleine forme pour le collège? Chaque personne dit quelque chose de différent.

Exemple:
- ● *Moi, je me couche tôt.*
- ■ *Moi, je fais du sport régulièrement.*
- ▲ *Moi, je …*

5 lire **Lisez le forum et répondez aux questions. Utilisez un dictionnaire, si nécessaire.**

Je m'inquiète …

Je m'inquiète pour ma grande sœur. Elle a de nouvelles copines au lycée et maintenant, elle fume. Je pense qu'elle fait ça pour faire partie du groupe. Mais à mon avis, c'est très mauvais pour la santé. *Ève*

Ma meilleure amie boit de l'alcool depuis quelques mois. Elle fait ça pour s'amuser mais elle boit trop, même en semaine. Du coup, elle ne peut pas se concentrer en classe. Elle va avoir de mauvaises notes! *Sacha*

Mon petit copain fume du cannabis depuis six mois. Il dit qu'il fait ça pour combattre le stress au collège. J'ai peur car il est moins sociable, maintenant. En plus, c'est illégal et on devient facilement accro. *Patricia*

Depuis six mois, mon petit frère ne mange pas assez et il fait énormément de sport. Il veut perdre du poids parce qu'il pense qu'il est gros. À mon avis, c'est dangereux. Il va devenir anorexique! *Ahmed*

Who …
1 wants to lose weight?
2 is going to have bad grades?
3 has become less sociable?
4 smokes cigarettes?
5 drinks too much?
6 does a lot of sport?
7 wants to be part of a group?
8 smokes cannabis to deal with stress?

je m'inquiète pour …	*I'm worried about …*
la santé	*health*
on devient facilement accro	*you become addicted easily*

Answer each question by writing 'Ève's sister', 'Sacha's best friend', 'Patricia's boyfriend' or 'Ahmed's brother'. Use the questions to help you work out some of the new words in the texts. Only look up a word in the dictionary as a last resort.

6 écouter **Écoutez Éthan. Choisissez la bonne fin de chaque phrase.**

1 Éthan says his girlfriend smokes …
   A to fit in with her friends.
   B to cope with stress.
   C to look older.

2 Éthan thinks this is stupid because …
   A it's a waste of money.
   B she smells of smoke.
   C it's bad for her health.

3 Éthan's girlfriend looks after her health by …
   A eating healthily.
   B going to bed early.
   C avoiding fizzy drinks.

4 Éthan hopes his girlfriend is going to …
   A concentrate more on her studies.
   B find some new friends.
   C stop smoking soon.

7 écrire **Écrivez un article de blog sur la santé.**

- Mention what you do to keep healthy and cope with stress at school.
- Imagine that you have a friend with a health issue:
  – what is it?
  – why do they do it?
  – what's your opinion on it?

Pour rester en forme/ éviter le stress,	je mange sainement/je bois uniquement de l'eau/ je fais du sport régulièrement/je me couche tôt/ j'essaie de me déconnecter de temps en temps.
Je m'inquiète pour	mon copain/ma copine/mon frère/ma sœur.
Il/Elle	fume des cigarettes/du cannabis. boit de l'alcool. ne mange pas sainement.
Il/Elle fait ça pour	s'amuser/faire partie du groupe/ combattre le stress au collège/perdre du poids.
À mon avis, c'est	très mauvais pour la santé. dangereux/illégal.

● *Talking about school activities*
● *Recognising and using the imperfect tense*

1 écouter

Écoutez et trouvez la fin de chaque phrase.

À l'école primaire,

1 j'avais …   a membre de l'équipe de basket.
2 j'étais …   b au spectacle de Noël.
3 je jouais …   c du judo.
4 je chantais …   d beaucoup de temps libre.
5 je participais …   e au zoo avec ma classe.
6 je faisais …   f dans une chorale.
7 j'allais …   g à cache-cache pendant la récréation.

| **cache-cache** | *hide and seek* |

2 lire

Lisez le forum. Écrivez V (vrai) ou F (faux) pour chaque phrase.

Fishy: À l'école primaire, je faisais de la natation avec ma classe. On allait à la piscine municipale tous les vendredis.

PasBelle: J'étais très timide à l'école primaire et je n'avais pas beaucoup d'amis. Pendant la récréation, je jouais toute seule. Je n'étais pas très heureuse.

PSG-FAN: Je faisais du théâtre à l'école primaire et je participais à des spectacles. J'adorais être sur scène! Je n'étais pas timide!

Meriem42: Quand j'étais à l'école primaire, j'étais membre de l'équipe de foot. À la récré, je jouais au ping-pong parce qu'il y avait une table de ping-pong dans la cour. C'était extra!

LeMoulin: J'aimais bien mon école primaire car on allait souvent au parc où on dessinait les plantes et on cherchait des insectes. J'adorais ces sorties.

G *The imperfect tense*   **>** *Page 217*

The imperfect tense is used to describe what things <u>were like</u> in the past or what <u>used to</u> happen. You need to be able to recognise the imperfect endings, e.g. *chanter* (to sing):

je chant**ais**	I used to sing
tu chant**ais**	you used to sing
il/elle/on chant**ait**	he/she/we used to sing
nous chant**ions**	we used to sing
vous chant**iez**	you used to sing
ils/elles chant**aient**	they used to sing

The key verbs that you need to be able to **use** are:
avoir → *j'**av**ais* (I had/I used to have)
être → *j'**ét**ais* (I was/I used to be)
faire → *je **fais**ais* (I did/made/I used to do/make)

1 Fishy faisait du karaté à l'école primaire.
2 Il faisait de la natation tous les vendredis.
3 PasBelle était vraiment timide.
4 Elle avait beaucoup de copains.
5 PSG-FAN participait à la chorale.
6 Elle n'était pas timide.
7 Meriem42 faisait deux sports.
8 Elle adorait jouer au tennis de table.
9 LeMoulin visitait souvent le zoo.
10 Il détestait la nature.

3 lire **Lisez le texte et regardez les images. Écrivez PA (passé) ou PR (présent) pour chaque image.**

Quand elle était à l'école primaire, Manon était timide mais au collège, elle est déléguée de classe: elle représente ses copains pendant les conseils de classe.

Dans son collège, il y a plein de clubs et d'activités à faire. Manon était membre d'un club de basket quand elle était petite mais au collège, elle joue au hand.

À l'âge de 9 ans, Manon allait au club d'échecs. Maintenant, elle est membre d'un club de théâtre et elle participe à un grand spectacle musical, *Les Misérables*.

En plus, le mardi, pendant l'heure du déjeuner, Manon va au ciné-club. À l'école primaire, elle faisait du karaté.

1 **2** **3** **4**

5 **6** **7** **8**

> **▌ Point culture**
>
> In France, each class elects a *délégué(e) de classe* or class representative. This student represents his or her class at the *conseil de classe*, a meeting held to discuss the progress of all the students in the class. French schools also have a school council, called *le conseil d'administration*.

4 parler **À deux. Posez et répondez à ces questions.**

- Qu'est-ce que tu faisais à l'école primaire?
- Qu'est-ce que tu fais comme activités au collège?

À l'école primaire,	Maintenant,	
j'avais …	j'ai …	beaucoup de temps libre/beaucoup d'amis/trop de devoirs …
j'allais …	je vais …	au zoo/à la piscine/au club d'échecs …
j'étais …	je suis …	dans une chorale/délégué(e) de classe/membre de l'équipe de basket …
je faisais …	je fais …	du judo/de la danse …
je jouais …	je joue …	à cache-cache/au foot/au hand/au rugby …
je chantais …	je chante …	dans la chorale
je participais …	je participe …	au spectacle de Noël …

5 lire **Traduisez ces phrases en anglais.**

1. Je fais du yoga.
2. Je faisais du karaté.
3. Je suis membre de l'équipe de volley.
4. J'étais membre de l'orchestre.
5. Je jouais au foot.
6. Je joue au rugby.

6 écrire **Écrivez deux paragraphes sur les activités que vous <u>faisiez</u> à l'école primaire et les activités que vous <u>faites</u> au collège.**

- *Talking about successes at school*
- *Using past, present and future time frames*

1 écouter **Écoutez et notez la bonne lettre pour chaque personne. (1–6)**

a	Je joue dans l'orchestre.	*I play in the orchestra.*
b	Je suis membre du club informatique.	*I am a member of the IT club.*
c	Je vais jouer dans l'équipe de hockey.	*I am going to play in the hockey team.*
d	Je vais participer à un échange scolaire.	*I am going to take part in a school exchange.*
e	J'ai récolté de l'argent pour une association caritative.	*I raised money for a charity.*
f	J'ai gagné un prix pour mes efforts en classe.	*I won a prize for my efforts in class.*

2 lire **Lisez les messages et trouvez la bonne photo pour chaque personne.**

Je représente ma classe au conseil d'administration de mon école. On discute des problèmes au collège mais on organise aussi des activités pour récolter de l'argent pour des associations caritatives. En avril, on a organisé un concours de slam. Cette année, on va organiser une soirée disco pour les sixièmes. Ça va être un grand succès. **Jack**

Je suis membre d'une équipe de foot. Au début de l'année scolaire, je suis allée en Belgique avec mon équipe et on a joué contre l'équipe d'un collège belge. J'ai parlé français et en plus, on a gagné le match! Le mois prochain, je vais participer au championnat régional. **Isabella**

Je suis membre du club du théâtre. C'est génial! À Noël, j'ai participé à un spectacle devant toute notre école et c'était un grand succès. Je suis fier de moi! La semaine prochaine, je vais aller voir une pièce de théâtre à Londres avec les autres membres du club. J'aime bien les sorties scolaires. **Adam**

Je suis passionnée de langues et j'étudie le français et l'espagnol au collège. Cette année, j'ai fait un échange à Bordeaux. Je suis restée chez ma correspondante française et c'était super. L'année prochaine, je vais faire un échange à Madrid! **Sophia**

3 lire **Relisez les textes. Copiez et complétez le tableau en anglais pour Jack, Isabella, Adam et Sophia.**

	doing at the moment	already done	going to do in the future
Jack	represents his class on the school council	organised a ...	

G *Giving opinions in different tenses*

present	*C'est* ...	It **is** ...	amusant/passionnant/top/motivant/génial/super.
past	*C'était* ...	It **was** ...	un grand succès/une belle surprise.
future	*Ça va être* ...	It **is going to be** ...	

4 parler **À deux. Utilisez le tableau pour parler des succès de Ludo et Miriam. Puis parlez de vos propres succès au collège.**

In pairs. Use the table to talk about Ludo and Miriam's successes. Then talk about your own successes at school.

Je suis membre	de	l'équipe de foot/basket/badminton. l'orchestre/la chorale.
	du	club de théâtre/d'échecs/de français. conseil d'administration.
J'ai gagné		un prix pour mes efforts en classe/sport. un match/championnat de foot/basket. un concours de slam/danse.
J'ai participé à		un spectacle/un échange/une sortie scolaire.
J'ai organisé		un concert/un concours de chant.
J'ai récolté de l'argent pour une association caritative.		

Ludo

orchestre ✓
conseil d'administration ✓
championnat de foot ✓
spectacle ✓
argent pour une
    association caritative ✓

Miriam

équipe de badminton ✓
club de français ✓
prix pour mes efforts en sport ✓
visite scolaire ✓
concert ✓

5 écrire **Traduisez ces phrases en français.**

1 I am a member of the rugby team.
2 Last year I went to France with the team.
3 I took part in a championship and we won!
4 I was very proud of myself.
5 This year I am going to organise a dance competition.
6 It is going to be difficult but fun.

⭐ For each sentence decide whether you need to use the perfect tense, the imperfect tense (*c'était/j'étais*), the present tense or the near future tense.

6 lire **Lisez la description d'une sortie scolaire. Copiez et complétez le texte avec les bonnes expressions de l'encadré.**

1   , j'ai participé à une sortie scolaire. Je suis allée **2**   et c'était **3**   . On a voyagé **4**   et on a visité **5**   . Je pense que les sorties scolaires sont une bonne idée parce qu'**6**   et on s'amuse bien ensemble. **7**   , je vais faire une autre sortie scolaire.

le Musée des sciences	l'année prochaine	à Londres	en car
on se fait de nouveaux amis	l'année dernière	super	

7 écouter **Écoutez et vérifiez vos réponses.**

8 écrire **Écrivez un paragraphe sur une sortie scolaire que vous avez faite. Utilisez le texte de l'exercice 6 comme modèle. Donnez aussi votre opinion sur les sorties scolaires.**

Les sorties scolaires sont une	bonne	idée parce que/qu'	on se fait de nouveaux amis. on s'amuse bien ensemble.
	mauvaise		c'est ennuyeux/c'est trop cher.

1 lire **Read what these French students have tweeted about school.**

> **@lepetitprince**
> Les cours ne sont pas intéressants!

> **@simoneb**
> Pour moi, apprendre, c'est difficile mais j'adore les clubs de sport à midi.

> **@sahlia_m**
> Je m'entends bien avec tous mes professeurs. J'ai de la chance.

> **@marron99**
> Il est interdit de porter un jean dans mon collège. Je trouve ça injuste.

What does each person think about school? Write <u>P</u> for a positive opinion, <u>N</u> for a negative opinion and <u>PN</u> for a positive <u>and</u> negative opinion.

1 @lepetitprince
2 @simoneb

3 @sahlia_m
4 @marron99

2 lire **Lisez ces extraits sur un site d'éducation.**

Collège Jeanne d'Arc	Ceux qui sont actifs bénéficient d'un grand gymnase et de plusieurs terrains de foot. Nos vestiaires sont modernes et propres.
Collège Molière	Ici, la cantine sert aux élèves des repas sans pareils tous les midis. Il faut acheter des tickets au secrétariat.
Collège Renoir	Nous avons non seulement un beau laboratoire de langues mais aussi dix labos neufs. Nous sommes aussi fiers de notre nouveau bâtiment pour les internes.
Collège Debussy	Dans certaines écoles, il est interdit de sortir son portable. Ici, toutes nos salles de classe ont une connexion Internet à très haut débit. En plus, on fournit une tablette à tous les élèves.

Identifiez le bon collège. Écrivez J (Jeanne d'Arc), M (Molière), R (Renoir) ou D (Debussy).

1 On peut bien manger ici.
2 Ce collège trouve les nouvelles technologies très importantes.
3 Si vous aimez le sport, il faut aller ici.
4 Ce collège est bien aménagé pour les sciences.

> ⭐ For tasks like this, don't expect to find the exact words from the statements in the text. Instead, try to identify the key word(s) in each statement, e.g. for statement 1, *manger*, or for statement 2, *technologies*. Then look for related words in the text, e.g. for statement 1, perhaps a type of food or a place where you eat, etc.

1 Listen to some French students talking about their favourite school subjects. Copy out the table. For each student, write down the reason why they like the subject. Answer <u>in English</u>. (1–4)

	subject	reason
1	music	
2	PE	
3	Spanish	
4	maths	

2 Listen to this clip of an interview with a French health expert about how to stay healthy at school. Answer the questions <u>in English</u>.

1 What should students do before going to school? Give <u>one</u> detail.
2 What advice is given about eating during the day? Give <u>two</u> details.
3 What does the expert say about drinking? Give <u>one</u> detail.
4 What should students do to avoid stress? Give <u>two</u> details.
5 What final advice does the expert give? Give <u>one</u> detail.

> ⭐ On the exam paper, you will see how many marks each question is worth.
> If it is worth one mark, you should only need to give one detail, even if you hear two. Choose the one you feel more confident about!

3 Écoutez ce reportage à la radio au sujet de la vie d'un professeur, André Martin. Pour chaque extrait, choisissez <u>deux</u> phrases qui sont <u>vraies</u> et notez les bonnes lettres. (1–2)

1
A André Martin était professeur en France.
B Il n'a pas visité la Côte d'Ivoire.
C Les enfants en Côte d'Ivoire n'aiment pas l'école.
D André Martin enseigne les sciences.
E Il travaille en ce moment en Côte d'Ivoire.

2
A La routine de Monsieur Martin n'a pas changé.
B Les élèves vont à l'école plus tôt en Côte d'Ivoire.
C Il y a l'uniforme scolaire en Côte d'Ivoire.
D Il y a beaucoup de problèmes en classe.
E Monsieur Martin va rentrer en France.

A – Role play

1 parler

Look at the role play card and prepare what you are going to say.

> Your teacher will play the part of your Swiss friend and will speak first.
>
> You should address your friend as *tu*.
>
> When you see this – **!** – you will have to respond to something you have not prepared.
>
> When you see this – **?** – you will have to ask a question.
>
> > **Tu parles de la santé et de la nourriture avec ton ami(e) suisse.**
> > - Petit-déjeuner (<u>deux</u> détails)
> > - Cantine au collège – ton opinion et <u>une</u> raison
> > - Manger – sainement ou non
> > - **!**
> > - **?** Nourriture préférée

> Note that you need to give a reason here as well. Link your ideas together using *parce que* or *car*.

> You could start your answer with *Oui, je mange …* or *Non, je ne mange pas …* You could also add a detail like *Je mange beaucoup de bonbons*.

> *Préféré(e)* and *favori(te)* both mean 'favourite'. To ask somebody 'What is your favourite …?' you use *quel(le)* and the correct word for 'your', e.g. *Quel est ton sport préféré? Quelle est ta matière préférée?*

2 parler

Compare your answers with a partner and practise what you are going to say. Pay attention to your intonation and pronunciation.

> As you practise, ask each other possible 'unprepared' questions.

3 écouter

Using your notes, listen and respond.

> Listen carefully to the 'unprepared' question. What question word is used? Make sure you give the information that is asked for.

4 écouter

Now listen to Joanna doing the role play. Note down in French what she says for each bullet point.

B – General conversation

1 *écouter* The teacher starts the general conversation by saying to Leon, «Décris-moi ton collège.» Listen to Leon's answer. In which order does he mention the following things?

A the school canteen
B the number of teachers
C where his school is
D his opinion of his school
E the number of pupils
F the timings of the school day
G the name of his school
H the range of facilities

> ⭐ Open-ended questions like 'Describe your school' don't specifically ask for opinions, but make sure you include them in your answer to every question you are asked, like Leon does.

> ⭐ As part of the general conversation, you must ask your teacher a question. What question does Leon ask?

2 *écouter* Listen to how Leon answers the next question: «Quelles matières aimes-tu et quelles matières n'aimes-tu pas?» Look at the Answer booster on page 130. Find <u>six</u> examples of language Leon uses to make his answer a strong one.

3 *écouter* The teacher then says, «Parle-moi d'une sortie scolaire récente.» Look at the transcript of what Leon says. Write down the missing verb for each gap. What different tenses does Leon use in his answer?

> Quand j'**1** _____ en quatrième, je **2** _____ à Londres avec mon collège. C'**3** _____ absolument fantastique. Le matin, on **4** _____ le Musée de la science et l'après-midi, on **5** _____ une comédie musicale. Le musée **6** _____ très intéressant parce qu'il y **7** _____ beaucoup d'activités à faire et parce que la chimie **8** _____ ma matière préférée. J'**9** _____ le spectacle aussi. Cette année, je **10** _____ en Suisse avec mon collège. À mon avis, ça **11** _____ passionnant!

4 *parler* Prepare answers to these questions. Then practise with your partner.

1 Décris-moi ton collège.
2 Quelles matières aimes-tu et quelles matières n'aimes-tu pas?
3 Parle-moi d'une sortie scolaire récente.
4 Qu'est-ce que tu penses de l'uniforme scolaire?
5 Es-tu membre d'un club au collège?
6 Qu'est-ce que tu fais pour rester en forme?
7 Est-ce que tu manges sainement?
8 Qu'est-ce que tu vas faire après tes examens de GCSE?

Module 6 Contrôle écrit

Answer booster	Aiming for a solid answer	Aiming higher	Aiming for the top
Verbs	**Verbs with** *je* **Different time frames:** present, perfect and near future tenses	**Different persons of the verb:** *il/elle/on/nous* **Modal verbs:** *on doit …/ on peut … + infinitive* **Je voudrais/J'aimerais …**	**The imperfect and perfect tenses together:** *Quand j'étais en quatrième, je suis allé(e)* **Il faut/Il est interdit de** + an infinitive
Opinions and reasons	**Basic verbs of opinion:** *J'adore/ J'aime/Je n'aime pas/Je déteste/ Je préfère …* **C'est + adjective:** *c'est génial*	**More variety:** *Je trouve ça …/ À mon avis, …/Je suis fort(e)/ doué(e)/faible en …/Ma matière préférée, c'est …* **Opinions in different tenses:** *C'était/Ça va être + adjective*	**Comparative adjectives:** *L'histoire est plus ennuyeuse que la géographie.*
Connectives	*et, mais, aussi, ou, parce que*	*où, car, donc, alors, puisque*	*par contre, …, en plus, …*
Other features	**Qualifiers:** *très, assez, vraiment, trop* **Time and frequency phrases:** *l'année prochaine, la semaine dernière, toujours*	**Negatives:** *ne … pas, ne … jamais, ne … plus* **More interesting adjectives:** *passionnant, injuste, ridicule, utile*	**Direct object pronouns:** *je l'adore, je l'aime, je ne l'aime pas, je le/la déteste*

A – Picture-based task

 1 Look at the photo and the task. Write your answer, then check carefully what you have written.

> Look at the photo and think about what you have learned to write.
> Remember that you need to use the present tense. In English, the verb has two parts e.g. 'they **are wearing**', 'they **are eating**'. In French, you just need the verb with the correct ending, e.g. *ils* **portent**, *ils* **mangent**.

Vous envoyez cette photo à votre ami(e) français(e).

Qu'est-ce qu'il y a sur la photo?
Écrivez **quatre** phrases **en français**.

B – Translation

 1 Translate the following sentences into French.

Remember to make 'my' and the adjective 'great' agree with the word for school if necessary.

What little words come before English and maths?

Use the *ils* form of the verb. What is the correct ending? Use the twenty-four hour clock.

1 My school is great.
2 I like English but I don't like maths.
3 In my class there are 20 girls and 10 boys.
4 Classes finish at 4 o'clock.
5 Last night I did my homework.

You don't need to write the numbers in French: just keep them as figures.

What tense do you need here? Make sure that you include both parts: the part of *avoir* or *être* and the past participle.

C – Extended writing task

 1 Look at the task and answer the questions.

1. What type of text are you asked to write?
2. What is each bullet point asking you to write about?
3. Which tense(s) will you need to use for each bullet point?

> Vous écrivez un message sur votre vie scolaire à un(e) ami(e) français(e).
>
> Décrivez:
> - les horaires de votre école
> - votre opinion sur l'uniforme scolaire
> - un déjeuner récent au collège
> - ce que vous allez faire en septembre.
>
> Écrivez environ **90** mots **en français**. Répondez à chaque aspect de la question.

 2 Read Jeeva's answer to this task.
What do the phrases in bold mean?

> Salut!
>
> Dans mon école, les cours commencent à 8h30 et finissent à 15h45. Nous avons une pause à 11h. L'heure du déjeuner est **entre 12h30 et 13h20** et à mon avis, **c'est trop court.**
>
> Dans mon collège, **il ne faut pas porter d'uniforme**. Je trouve ça bien parce que pour moi, l'uniforme scolaire est vraiment ridicule. C'est trop démodé.
>
> **Hier, à midi,** j'ai mangé un sandwich avec mes copains et j'ai bu de l'eau. **On ne mange jamais** à la cantine car **c'est trop cher**.
>
> En septembre, **je vais aller au lycée** où **je vais étudier** l'informatique ou le commerce. Dans le futur, j'aimerais travailler **à l'étranger**.
>
> **Amitiés**
>
> Jeeva

 3 Look at the Answer booster. Note down <u>six</u> examples of language that Jeeva uses to write a strong answer.

 4 Now write your own answer to the task.

- Look at the Answer booster and Jeeva's text for ideas.
- Write a detailed plan. Organise your answer in paragraphs, one per bullet point.
- Write your answer and carefully check what you have written.

> ⭐ Remember to focus on <u>what you have learned</u> to write. You might be going to emigrate to America in September with your family, or to study child care at college, but if you don't know how to say this in French, avoid it! Instead, say something that you are confident with, even if it isn't true, e.g. 'I am going to study maths' or 'I am going to go into the sixth form.'

Les matières — *School subjects*

le commerce	business studies
le dessin	art
le français	French
la biologie	biology
la chimie	chemistry
la géographie	geography
la musique	music
la physique	physics
la religion	religious studies
la technologie	technology
l'allemand (m)	German

l'anglais (m)	English
l'art dramatique (m)/le théâtre	drama
l'EPS (f)/le sport	PE
l'espagnol (m)	Spanish
l'étude des médias (f)	media studies
l'histoire (f)	history
l'informatique (f)	ICT
l'instruction civique (f)	citizenship
les arts ménagers	home technology
les maths	maths

L'emploi du temps — *The timetable*

à neuf heures	at nine o'clock
à neuf heures dix	at ten past nine
à neuf heures et quart	at a quarter past nine
à neuf heures et demie	at half past nine
à dix heures moins vingt	at twenty to ten
à dix heures moins le quart	at a quarter to ten
lundi/mardi	(on) Monday(s)/Tuesday(s)
mercredi/jeudi	(on) Wednesday(s)/Thursday(s)

vendredi	(on) Friday(s)
la récré(ation)	break time
l'heure du déjeuner	lunchtime
Lundi à neuf heures, j'ai … histoire/maths	On Monday at nine o'clock, I have … history/maths
Vendredi, j'ai deux heures de français.	I have two French lessons on Fridays.
La récré commence à …	Break time starts at …

Ce que j'aime et ce que je n'aime pas — *What I like and what I don't like*

Ma matière préférée est …	My favourite subject is …
Je suis fort(e) en …	I am good at …
Je suis faible en …	I am weak at …
Je (ne) suis (pas) doué(e) en …	I (don't) have a talent for …
C'est …	It's …
facile/difficile	easy/difficult
utile/inutile	useful/useless

intéressant/ennuyeux	interesting/boring
fascinant/passionnant	fascinating/exciting
Le/La prof est …	The teacher is …
bon(ne)/marrant(e)	good/funny
sympa/gentil(le)	nice/kind
sévère/impatient(e)	strict/impatient
On a trop de devoirs.	We have too much homework.

Une école bien équipée — *A well-equipped school*

le gymnase	sports hall
le hall	(assembly) hall/auditorium
le terrain de basket	basketball court
le terrain de sport	sports ground
la bibliothèque	library
la cantine	canteen

la cour de récréation	playground
la piscine	swimming pool
la salle de sport	gym
les labos de science	science labs
les salles de classe	classrooms
les vestiaires	changing rooms

Mon collège — *My school*

Comment s'appelle ton école?	What is your school called?
Mon école s'appelle …	My school is called …
C'est quelle sorte d'école?	What sort of school is it?
C'est …	It's …
une école mixte	a mixed school
une école publique	a state school
une école privée	a private school
une école pour filles/garçons	a school for girls/boys
pour les élèves de 11 à 16 ans	for pupils aged 11 to 16
Il y a combien d'élèves?	How many pupils are there?
Il y a (750) élèves et (45) professeurs.	There are (750) pupils and (45) teachers.
Quels sont les horaires?	What are the school hours?

La journée commence à (8h30) et finit à (16h ou à 17h).	The school day starts at (8.30 a.m.) and finishes at (4 or 5 p.m.).
Il y a combien de cours par jour?	How many lessons are there per day?
Il y a (huit) cours par jour.	There are (eight) lessons per day.
Comment sont les professeurs?	What are the teachers like?
En général, les profs sont gentils/ un peu sévères.	In general, the teachers are kind/ a bit strict.
Qu'est-ce que tu penses de ton collège?	What do you think of your school?
Je pense que les journées sont longues et qu'on a trop de contrôles.	I think the days are long and we have too many tests.

L'école chez nous, l'école chez vous — *School here and with you*

En Grande-Bretagne, …	In Britain …
En France, …	In France …
l'école commence à … et finit à …	school starts at … and finishes at …
on porte un uniforme scolaire	we wear school uniform
ils portent leurs propres habits	they wear their own clothes
on étudie la religion	we study RE
ils n'étudient pas la religion	they don't study RE
on ne redouble pas	we don't repeat a year

ils redoublent	they repeat a year
les grandes vacances durent …	the summer holidays last …
Je préfère le système britannique/ français parce que …	I prefer the British/French system because …
le redoublement (n')est (pas) une bonne idée	repeating a year is (not) a good idea
les horaires sont plus raisonnables	the hours are more reasonable
les vacances sont plus longues	the holidays are longer
l'uniforme scolaire est pratique	school uniform is practical

Le règlement scolaire
Il faut être à l'heure.
Il faut faire ses devoirs.
Il faut porter l'uniforme scolaire.
Il est interdit de mâcher du
    chewing-gum.
Il est interdit d'utiliser son portable
    en classe.
Il est interdit de porter des bijoux,
    des piercings ou trop de
    maquillage.
Il est interdit de sortir de l'école
    pendant l'heure du déjeuner.
Il est interdit de manquer les cours.

School rules
You must be on time.
You have to do your homework.
You have to wear school uniform.
*It is forbidden to chew
    chewing gum.*
*It is forbidden to use your mobile
    phone in class.*
*It is forbidden to wear jewellery,
    piercings or too much make-up.*

*It is forbidden to leave school
    at lunchtime.*
It is forbidden to skip lessons.

Je trouve ça …
    juste/logique
    raisonnable/frustrant
    injuste/ridicule
parce que/car …
    c'est/ce n'est pas dangereux
    c'est/ce n'est pas important
    on n'est pas des bébés
    il faut respecter les autres
    la mode/la religion n'a pas de
        place à l'école
    l'école, c'est pour apprendre

I think that's …
    fair/logical
    reasonable/frustrating
    unfair/ridiculous
because …
    it is/isn't dangerous
    it is/isn't important
    we aren't babies
    you have to respect other people
    *fashion/religion doesn't have any
        place in school*
    school is for learning

L'uniforme scolaire
Je porte …
    un pantalon/un polo
    un sweat/une chemise
    une cravate/une jupe
    une veste
    mes propres vêtements

School uniform
I wear …
    trousers/a polo shirt
    a sweatshirt/a shirt
    a tie/a skirt
    a blazer/jacket
    my own clothes

La mode n'a pas de place à l'école.
L'uniforme coûte cher.
Tout le monde se ressemble.
C'est démodé et embarrassant.

C'est pratique et confortable.

Fashion has no place in school.
Uniform is expensive.
Everyone looks the same/alike.
*It's old-fashioned and
    embarrassing.*
It's practical and comfortable.

La santé au collège
Pour être en pleine forme, …
Pour éviter le stress au collège, …
    je mange sainement
    je mange rarement des bonbons
        ou des gâteaux
    je bois uniquement de l'eau
    je ne bois jamais de boissons
        gazeuses
    je me couche tôt
    j'essaie de me déconnecter des
        écrans de temps en temps
Je m'inquiète pour (mon copain/
    ma sœur).
Il/Elle …
    fume des cigarettes
    fume du cannabis

Health at school
To be healthy, …
To avoid stress at school, …
    I eat healthily
    I rarely eat sweets or cakes

    I only drink water
    I never drink fizzy drinks

    I go to bed early
    *I try to disconnect from screens
        from time to time*
*I am worried about (my friend/
    my sister).*
He/She …
    smokes cigarettes
    smokes cannabis

    boit de l'alcool
    ne mange pas sainement
Il/Elle fait ça pour …
    s'amuser
    faire partie du groupe
    combattre le stress au collège
    perdre du poids
Il/Elle …
    est moins sociable
    ne peut pas se concentrer en classe
    va avoir de mauvaises notes
    va devenir anorexique
À mon avis, c'est …
    très mauvais pour la santé
    dangereux/illégal
On devient facilement accro.

    drinks alcohol
    doesn't eat healthily
He/She does that to …
    have fun
    be a part of a group
    combat/deal with stress at school
    lose weight
He/She …
    is less sociable
    can't concentrate in class
    is going to have bad grades
    is going to become anorexic
In my opinion, it's ….
    very bad for your health
    dangerous/illegal
You become addicted easily.

À l'école primaire et maintenant
J'avais …/J'ai …
    beaucoup de temps libre
    beaucoup d'amis
    trop de devoirs
J'allais …/Je vais …
    au ciné-club
    au club d'échecs
    au zoo
    à la piscine
J'étais …/Je suis …
    dans une chorale
    délégué(e) de classe
    membre de l'équipe de basket

At primary school and now
I had/used to have …/I have …
    lots of free time
    lots of friends
    too much homework
I used to go …/I go …
    to film club
    to chess club
    to the zoo
    to the swimming pool
I was/used to be …/I am …
    in a choir
    class rep
    a member of the basketball team

    timide
Je faisais …/Je fais …
    du judo/du karaté
    du yoga/de la danse
    de la natation
Je jouais …/Je joue …
    à cache-cache
    au foot/au hand
Je participais …
Je participe …
    au spectacle de Noël
Je chantais/Je chante dans
    la chorale.

    shy
I used to do/go …/I do/go …
    judo/karate
    yoga/dancing
    swimming
I used to play …/I play …
    hide and seek
    football/handball
I used to participate/take part …
I participate/take part …
    in the Christmas play
I sang/sing in the choir.

Les succès au collège
Je suis fier/fière de moi.
Je joue dans l'orchestre.
Je suis membre du conseil
    d'administration.
J'ai gagné …
    un prix pour mes efforts en classe
    un tournoi de foot/basket
    un concours de slam/danse
J'ai participé à …
    un spectacle

Successes at school
I am proud of myself.
I play in the orchestra.
I'm on the school council.

I won …
    a prize for my efforts in class
    a football/basketball tournament
    a slam/dance competition
I participated/took part in …
    a show

    un échange
    une sortie scolaire
J'ai récolté de l'argent pour une
    association caritative.
Les sorties scolaires sont une bonne/
    mauvaise idée parce que/qu' …
    on se fait de nouveaux amis
    on s'amuse ensemble
    c'est trop cher
    c'est ennuyeux

    an exchange
    a school trip
I raised money for a charity.

*School trips are a good/bad idea
    because …*
    you make new friends
    you have a laugh together
    it's too expensive
    it's boring

7 Bon travail!
Point de départ

1 *lire* **Copiez et complétez les phrases avec la bonne profession.**

1 Je travaille dans un garage. Ma passion, c'est les voitures! Je suis ▬▬▬▬.
2 Je travaille dans un magasin. Je vends des vêtements. Je suis ▬▬▬▬.
3 Je travaille dans un hôpital mais je ne suis pas médecin. Je suis ▬▬▬▬.
4 Je travaille à bord d'un avion. Je voyage beaucoup. Je suis ▬▬▬▬.
5 Je travaille dans un grand restaurant. Je sers les clients. Je suis ▬▬▬▬.
6 Je travaille avec de petits enfants dans une école primaire. Je suis ▬▬▬▬.

infirmier

institutrice

mécanicien

pilote

serveur

vendeuse

> When saying what job someone does, you don't use *un* or *une*:
> *Je suis journaliste.*
> I am a journalist.
> *Ma mère est comptable.*
> My mother is an accountant.

2 *écouter* **Écoutez et vérifiez. (1–6)**

3 *écrire* **Copiez et complétez le tableau.**

masculin	féminin	anglais
	agricultrice	farmer
architecte		architect
	bouchère	butcher
comptable		accountant
	directrice d'entreprise	company director
	factrice	postman/-woman
fermier		farmer
journaliste		journalist
	maçonne	builder
musicien		musician

G *Job nouns*

The words for jobs often change according to gender. The most common patterns are:

masculine	feminine	(English)
électric**ien**	électric**ienne**	(electrician)
coiff**eur**	coiff**euse**	(hairdresser)
ac**teur**	ac**trice**	(actor/actress)
boulang**er**	boulang**ère**	(baker)
patr**on**	patr**onne**	(boss)

Jobs that end in -*e* don't change, e.g. *dentiste* (dentist), *secrétaire* (secretary).

The following jobs are also the same in both genders: *agent de police* (policeman/-woman), *médecin* (doctor), *professeur* (teacher), *soldat* (soldier).

4 *écrire* **Lisez les phrases et écrivez la profession de chaque personne.**

Exemple: **1** Il est fermier/agriculteur.

1 Mon père travaille dans une ferme.
2 Ma mère travaille avec des élèves dans un collège.
3 Mon frère travaille dans un salon de coiffure.
4 Ma tante travaille dans un hôpital mais elle n'est pas infirmière.
5 Mon oncle travaille dans une boulangerie.
6 Ma cousine travaille dans un commissariat de police.

5 écouter **Écoutez. Copiez et complétez le tableau en anglais. (1–4)**

	family member's job	job the speaker wants to do
1	mother – hairdresser	

ingénieur/-eure	engineer
programmeur/-euse	programmer
créateur/-trice de jeux vidéo	video game designer

 6 parler **À deux. Faites une conversation au sujet du travail. Utilisez les détails ci-dessous.**

● *Qu'est-ce que (ton père/ta mère) fait dans la vie?*
■ *Il/Elle travaille/est …*
● *Et toi, qu'est-ce que tu veux faire dans la vie?*
■ *Ma passion, c'est … Je veux …*

Il/Elle travaille dans …	un bureau/un hôpital/un magasin/ une ferme (etc.).
Il/Elle est … Il/Elle travaille comme …	secrétaire/infirmier/infirmière (etc.).
Ma passion, c'est …	le sport/le théâtre/la mode/ la cuisine/la musique/ les ordinateurs/les voitures (etc.).
Je veux être … Je veux travailler comme …	journaliste (sportif)/acteur/actrice/ chef de cuisine (etc.).

a

mon père

moi

b

ma mère

moi

7 lire **Lisez les textes. Pour chaque métier, notez les détails suivants en anglais.**

1 what the job is   **2** what personal qualities are needed   **3** the good points about the job

Ta passion, c'est la justice? Tu es intelligent(e), bien organisé(e) et travailleur/-euse? Pourquoi ne pas devenir avocat(e)? C'est un métier fascinant et bien payé.

Tu es ambitieux/-euse et fort(e) en dessin? Ta passion, c'est la mode? Alors, tu peux devenir créateur/-trice de mode. C'est un métier très créatif et tu peux devenir célèbre!

Tu es fort(e), courageux/-euse et en bonne forme? Pense à devenir pompier/-ière! C'est un métier passionnant et tu peux sauver la vie des gens!

devenir	to become
le métier	job

 8 écrire **Traduisez ces phrases en français.**

> Which word do you not need in French in all these sentences?

1 My passion is the theatre. I want to be <u>an</u> actor.
2 My brother is brave and hard-working. He is a policeman.
3 My mother is <u>intelligent</u> and <u>ambitious</u>. She is a doctor.
4 Do you want to be a pilot? It's an <u>exciting and well-paid job</u>.

> Be careful with the word order here – look at the first text in exercise 7.

> Remember to use the correct adjective endings – what gender is the noun?

1 Qu'est-ce que tu voudrais faire?

 1 **Écoutez et lisez le quiz. Notez les lettres des réponses de Clara et Noah. (1–4)**

Exemple: **1** Clara – b, Noah – …

1
Voudrais-tu travailler …

dans un bureau? | dans un magasin? | en plein air?

2
Aimerais-tu faire un métier …

créatif? | manuel? | à responsabilité?

3
Voudrais-tu travailler avec …

des animaux? | des enfants? | des ordinateurs?

4
Aimerais-tu travailler …

seul(e)? | en équipe? | à l'étranger?

 2 **Écoutez la suite. Selon le quiz, quels sont les métiers parfaits pour Noah et Clara?**

3 **À deux. Répondez aux questions du quiz!**

Exemple:

● *Question numéro un: voudrais-tu travailler … **a** dans un bureau, **b** dans un magasin ou **c** en plein air?*
■ *Je voudrais travailler … Et toi?*
● *Moi, je voudrais … Ensuite, aimerais-tu …*

Ⓖ The conditional ❯ *Page 212*

Use the conditional of *aimer* (**j'aimerais**) or *vouloir* (**je voudrais**) + the infinitive of another verb to say what you would like to do.

J'aimerais faire un métier créatif.
I would like to do a creative job.

Je voudrais travailler *à l'étranger.*
I would like to work abroad.

To say what you would <u>not</u> like to do, put *ne … pas* around *aimerais* or *voudrais*.

*Je n'aimerais **pas** travailler dans un bureau.*
I would **not** like to work in an office.

*Je **ne** voudrais **pas** faire un métier manuel.*
I would **not** like to do a manual job.

4 lire **Lisez et trouvez la bonne option (a–f) pour compléter chaque texte. Il y a deux options de trop.**

Tu voudrais travailler dans quel secteur?

1 Je suis très motivé et actif. Ma passion, c'est le fitness. J'aime le contact avec les gens et travailler en équipe, alors je voudrais travailler dans …

2 Je suis assez ambitieuse, travailleuse et plutôt sérieuse. J'aimerais avoir un métier bien payé et travailler dans un bureau. Le secteur qui m'intéresse, c'est …

3 Je suis assez créatif et très sociable. Mes deux passions sont la télé et la musique, donc je crois que j'aimerais travailler dans …

4 Je suis intelligente et bien organisée mais un peu timide. Je suis aussi très indépendante, donc je préférerais travailler seule. Ma passion, c'est Internet. Le secteur qui m'intéresse, c'est …

les gens   people

a l'informatique et les télécommunications.

d l'hôtellerie et la restauration.

b le sport et les loisirs.

e l'audiovisuel et les médias.

c le commerce.

f la médecine et la santé.

5 écouter **Écoutez et vérifiez. (1–4)**

6 lire **Traduisez en anglais la version complète des textes 1 et 2 de l'exercice 4.**

7 parler **À deux et à tour de rôle. Discutez du secteur professionnel qui vous intéresse.**

Exemple:

● *Tu voudrais travailler dans quel secteur?*

■ *Je crois que j'aimerais travailler dans le sport et les loisirs.*

● *Pourquoi?*

■ *Parce que je suis assez sportif/-ive et parce que j'aime le contact avec les gens.*

8 écrire **Écrivez un court paragraphe sur vos préférences au sujet du travail.**

Exemple: Je suis assez … Je crois que je voudrais … Je n'aimerais pas …

G *The relative pronoun* **qui**   ❯ *Page 220*

Qui means 'who', 'which' or 'that' when 'who', 'which' or 'that' is the subject of the sentence.

Le secteur **qui m'intéresse**, *c'est le commerce.*
The area **that interests** me is business.

Je crois que Je pense que	je voudrais j'aimerais	travailler dans (le commerce/ le sport et les loisirs, etc.).
Le secteur qui m'intéresse, c'est		le commerce/la médecine et la santé (etc.).
Je suis	assez plutôt très un peu	actif/-ive. motivé(e). ambitieux/-euse. sérieux/-euse. bien organisé(e). sociable. créatif/-ive. timide. indépendant(e). travailleur/-euse.
Je voudrais J'aimerais	avoir un métier bien payé. faire un métier à responsabilité (etc.). travailler en plein air (etc.).	
J'aime le contact avec les gens.		

- *Talking about plans, hopes and wishes*
- *Understanding the simple future tense ('will' or 'shall')*

 1 écouter Écoutez Liliane et Medhi. Mettez les images dans le bon ordre pour chaque personne.

| Je veux … | J'espère … | Je voudrais … |

a faire un apprentissage.

b réussir mes examens.

c me marier ou me pacser.

d prendre une année sabbatique et voyager.

e avoir des enfants.

f faire du bénévolat.

g aller à l'université.

h habiter avec mon copain/ma copine.

| **j'espère** | I hope |
| **une année sabbatique** | a gap year |

 2 lire Répondez aux questions. Écrivez *Liliane* ou *Medhi*. Utilisez un dictionnaire, si nécessaire.

Qui veut …
1 continuer ses études à la faculté?
2 devenir apprenti(e)?
3 faire du travail bénévole?
4 s'installer avec son/sa petit(e) ami(e)?
5 visiter d'autres pays?

> ⭐ In exam-style tasks, you often have to listen or look for synonyms – two words or phrases which mean the same thing (e.g. *université* and *faculté*).

3 parler À deux. Choisissez chacun une des personnes de la liste ci-dessous. Parlez de vos projets d'avenir.

In pairs. Each of you choose one person from the list below. Talk about your future plans.

Exemple: **1** Moi, je suis <u>Olivia</u>. D'abord, j'espère <u>réussir mes examens</u>. Ensuite, je voudrais …

> ⭐ Use sequencers to describe future plans:
>
> | *d'abord* | first of all |
> | *ensuite/puis* | then |
> | *après* | afterwards |
> | *un jour* | one day |

1 Olivia	**2 Samir**	**3 Bianca**	**4 Nathan**
examens	apprentissage	travail bénévole	examens
→ université	→ année sabbatique	→ devenir apprentie	→ voyager
→ bénévolat	→ me marier	→ habiter avec petit ami	→ faculté
		→ enfants	→ me pacser

 4 écrire Écrivez un court paragraphe pour les deux autres personnes de l'exercice 3.

Exemple: Moi, je suis Samir. D'abord, je veux faire un apprentissage. Puis …

5 lire

Lisez le texte et répondez aux questions. Ensuite, traduisez en anglais les verbes en vert.

On a demandé à quatre jeunes de compléter la phrase:

Si mes rêves se réalisent …

Cécile

Je prendrai une année sabbatique et **je ferai** le tour du monde, de l'Europe à l'Asie. Ce sera génial!

Antoine

J'irai à la fac pour étudier la médecine. Après, **je travaillerai** pour Médecins Sans Frontières, peut-être en Afrique.

Léna

J'aurai ma propre entreprise en ligne: **je vendrai** des chaussures. **Je serai** riche et très heureuse!

Gaël

Je trouverai la femme de mes rêves, **je me marierai** et j'aurai deux ou trois enfants!

si mes rêves se réalisent — *if my dreams come true*

Who wants to…
1 study to be a doctor?
2 travel around the world?
3 get married and start a family?
4 start an online company and make lots of money?
5 work for a medical charity abroad?

G **The future tense** **Page 218**

To describe future plans, you can use either the near future tense (*je vais* + infinitive), or the simple future tense to say 'will …' or 'shall …'.

*Je **passerai** mes examens puis j'**irai** à la fac.*
I **will take** my exams, then I **will go** to uni.

To form the simple future tense of regular verbs, add the following endings to the infinitive 'stem':

*je passer**ai***   *nous passer**ons***
*tu passer**as***   *vous passer**ez***
*il/elle/on passer**a***   *ils/elles passer**ont***

The following important verbs are irregular. Learn to recognise them!

aller → *j'**ir**ai* (I will go)
avoir → *j'**aur**ai* (I will have)
être → *je **ser**ai* (I will be)
faire → *je **fer**ai* (I will do/make)

6 écouter

Écoutez et notez en anglais les projets d'avenir de chaque personne. (1–5)

Exemple: **1** wants to take his exams – if passes, will …

passer un examen	to take an exam
réussir un examen	to pass an exam

7 écrire

Quels sont vos projets d'avenir? Écrivez un paragraphe.

Mention:
• your plans for further study or training
• any other things you want to do (e.g. travel, voluntary work)
• plans for your personal life (e.g. marriage, children, home, car).

⭐ To really impress, try using one of the following, followed by the **future tense**:

Si je réussis mes examens, …   If I pass my exams …

Si mes rêves se réalisent, …   If my dreams come true …

3 Mon petit boulot

- *Talking about how you earn money*
- *Using the present, perfect and conditional*

1 lire

Lisez les textes et trouvez les deux bonnes images pour chaque personne.

> *Tu as un petit boulot?*

> *Que fais-tu pour gagner de l'argent?*

J'aide à la maison. Chaque semaine, je passe l'aspirateur et je fais la vaisselle. Quelquefois, je lave aussi la voiture de mon père. **Lina**

Pendant les grandes vacances, j'ai un petit boulot dans l'épicerie de mon oncle. Je remplis les rayons et je sers les clients. **Asif**

Je promène le chien de ma voisine quand elle n'est pas là. Je tonds aussi la pelouse de mes grands-parents, mais je fais ça gratuitement! **Maëlys**

De temps en temps, je fais du baby-sitting pour mes voisins. Mais j'aimerais avoir un petit boulot comme mon copain anglais, Tom: il livre des journaux. **Clément**

remplir les rayons	to fill the shelves
le voisin/la voisine	neighbour
tondre la pelouse	to mow the lawn

> ⭐ To say 'my father's car' (etc.), you have to say 'the car of my father':
>
> *la voiture de mon père.*
>
> Can you find other examples in exercise 1?

2 écouter

Écoutez et notez en anglais combien d'argent chaque personne de l'exercice 1 reçoit. (1–4)

Je gagne/reçois …	I earn/receive/get …
Mon père/Ma mère me donne …	My father/mother gives me …
Mes parents me donnent …	My parents give me …
quinze euros/dix livres …	fifteen euros/ten pounds …
… par heure/jour/semaine/mois.	… per hour/day/week/month.

Point culture

In France, 14–16 year-olds are allowed to do a part-time job only during the school holidays but they can do casual work, like babysitting, outside the holidays. From the age of 16, you can get a BAFA qualification to work with young children in a holiday club.

3 parler

À deux. Faites des dialogues en utilisant les détails à droite.

Exemple:

- ● *Tu as un petit boulot?*
- ■ *Oui, j'ai un petit boulot dans …/ Non, je n'ai pas de petit boulot.*
- ● *Que fais-tu pour gagner de l'argent?*
- ■ *Je …*

a boulot ✗

parents: 15€ par mois

b boulot ✔ grandes vacances

boulangerie, père

 + 20€ par jour

4 écrire

Que faites-vous pour gagner de l'argent? Écrivez un court paragraphe.

5 lire Lisez l'annonce et répondez aux questions en anglais.

Offre d'emploi

La Mouette bleue

On recherche un(e) animateur/-trice d'activités sportives pour enfants

Responsabilités:
• Organiser des activités sportives pour des enfants de 5 à 12 ans

Qualifications et compétences:
• BAFA essentiel
• Expérience de travail avec des enfants
• Deux langues étrangères (anglais essentiel)

Atouts:
• Patient
• Organisé
• Travailleur

Comment postuler?
Remplir notre CV électronique

REMPLIR CV

1 This job involves working with children of what age?
2 What is the main thing the job involves?
3 What kind of experience is required?
4 How many foreign languages must you speak?
5 What type of person must you be (three details)?
6 If you want to apply, what should you do?

| l'animateur/-trice | activities organiser |
| postuler à | to apply for |

6 écouter Gabriel a décidé d'envoyer aussi une vidéo de motivation avec son CV. Écoutez et lisez. Copiez et complétez la fiche en anglais.

Bonjour. Je m'appelle Gabriel Boucher et j'ai seize ans. Je voudrais postuler au poste d'animateur d'activités sportives.

J'ai déjà un peu d'expérience: j'ai travaillé dans un centre de loisirs où j'ai organisé des matchs de tennis pour les enfants. J'ai aussi supervisé des cours de natation pour enfants.

À part le français, je parle bien l'anglais et un peu l'espagnol.

Je suis patient, motivé, bien organisé et travailleur.

Je voudrais ce poste parce que j'adore le sport et parce que j'aimerais travailler avec des enfants.

Merci et à bientôt!

G *Using different tenses*

Use:
• the **present tense** to refer to how things are now (e.g. your personality, languages you speak)
• the **perfect tense** to refer to past experiences (e.g. jobs you have done)
• the **conditional** to say what you would like to do (e.g. work with children).

Find examples of all three tenses in exercise 6.

Name:
Age:
Experience:
Languages spoken:
Personal qualities:
Reasons for wanting the job:

7 écrire Écrivez une lettre pour postuler à un petit boulot de serveur/-euse. Adaptez le texte de l'exercice 6 et inventez les détails.

Exemple:
Bonjour. Je m'appelle … Je voudrais postuler au poste de …
J'ai déjà un peu d'expérience: j'ai travaillé … où j'ai servi …

4 C'était une bonne expérience?

1 *lire* **Lisez et trouvez la deuxième partie de chaque texte.**

Théo: J'ai fait un stage dans un garage.

Clémence: J'ai fait un stage dans un bureau.

Julianne: J'ai fait un stage dans un magasin de vêtements.

Karima: J'ai fait un stage dans un salon de coiffure.

Lucas: J'ai fait un stage dans un hôtel.

a J'ai servi les clients et j'ai rangé les vêtements.
b J'ai aidé les mécaniciens et j'ai appris à changer des pneus.
c J'ai tapé des documents à l'ordinateur et j'ai fait des photocopies.

d J'ai répondu au téléphone, j'ai pris des réservations et j'ai envoyé des e-mails.
e J'ai lavé les cheveux des clients, j'ai fait du café et j'ai passé l'aspirateur.

> **le pneu** tyre

2 *écouter* **Écoutez et vérifiez. Écrivez aussi P (positif), N (négatif) ou PN (positif _et_ négatif) pour l'expérience de chaque personne. (1–5)**

	☹
C'était … amusant. bien. génial. intéressant. passionnant. une bonne expérience.	C'était … difficile. ennuyeux. fatigant. monotone. (complètement) nul. une mauvaise expérience.
Mon patron/Ma patronne était gentil(le).	Mon patron/Ma patronne était trop sévère.
Mes collègues étaient sympa.	Mes collègues n'étaient pas très sympa.
J'ai beaucoup appris.	Je n'ai rien appris.

> **G** **The perfect and imperfect tenses**
>
> You use the **perfect tense** to say what you <u>did</u>:
>
> **J'ai rangé** le magasin. **I tidied** the shop.
> **J'ai servi** les clients. **I served** customers.
> **J'ai fait** du thé. **I made** tea.
>
> You use the **imperfect tense** to say what something or someone was <u>was like</u>:
>
> **C'était** intéressant. Mes collègues **étaient** sympa.
> **It was** interesting. My colleagues **were** nice.

3 *lire* **Relisez les textes de l'exercice 1 et trouvez ces verbes au passé composé en français.**

1 I helped	**2** I tidied	**3** I sent	**4** I took	**5** I did/made
6 I washed	**7** I answered	**8** I typed	**9** I served	**10** I learned

4 *écouter* **Écoutez. Copiez et complétez le tableau en anglais. (1–2)**

where they did work experience	what jobs they did (2–3 tasks)	P (positive), N (negative) or PN (positive _and_ negative)?	reasons
1			

> **couper** to cut

5 parler **À deux. Parlez de votre stage ou utilisez les idées dans les images.**

● *Où as-tu fait ton stage?*
■ *J'ai fait mon stage dans un(e) … J'ai aidé/préparé/servi …*
● *C'était une bonne ou une mauvaise expérience?*
■ *C'était … parce que …*

> ☆ Add 'colour' to opinions and reasons by using qualifiers such as *un peu* and *complètement*, or less common adjectives like *monotone*. It will also sound impressive if you use *j'ai beaucoup appris* or *je n'ai rien appris*.

6 lire **Lisez le texte et répondez aux questions en anglais.**

Je m'appelle Claire Morel.

Quand j'étais au collège, j'ai fait un stage dans un office de tourisme. C'était génial et du coup, j'ai décidé de devenir conseillère en séjour!

Il y a six mois, j'ai commencé à travailler dans un office de tourisme. Mon travail consiste à donner des renseignements aux touristes et à vendre des billets d'entrée pour les musées, etc.

J'adore le contact avec les gens mais les horaires sont un peu longs, surtout pendant l'été.

Je parle couramment l'anglais et un peu l'espagnol. Je veux apprendre à parler le japonais car il y a beaucoup de touristes japonais en France.

Un jour, je veux essayer de prendre une année sabbatique pour visiter d'autres pays.

le conseiller/la conseillère en séjour *tourist office adviser*

1 Why did Claire decide to become a tourist office adviser?
2 Name <u>two</u> things she has to do as part of her job.
3 What are the good and bad points about her job?
4 What language does she want to learn and why?
5 What would she like to do one day?

> **G** *Verbs followed by* **>** Page 212
> *à or de*
>
> Some verbs are followed by *à* or *de* before the infinitive.
>
> *apprendre à* … (to learn to …)
> *commencer à* … (to start to …)
> *décider de* … (to decide to …)
> *essayer de* … (to try to …)

7 écrire **Adaptez le texte de l'exercice 6. Utilisez les détails suivants.**

Exemple: Je m'appelle Hugo Lemercier. Quand j'étais au collège, j'ai fait un stage dans un hôtel. C'était …

Hugo Lemercier
did work experience in hotel
decided to become hotel receptionist

3 months ago: started work in hotel in Paris
makes room reservations, gives information to customers

speaks English and wants to learn German

☺ working in a team

☹ long hours at the weekend

would like to do voluntary work

1 Your brother's French friend has sent him the following WhatsApp message. Your brother asks you to translate it into English for him.

> Je dois aider mes parents à la maison. Le samedi, je lave la voiture de ma mère. Pendant les vacances, j'ai travaillé dans une boulangerie. C'était assez fatigant. Si je réussis mes examens, je voudrais être ingénieur.

 2 A Belgian teen magazine has published an item about marriage. Read what these boys say about getting married. Then write the name of the correct person for each English statement.

Les jeunes belges et le mariage

 Je voudrais bien me marier mais il est important d'habiter ensemble avant, pour voir si ça marche! **Hugo, 17 ans**

 Mon père et ma mère ne sont plus ensemble mais moi, j'espère me marier un jour. **Louis, 16 ans**

 La cérémonie à l'église, ma future femme en belle robe blanche, un grand repas avec toute la famille … C'est mon rêve! **Arthur, 17 ans**

 Il est important d'être marié si on veut fonder une famille. C'est mieux pour les enfants. **Samir, 16 ans**

 Je veux rester célibataire. Je n'aime pas l'idée de passer toute ma vie avec la même personne. **Noah, 15 ans**

 Mes parents sont mariés depuis vingt ans mais beaucoup de mariages se terminent par un divorce. **Ryan, 15 ans**

1 Whose parents are divorced?
2 Who thinks it is better for children if their parents are married?
3 Who thinks you should try living with someone before getting married?
4 Who likes the idea of having a big wedding day celebration?
5 Who does not want to get married?

> In tasks like this, the text often underlines paraphrases what's in the questions, e.g. for question 4, the word for 'wedding' (le mariage) does not appear in the text. So you need to look for other words which express the same idea. Also, read very carefully for detail, e.g. Ryan mentions mes parents and un divorce, but is he the correct answer to question 1?

3 lire   **Read the article and answer the questions that follow.**

Le Service Civique

Vous avez entre 16 et 25 ans?

Vous voulez faire quelque chose pour aider les autres?

Actuellement, environ 35 000 jeunes Français choisissent de faire leur «Service Civique». Ça consiste en une période de six à douze mois de volontariat en France ou à l'étranger.

Selon leurs centres d'intérêt, les jeunes peuvent choisir parmi un grand nombre de «missions» dans des secteurs différents: par exemple, culture et loisirs, éducation, santé, sports ou environnement.

Pour certains, c'est le point de départ pour trouver un emploi mais pour la majorité, leur motivation principale est de faire quelque chose d'utile à la société. En tout cas, le Service Civique sera un atout important pour leur CV.

1 Currently 35,000 young French people …
  A need help from other people.
  B don't want to do civic service.
  C volunteer to do civic service.

> In this type of task, the answer options all pick up on words in the text, so you need to read very carefully for detail, including looking closely at who or what the verbs refer to.

2 Doing civic service means you …
  A work as a volunteer for a maximum of a year.
  B can only do voluntary work abroad.
  C have to do lots of different types of jobs.

3 What is the reason why the majority of young people want to do civic service? Answer in English.

1 écouter   **On French-Canadian radio, you hear the findings of a survey into what is important to young people about their future job. What goes with each percentage? Write the correct letter. (1–4)**

A	want to work outdoors	**F**	want to have a well-paid job
B	want to work alone	**G**	want to run their own company
C	want to work abroad	**H**	don't want to work with children
D	want to work with other people	**I**	want to work with animals
E	don't want to work at weekends		

1 62%   **2** 40%   **3** 33%   **4** 25%

2 écouter   **Écoutez ce reportage au sujet d'un étudiant français, Guillaume, et d'une jeune chanteuse, Léa. Pour chaque extrait, choisissez <u>deux</u> phrases qui sont <u>vraies</u> et notez les bonnes lettres. (1–2)**

1
A Guillaume vient du Vietnam.
B Guillaume décide de faire du volontariat.
C Guillaume n'aime pas la musique.
D Léa chante très bien.
E Léa ne veut pas participer à la soirée musicale.

2
A Léa est restée au Vietnam.
B Léa n'a pas chanté à un concert en France.
C Léa est capable de devenir chanteuse professionnelle.
D Guillaume veut se marier avec Léa.
E Guillaume ne veut plus retourner au Vietnam.

> Before the recording begins, read the statements in French carefully and make sure you understand everything. Use them to predict what the recording is going to be about and which key words to listen for.

A – Picture-based discussion

- Look at the photo.
- Make any notes you wish to on paper.
- Your teacher will then ask you questions about the photo and about topics related to **jobs, career choices and ambitions**.

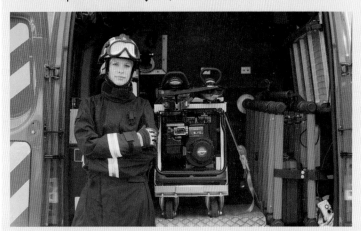

Your teacher will ask you the following three questions and then **two more questions** which you have not prepared.

- Qu'est-ce qu'il y a sur la photo?
- Est-ce que tu as un petit boulot?
- Qu'est-ce que tu voudrais faire comme métier?

 1 Look at the photo and read the task. Then listen to Jack's answer to the <u>first</u> question.

1   In what order does Jack mention the following?

le casque	helmet

   A   what job he thinks the person in the photo does
   B   what the job is like
   C   whether he would like to do that job
   D   what the person in the photo is wearing
   E   what sort of person you need to be to do the job
   F   the physical appearance of the person in the photo

2   Listen again for key words that you could use to answer the question. Note down:

   (a) three adjectives   **(b)** three nouns   **(c)** two ways of introducing an opinion

 2 Listen to and read how Jack answers the <u>second</u> question. Write down the missing word for each gap. Then translate his answer into English.

> Pour gagner un peu d'**1** _____, j'ai un petit boulot dans un café. Je travaille tous les samedis de neuf heures à quinze heures. Je **2** _____ servir les clients, faire la vaisselle et passer l'aspirateur. C'est très **3** _____ mais c'est assez bien payé. Je **4** _____ bien avec ma patronne qui est toujours gentille. Mes collègues aussi sont **5** _____. À part ça, mes parents me donnent de l'argent de poche mais je dois **6** _____ à la maison: une fois par semaine, je lave la voiture de **7** _____ et le dimanche après-midi, je promène le chien.

3 *écouter* Listen to Jack's answer to the <u>third</u> question and look at the Answer booster on page 148. Write down <u>five</u> examples of language he uses to make his answer a strong one.

⭐ To sound really impressive when giving an opinion, try giving two sides of an argument, using *d'un côté, …, d'un autre côté, …* (on the one hand, …, on the other hand, …). How does Jack use this construction?

4 *parler* Prepare your own answers to the three questions on the task card. Think about which other two questions you could be asked. Then listen and take part in the full picture-based discussion.

B – General conversation

1 *écouter* The teacher starts the general conversation by asking Holly, «As-tu fait un stage?» Listen to her answer and complete the following sentences in English.

1 Holly spent two weeks on work experience in …
2 She typed documents, sent … and answered …
3 It was quite a positive experience for her, because …
4 But she doesn't want to work in …
5 One day, she hopes to work as a …

passer to spend (time)

⭐ Remember to develop your answers by volunteering extra information. How does Holly do this? If you haven't done work experience, you could say whether you would like to and, if so, where you would like to do it.

2 *écouter* The teacher then asks Holly, «Qu'est-ce que tu veux faire après tes examens?» Listen to Holly's answer. In which order does she use the following phrases?

A J'aimerais aussi prendre une année sabbatique
B Si je réussis mes examens, j'espère aller à l'université
C Je vais continuer mes études au lycée.
D pour voyager à l'étranger ou pour faire du bénévolat.
E pour faire une licence de sociologie.
F Je vais étudier trois matières pour mes A-levels.

une licence university degree

⭐ Remember, you must ask the teacher a question at some point during the general conversation. What question does Holly ask here?

3 *écouter* Listen to how Holly answers the next question: «Est-ce que tu voudrais te marier un jour?» Look at the Answer booster on page 148. Write down <u>five</u> examples of language she uses to make her answer a strong one.

⭐ To say whether you want to get married one day, borrow phrases from page 144, exercise 2.

4 *parler* Prepare answers to the following questions. Then practise with your partner.

1 As-tu fait un stage?
2 Qu'est-ce que tu veux faire après tes examens?
3 Est-ce que tu voudrais te marier un jour?
4 Qu'est-ce que tu fais pour aider à la maison?
5 Que fais-tu pour gagner de l'argent?
6 Voudrais-tu prendre une année sabbatique? Pourquoi?

Answer booster	Aiming for a solid answer	Aiming higher	Aiming for the top
Verbs	**Verbs with** *je* **Different time frames:** present, perfect and near future tenses	**Different persons of the verb:** *il/elle/on …* **Verbs + the infinitive:** *je veux/j'espère* + infinitive *Je voudrais/J'aimerais …*	**The perfect and imperfect tenses together:** *J'ai fait un stage … Mes collègues étaient …* **Verbs followed by** *à* **or** *de:* *J'ai appris à …/J'ai décidé de …*
Opinions and reasons	**Basic verbs of opinion:** *J'aime/ J'adore … parce que c'est …*	**Add more variety:** *À mon avis, …/Je crois que …/ Je pense que …/Pour moi, …* **More sophisticated opinions:** *Ma passion, c'est …*	**Giving two sides of an argument:** *d'un côté, …, d'un autre côté, …*
Connectives	*et, mais, aussi, ou, parce que*	*où, car, quand, donc, alors, puisque*	*pour* + **infinitive:** *… pour gagner de l'argent.*
Other features	**Sequencers:** *d'abord, ensuite, puis, après, un jour* **Time and frequency phrases:** *tous les samedis, l'année dernière*	**Add more variety:** *dans le futur, plus tard* **Interesting phrases:** *Je ne sais pas exactement/encore. J'ai beaucoup appris.*	**The relative pronoun** *qui: Le secteur qui m'intéresse, c'est …* *si* **clauses:** *Si mes rêves se réalisent,* + near future or simple future tense

A – Short writing task

1 lire Look at the task card. What do you need to write about for each bullet point?

Vous avez un petit boulot et vous écrivez à votre ami(e) français(e).

Mentionnez:
- où vous travaillez
- le salaire
- les gens
- vos tâches au travail.

Écrivez environ **40** mots **en français**.

la tâche   task

2 lire Look at Zahra's answer below. Rearrange the sections into the order of the bullet points in the task.

A Je travaille tous les samedis de neuf heures à seize heures et je gagne vingt livres.	**C** Mon patron est parfois un peu sévère mais les coiffeuses sont très gentilles.
B Je dois laver les cheveux, faire le café et passer l'aspirateur. C'est assez ennuyeux mais j'aime bien les clients.	**D** J'ai un petit boulot dans un salon de coiffure qui se trouve au centre-ville.

⭐ Look at how Zahra has added interest to her writing by including qualifiers, time phrases, expressions of frequency and opinions.

3 écrire Now write your own answer to the task.

- Use Zahra's answer as a model and adapt what she has written.
- Check your answer carefully for spelling, accents and grammar.

⭐ Remember to use the correct adjective endings, especially when describing other people.

B – Extended writing task

1 Look at the task and answer the questions.

1 What sort of text do you have to write?
2 What type of information do you need to give for each bullet point?
3 Which <u>tense(s)</u> do you need to use for each bullet point?

> ⭐ When referring to the future, you can use *je veux/ j'espère* + infinitive, or the near future tense (*je vais* + infinitive). To really impress, try using a verb in the simple future tense (e.g. *j'irai* or je *ferai*), but only if you are confident with it.

> Vous voulez travailler en France pendant les vacances et vous écrivez un e-mail pour postuler.
>
> Décrivez:
> • vos qualités personnelles
> • pourquoi vous voulez ce poste
> • un travail ou un stage que vous avez fait
> • le métier que vous voulez faire dans le futur.
>
> Écrivez environ **90** mots **en français**.
> Répondez à chaque aspect de la question.

2 Read Dan's answer and complete his essay plan, in English. Write down the missing words.

> À mon avis, je suis très motivé, travailleur et honnête. Ma passion, c'est le sport et j'aime beaucoup travailler en équipe.
>
> Je voudrais ce poste parce que j'aimerais travailler en France pour améliorer mon français. Je voudrais aussi visiter le pays et me faire des amis français.
>
> L'année dernière, j'ai fait un stage dans un centre de loisirs. J'ai organisé des matchs de tennis pour les enfants. C'était une bonne expérience pour moi et j'ai beaucoup appris.
>
> Plus tard, j'espère travailler dans le sport et les loisirs, alors j'ai décidé de continuer mes études d'EPS l'année prochaine. Si mes rêves se réalisent, un jour, je serai entraîneur personnel.

améliorer   to improve

Paragraph 1
• qualities: motivated, **1** ———, honest
• passion: sport, like working in **2** ———

Paragraph 2
• want to work in France, improve **3** ———
• also visit country and make friends

Paragraph 3
• last year – work experience in **4** ———
• organised **5** ——— for kids
• good experience, learned a lot

Paragraph 4
• want to work in sport and leisure
• next year – continue **6** ———
• dream – be a personal **7** ———

3 Look at the Answer booster and write down <u>six</u> examples of language Dan uses to write a strong answer.

4 Now write your own answer to the task.

• Look at the Answer booster and Dan's essay plan and his answer for ideas.
• Avoid repetition: use a variety of verbs, nouns and adjectives.
• Create some longer sentences using connectives, time and frequency phrases, sequencers, etc.

Les métiers — Jobs

Je suis/Il/Elle est …	I am/He/She is a/an …	facteur/factrice	postman/woman
Je veux être …	I want to be a/an …	instituteur/institutrice	primary school teacher
Je veux travailler comme …	I want to work as a/an …	boucher/bouchère	butcher
avocat/avocate	lawyer	boulanger/boulangère	baker
ingénieur/ingénieure	engineer	fermier/fermière	farmer
électricien/électricienne	electrician	infirmier/infirmière	nurse
mécanicien/mécanicienne	mechanic	pompier/pompière	firefighter
musicien/musicienne	musician	architecte	architect
maçon/maçonne	builder	chef de cuisine	chef
patron/patronne	boss	comptable	accountant
coiffeur/coiffeuse	hairdresser	dentiste	dentist
programmeur/programmeuse	programmer	journaliste	journalist
serveur/serveuse	waiter/waitress	pilote	pilot
vendeur/vendeuse	salesperson	secrétaire	secretary
acteur/actrice	actor/actress	vétérinaire	vet
agriculteur/agricultrice	farmer	agent de police	policeman/woman
créateur/créatrice de mode	fashion designer	médecin	doctor
créateur/créatrice de jeux vidéo	video game designer	professeur	teacher
directeur/directrice d'entreprise	company director	soldat	soldier

Lieux de travail — Workplaces

Je travaille/Il/Elle travaille …	I work/He/She works …	dans un restaurant	in a restaurant
dans un bureau	in an office	dans un salon de coiffure	in a hair salon
dans un commissariat de police	in a police station	dans une boulangerie	in a bakery
dans un collège	in a secondary school	dans une école primaire	in a primary school
dans un garage	in a garage	dans une ferme	on a farm
dans un hôpital	in a hospital	à bord d'un avion	on a plane
dans un magasin	in a shop		

Les passions — Passions

Ma passion, c'est …	My passion is …	le sport/le théâtre	sport/theatre/drama
la cuisine/la mode	cooking/fashion	les ordinateurs/les voitures	computers/cars

J'aimerais … — I would like to …

Je voudrais/J'aimerais travailler …	I would like to work …	seul(e)	alone/on my own
dans un bureau	in an office	en équipe	in a team
dans un magasin	in a shop	à l'étranger	abroad
en plein air	outside	Je voudrais faire un métier …	I would like to do a … job
avec des enfants	with children	créatif	creative
avec des animaux	with animals	manuel	manual
avec des ordinateurs	with computers	à responsabilité	responsible

Tu voudrais travailler dans quel secteur et pourquoi? — What area would you like to work in and why?

Je voudrais travailler dans …	I would like to work in …	(bien) organisé(e)	(well) organised
le sport et les loisirs	sport and leisure	actif/-ve	active
le commerce	business	créatif/-ve	creative
la médecine et la santé	medicine and health	ambitieux/-euse	ambitious
l'audiovisuel et les médias	audiovisual and media	sérieux/-euse	serious
l'informatique et les télécommunications	IT and telecommunications	travailleur/-euse	hard-working
		sociable	sociable
l'hôtellerie et la restauration	the hotel and catering industry	timide	shy
Je suis …	I am …	J'aime …	I like …
indépendant(e)	independent	le contact avec les gens	(having) contact with people
intelligent(e)	intelligent	travailler en équipe	working in a team
motivé(e)	motivated	J'aimerais avoir un métier bien payé.	I would like to have a well-paid job.

Mes projets d'avenir — My plans for the future

Je veux/J'espère/Je voudrais …	I want/I hope/I would like …	faire du bénévolat/du travail bénévole	to do voluntary work
passer mes examens	to take my exams	me marier ou me pacser	to get married or enter into a civil partnership
réussir mes examens	to pass my exams		
prendre une année sabbatique	to take a gap year		
voyager/visiter d'autres pays	to travel/visit other countries	avoir des enfants	to have children
faire un apprentissage/devenir apprenti(e)	to do an apprenticeship/ become an apprentice	habiter/m'installer avec mon copain/ma copine	to live/move in with my boyfriend/girlfriend
aller à l'université/continuer mes études à la fac(ulté)	to go to university/continue my studies at university		

Gagner de l'argent / *Earning money*

Tu as un petit boulot?	*Do you have a part-time job?*
Que fais-tu pour gagner de l'argent?	*What do you do to earn money?*
J'aide à la maison.	*I help at home.*
Je passe l'aspirateur.	*I do the vacuuming.*
Je fais la vaisselle.	*I do the dishes.*
Je lave la voiture (de mon père).	*I wash the car (my dad's car).*
Je tonds la pelouse (de mes grands-parents).	*I mow the lawn (my grandparents' lawn).*
Je promène le chien.	*I walk the dog.*
J'ai un petit boulot.	*I have a part-time job.*
Je sers les clients.	*I serve customers.*
Je remplis les rayons.	*I fill the shelves.*
Je fais du baby-sitting (pour mes voisins).	*I babysit (for my neighbours).*
Je livre des journaux.	*I deliver newspapers.*
Je gagne/Je reçois …	*I earn/I receive/get …*
Mon père/Ma mère me donne …	*My father/mother gives me …*
Mes parents me donnent …	*My parents give me …*
quinze euros/dix livres …	*fifteen euros/ten pounds …*
… par heure/jour/semaine/mois	*… per hour/day/week/month*

Postuler à un emploi / *Applying for a job*

une annonce	*an advert*
on recherche …	*we are looking for …*
responsabilités	*responsibilities*
qualifications	*qualifications*
compétences	*skills*
expérience	*experience*
atouts	*strengths*
remplir un CV	*to fill in a CV*
écrire une lettre de motivation	*to write a covering letter*
faire une vidéo	*to make a video*

Mon stage / *My work experience*

J'ai fait un stage …	*I did work experience …*
dans un bureau	*in an office*
dans un garage	*in a garage*
dans un hôtel	*in a hotel*
dans un magasin de mode	*in a clothes shop*
dans un salon de coiffure	*in a hairdressing salon*
dans une banque	*in a bank*
J'ai servi les clients.	*I served customers.*
J'ai rangé les vêtements.	*I tidied the clothes.*
J'ai aidé les mécaniciens.	*I helped the mechanics.*
J'ai appris à changer des pneus.	*I learned to change tyres.*
J'ai tapé des documents.	*I typed documents.*
J'ai fait des photocopies.	*I made photocopies.*
J'ai lavé les cheveux des clients.	*I washed customers' hair.*
J'ai fait du café.	*I made coffee.*
J'ai passé l'aspirateur.	*I did the vacuuming.*
J'ai répondu au téléphone.	*I answered the phone.*
J'ai pris des réservations.	*I took bookings.*
J'ai envoyé des e-mails.	*I sent emails.*

C'était une bonne expérience? / *Was it a good experience?*

C'était …	*It was …*
amusant/bien	*fun/good*
génial/intéressant	*great/interesting*
passionnant	*exciting*
une bonne expérience	*a good experience*
difficile/ennuyeux	*difficult/boring*
fatigant/monotone	*tiring/monotonous*
(complètement) nul	*(completely) rubbish*
une mauvaise expérience	*a bad experience*
Mon patron/Ma patronne était …	*My boss was …*
gentil(le)/trop sévère.	*kind/too strict.*
Mes collègues (n')étaient (pas) (très) sympa.	*My colleagues were (not) (very) nice.*
J'ai beaucoup appris.	*I learned a lot.*
Je n'ai rien appris.	*I didn't learn anything.*

Les mots essentiels / *High-frequency words*

si	*if*
bien	*well*
mal	*badly*
vraiment	*really*
plutôt	*quite/rather*
seulement	*only*
déjà	*already*
à part	*apart from*
Je n'aime pas … et je n'aime pas … non plus.	*I don't like … and I don't like … either.*

8 Un œil sur le monde
Point de départ

● *Talking about what makes you tick and what concerns you*

1 écouter **Écoutez et écrivez les <u>deux</u> priorités pour chaque personne, en choisissant les bons mots de l'encadré. (1–4)**

1 Zélie
2 Maé
3 Léon
4 Salomé

le sport	**la musique**	**ma santé**	**ma famille**
mes études	**mes animaux**	**mes amis**	**l'argent**

2 écrire **Écrivez ces phrases correctement.**

1 Ce qui est important pour moi dans la vie, c'est d'abord , ensuite c'est [image], et puis c'est [image] .

2 Ce qui est important pour moi dans la vie, c'est d'abord [image] , ensuite c'est [image] , et puis c'est [image] .

3 Ce qui est important pour moi dans la vie, c'est d'abord [image] , ensuite c'est [image] , et puis c'est [image] .

> ⭐ • *qui* means 'who'
> • *ce qui …* means 'that which/what …'
> *Ce qui est important pour moi, c'est …*
> What's important to me is …

3 parler **À quatre. Faites un dialogue.**

● *Qu'est-ce qui est important pour toi dans la vie, Caroline?*

■ *Ce qui est important pour moi dans la vie, c'est d'abord … Ensuite, c'est …, et puis c'est … Et pour toi, Jack?*

▲ *Ce qui est important pour moi, …*

4 lire **Reliez les images et les titres.**

la faim   l'injustice   l'état de la planète   la cruauté envers les animaux

le racisme   la guerre   la pauvreté   la violence

5 écouter **Écoutez et lisez. Trouvez dans les textes l'équivalent français de ces expressions anglaises.**

> ## Qu'est-ce qui te préoccupe? Qu'est-ce qu'on peut faire pour aider?
>
> Ce qui me préoccupe, c'est la pauvreté dans le monde. Il faut lutter contre la faim! Pour aider, on peut parrainer un enfant en Afrique ou on peut donner de l'argent à une association caritative. **Vincent**
>
> Ce qui me préoccupe, c'est l'environnement. Il faut agir maintenant! On peut faire du bénévolat avec une organisation comme Greenpeace. On peut aussi recycler tous les jours! **Matthieu**
>
> Ce qui me préoccupe, c'est la cruauté envers les animaux. Pour aider, on peut travailler avec une organisation qui s'occupe d'animaux abandonnés. **Cécile**
>
> Ce qui me préoccupe, c'est l'injustice. Il faut signer des pétitions et participer à des manifestations! **Léna**

1 What concerns me is poverty.
2 You have to fight against hunger!
3 In order to help, you can sponsor a child.
4 You can give money to a charity.
5 We need to act now!
6 You can do voluntary work with an organisation like Greenpeace.
7 You can work with an organisation that looks after abandoned animals.
8 You have to sign petitions and take part in demonstrations.

6 écouter **Écoutez. Copiez et complétez le tableau en anglais. (1–4)**

	two priorities	concern	action
1	family, …		

7 parler **Faites un sondage dans votre classe. Posez ces questions et répondez-y.**

- Qu'est-ce qui est important pour toi dans la vie? *Ce qui est important pour moi, c'est …*
- Qu'est-ce qui te préoccupe dans la vie? *Ce qui me préoccupe, c'est …*
- Qu'est-ce qu'on peut faire pour aider? *À mon avis, on peut …*

8 lire **Lisez ce texte. Copiez et terminez les phrases correctement.**

1 Ousmane's priority is …
2 This weekend, he is going to …
3 He is concerned about …
4 So he decided to …
5 He thinks we need to … and …

Ousmane

Ce qui est important pour moi, c'est d'abord ma famille. J'adore passer du temps en famille. Ce week-end, je vais manger au restaurant avec mes parents, mes frères et mes cousins car on va fêter l'anniversaire de ma tante.

Ce qui me préoccupe beaucoup, c'est l'environnement, alors j'ai décidé de devenir membre de Greenpeace France, une organisation qui protège l'environnement.

À mon avis, il faut éduquer les gens et attirer leur attention sur les problèmes environnementaux.

9 écrire **Écrivez un paragraphe sur ce qui est important pour vous et sur ce qui vous préoccupe.**

> Ce qui est important pour moi dans la vie, c'est d'abord … Ensuite, c'est … et puis, c'est …
> Ce qui me préoccupe dans la vie, c'est d'abord … Ensuite, c'est … et puis, c'est …
> Pour aider, on peut …

1 Notre planète

• *Discussing the weather and natural disasters*
• *More on the simple future tense*

1 écouter **Écoutez les prévisions météo à la radio. Notez <u>en anglais</u> le temps qu'il fera dans chaque région sur la carte. (1–6)**

> *Quel temps fera-t-il?*

Il y aura …	There will be …
de la pluie.	rain.
de la neige.	snow.
du vent.	wind.
du tonnerre.	thunder.
des averses.	showers.
des éclairs.	lightning.
des éclaircies.	sunny intervals.
Il fera …	It/The weather will be …
beau/mauvais.	good/bad.
chaud/froid/frais.	hot/cold/chilly.
Le temps sera …	The weather will be …
ensoleillé.	sunny.
nuageux.	cloudy.
orageux.	stormy.

la Manche — ① Lille
Brest — ② ⑥ Paris — Strasbourg ⑤
l'Atlantique — Clermont-Ferrand — Lyon
Bordeaux — ③
④ Marseille
la Méditerranée

Ⓖ The simple future tense ❯ Page 218

When you use the **simple future tense** to talk about the weather, you are mostly using the third person singular (*il* form) of *faire*, *avoir* and *être*. The *il* form ending is *-a*.

*Il **fera** frais.*	It will be chilly.
*Il y **aura** du vent.*	There will be wind./It will be windy.
*Le temps **sera** orageux.*	The weather will be stormy.

2 lire **Lisez le texte et répondez aux questions en anglais.**

Le changement climatique: quelles seront les conséquences en France et dans le monde?

Selon de nombreux scientifiques, la température globale augmentera d'environ 6°C au cours du XXIe siècle.

En France, une des conséquences du changement climatique sera qu'il y aura plus de pluie en hiver mais moins de pluie en été. De plus, il y aura moins de neige.

Ailleurs dans le monde, les conséquences seront plus graves. Il y aura plus de tempêtes tropicales comme le cyclone Pam, un très violent ouragan qui a frappé les petites îles de Vanuatu, dans le Pacifique sud, le 14 mars 2015. Il a causé d'énormes destructions et plusieurs morts.

le changement climatique *climate change*

1 According to scientists, what will happen during the course of the 21st century?
2 How will this affect the rainfall in France?
3 What does the article say about snow?
4 What were the effects of cyclone Pam?

> ⭐ Many of the new words in this article are cognates, which means that they look like the English, e.g. *conséquences, température* and *destructions*. You should be able to understand them.

3 écouter Écoutez. Quel est le plus grand problème environnemental pour la planète, selon ces personnes? Écrivez la bonne lettre. (1–8)

Les problèmes environnementaux

a le manque d'eau potable

b la disparition des espèces

c la destruction des forêts tropicales

d la surpopulation

e la pollution de l'air

f la sécheresse

g les inondations

h les incendies

4 parler Faites un sondage dans votre classe.

● *Quel est le plus grand problème environnemental, selon toi?*
■ *À mon avis, le plus grand problème environnemental, c'est …*

5 lire Lisez ces textes. Quels <u>deux</u> problèmes <u>ne sont pas</u> mentionnés?

À mon avis, le plus grand problème pour la planète, c'est la pollution de l'air. Les voitures, les avions, etc. contaminent l'air et causent beaucoup de problèmes. On détruit la planète. **Raphaël**

Selon moi, le plus grand problème, c'est la destruction des forêts tropicales. Les arbres nous donnent de l'oxygène et nous les coupons tous les jours. C'est catastrophique! **Marion**

Selon moi, le plus grand problème environnemental pour notre planète, c'est le manque d'eau potable. Beaucoup de personnes n'ont pas accès à cette ressource vitale. C'est très inquiétant. **David**

drought   the destruction of the rainforests

the lack of drinking water   air pollution   fires

6 écrire Écrivez une réponse à cette question. *À ton avis, quel est le plus grand problème pour la planète et pourquoi?*

Pour moi, le plus grand problème environnemental pour la planète, c'est …		
la pollution de l'air		on détruit la planète.
la destruction des forêts tropicales	parce que/qu'	les arbres nous donnent de l'oxygène et nous les coupons tous les jours.
le manque d'eau potable		beaucoup de personnes n'ont pas accès à cette ressource vitale.
C'est très inquiétant./C'est catastrophique.		

2 Protéger l'environnement

● *Talking about protecting the environment*
● *Using* on doit *and* on peut + *the infinitive*

1 écouter **Écoutez et lisez. Trouvez les <u>deux</u> bonnes images pour chaque tweet. Ensuite, copiez la bonne phrase du tweet pour chaque image.**

Exemple: **MaudAcker** c (on doit trier les déchets); f (on peut faire du compost)

Que doit-on faire pour sauver notre planète? Quelles sont vos idées?

 MaudAcker @Maud12
Déjà, on doit trier les déchets et on peut aussi faire du compost à la maison. C'est facile!

 Natalie @Natfille
On doit éteindre les appareils électriques et la lumière en quittant une pièce. On peut aussi mettre un pullover au lieu d'allumer le chauffage.

Loïc @LoicK
À mon avis, on doit utiliser du papier recyclé. On doit aussi acheter des produits verts et des produits bio.

 AntoninLahoud @Antonin46
On doit utiliser les transports en commun. C'est important. On peut même aller au collège à vélo.

 Mimi @Mlleunetelle
Je pense qu'on doit refuser les sacs en plastique. On doit aussi avoir une bouteille d'eau au lieu de prendre un gobelet jetable.

en quittant	on leaving
au lieu de	instead of
bio	organic

2 lire **Reliez les tweets de l'exercice 1 et ces hashtags.**

a #consommer_moins_d'énergie
b #réutiliser
c #recycler
d #voyager_autrement
e #faire_des_achats_responsables

> **G** *Using* on doit *and* on peut + *the infinitive* ❯ *Page 212*

Pouvoir (to be able to/can) and *devoir* (to have to/must) are known as modal verbs. Use them followed by a verb in the infinitive.

je **peux**	I can		je **dois**	I must
tu **peux**	you can		tu **dois**	you must
il/elle/on **peut**	he/she/one can		il/elle/on **doit**	he/she/one must

On peut aller au collège à vélo. You can go to school by bike.
On doit utiliser les transports en commun. We have to use public transport.

3 parler **À deux. Préparez chacun une présentation pour répondre à la question ci-dessous.**

Que peut-on faire pour mieux protéger notre planète?

a

On peut … On doit …

et on doit aussi … et en plus, on peut …

b

On peut … On doit …

et on doit aussi … et en plus, on peut …

4 écouter **Écoutez. Quelle solution <u>n'est pas</u> mentionnée?**

Que peut-on faire de plus pour économiser l'eau?

a On peut fermer le robinet en se lavant les dents.

c On peut prendre une douche au lieu de prendre un bain.

b On doit boire l'eau du robinet.

d On doit tirer la chasse d'eau moins fréquemment.

5 lire **Lisez le blog et complétez les phrases en anglais.**

UNE MAISON VERTE EST UNE MAISON HEUREUSE ...

Jean

Je suis passionné par l'écologie et je fais beaucoup de choses pour l'environnement. À la maison, je recycle le verre, le carton et le papier. J'allume rarement le chauffage et j'éteins la lumière en quittant une pièce (bien sûr!). J'économise l'eau en prenant une douche au lieu d'un bain.

Au collège, je suis membre de l'équipe verte. Nous encourageons nos camarades à faire plus d'efforts pour sauver la planète. Maintenant, tout le monde éteint les ordinateurs après utilisation, par exemple. Je suis très fier de nos efforts!

L'année prochaine, nous allons installer des panneaux solaires sur le toit et nous allons aussi créer un jardin!

1 At home, Jean recycles ..., ... and ...
2 He saves water by ... instead of ...
3 At school, he is a member of ...
4 Everyone switches off ... when they are not needed.
5 Next year, they are going to install ... and create ...

> ⭐ The present participle is a special form of the verb that ends in *-ant*. It is often used after *en*, when it can mean one of three different things:
>
> <u>on</u> doing — *J'éteins la lumière **en quittant** une pièce.*
> I turn the lights off **on leaving** a room.
>
> <u>by</u> doing — *J'économise l'eau **en prenant** une douche au lieu d'un bain.*
> I save water **by taking** a shower instead of a bath.
>
> <u>while</u> doing — *Je ferme le robinet **en me lavant** les dents.*
> I turn off the tap **while brushing** my teeth.

6 écouter **Écoutez. Copiez et complétez le tableau en anglais. (1–3)**

	present	future
I	separates, ...	

7 écrire **Écrivez un paragraphe sur les actions pour protéger l'environnement.**

Say:
• what you/we can or must do, using *on peut* and *on doit* (*On peut utiliser les transports en commun, on doit refuser les sacs en plastique.*)
• what you currently do at home or at school, using the present tense (*Actuellement, je recycle/trie/fais/vais/refuse/bois ..., on utilise/ prend ...*, etc.)
• what you are going to do, using the near future (*À l'avenir, je vais/ on va faire du compost/installer des panneaux solaires*, etc.)

> ⭐ Link your ideas together using phrases like *en plus* and *ensuite* – don't just write a long list! Use time and place phrases like *à la maison, à l'école/au collège, actuellement* and *à l'avenir* to add interest.

3 D'où vient ton tee-shirt?

1 écouter **Écoutez et lisez. Reliez les images de la bande dessinée et les titres.**

D'OÙ VIENT TON TEE-SHIRT «J'ADORE PARIS»?

①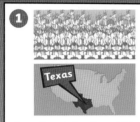
Le coton de ton tee-shirt est cultivé au Texas, aux États-Unis. (Oui, le coton est une plante!)

②
Ensuite, les balles de coton sont transportées en Californie où elles sont chargées sur des bateaux et exportées vers la Chine.

③
À Shanghai, les fibres de coton sont transformées en tissu. Ensuite, le tissu est transporté vers une usine de vêtements où il est transformé en tee-shirt.

④
Le tee-shirt continue son voyage et repart pour la France où le motif «J'adore Paris» est imprimé dessus.

⑤
Tu vois le tee-shirt à Paris et tu l'achètes. Tu portes le tee-shirt pendant un moment et puis tu le donnes à une association caritative.

⑥
Après un certain temps, ton tee-shirt est envoyé en Afrique où il est vendu sur un marché à un prix très favorable.

Toi, tu ne vas pas oublier ton tee-shirt «français», fabriqué avec du coton américain par des ouvriers chinois, acheté par toi, une touriste belge, et qui a fini sur un marché sénégalais.

a Making the T-shirt

b The T-shirt's final destination

c Growing the cotton

d Transporting the cotton

e Buying the T-shirt

f Adding the logo

2 lire **Relisez le texte. Trouvez l'équivalent français de ces expressions.**

1 The cotton for your T-shirt is grown in Texas.
2 The cotton balls are transported to California.
3 The cotton fibres are transformed into fabric.
4 The fabric is transported …
5 The logo 'I love Paris' is printed on it.
6 Your T-shirt is sent to Africa, where it is sold.

> **Ⓖ** *The passive* **❯** *Page 221*

The **passive** is used to talk about things that <u>are done</u>. To form it, use the correct form of ***être*** in the present tense, followed by a past participle. The past participle must agree with the subject.

Le coton (m, sg) ***est cultivé***. The cotton **is grown**.
Les balles (f, pl) *de coton **sont transportées***. The cotton balls **are transported**.

3 lire **Lisez les textes et répondez aux questions.**

 Les produits pas chers sont souvent fabriqués dans des conditions de travail inacceptables. Les ouvriers sont sous-payés et leur journée de travail est trop longue. *Ethan*

 C'est vrai. Ceci dit, les gens dans les pays pauvres ont besoin de travailler. Il faut forcer les grandes marques à garantir un salaire minimum. *Leïla*

 Pour moi, le prix est important. Cependant, je pense que c'est mieux de payer un peu plus pour avoir quelque chose de qualité. On doit tous acheter des habits issus du commerce équitable. *Margot*

 À part tout cela, il faut réfléchir à l'impact sur l'environnement. On doit acheter des vêtements fabriqués en France. Évitons la pollution! *Esteban*

 Oui. En ce qui concerne le shopping, il faut essayer de respecter l'homme et l'environnement à la fois. *Blanche*

Who thinks …
1 that companies should guarantee a minimum wage?
2 that the working day can be too long?
3 that we should buy products made in France?
4 that both people and the planet should be considered?
5 that we should buy fair trade clothing?

 Look at how these phrases are used in the texts in exercise 3.

ceci dit	having said that
cependant	however
à part tout cela	apart from all of that
en ce qui concerne …	as far as … is concerned

You can improve your French by including them in your oral and written work.

4 écouter **Écoutez et choisissez la bonne fin de chaque phrase. (1–3)**

1 Élise …
  A always buys fair trade products.
  B buys fair trade products when she can afford them.
  C cannot afford fair trade products.

2 Fabrice buys clothes made in France because …
  A they are cheaper.
  B they are better quality.
  C it's better for the environment.

3 Alice …
  A cares only about the price.
  B makes quite a lot of effort to shop responsibly.
  C is really concerned about workers' rights.

 Before you listen, read all of the answer options carefully. Sometimes things that relate to more than one option will be mentioned in the audio, but you might hear them in the negative (with *ne … pas*, for example) or they might be a different person's views. Listen carefully so that you can choose the correct answers.

5 parler **À quatre. Une personne donne son opinion. Chaque personne ajoute quelque chose.**

● *À mon avis, il faut forcer les grandes marques à garantir un salaire minimum.*

■ *Je suis d'accord avec toi. Les ouvriers sont sous-payés.*

▲ *Pour moi, le prix est important.*

◆ *Cependant, on doit acheter des habits issus du commerce équitable.*

- *Talking about volunteering*
- *Using emphatic pronouns*

1 lire **Lisez l'article et mettez les images dans l'ordre du texte.**

Tu as envie de faire du bénévolat?
Voici quelques possibilités ...

Tu peux ...

⋆ travailler avec les personnes âgées. Pourquoi ne pas passer un après-midi par semaine chez tes voisins et jouer à un jeu avec eux?

⋆ travailler avec les enfants. Pourquoi ne pas aider un enfant avec ses devoirs?

⋆ travailler avec les sans-abri. Pourquoi ne pas discuter avec eux?

⋆ travailler avec les animaux. Pourquoi ne pas être au contact de chiens et de chats sans foyer?

⋆ participer à un project de conservation. Pourquoi ne pas planter des arbres?

2 écouter **Écoutez. Notez ce que chaque personne fait comme bénévolat. Ensuite, notez les lettres des <u>deux</u> raisons données. (1–3)**

Exemple: **1** works with homeless people – d, ...

Je fais du bénévolat parce que ...

a pour moi, c'est important d'aider les autres.	*for me, it's important to help other people.*
b pour moi, c'est important de participer à la vie en société.	*for me, it's important to participate in society.*
c j'aime développer de nouvelles compétences.	*I like developing new skills.*
d j'aime rencontrer de nouvelles personnes.	*I like meeting new people.*
e c'est une expérience enrichissante pour moi.	*it's a rewarding experience for me.*
f ça me donne plus confiance en moi.	*it gives me more confidence in myself.*

3 parler **À deux. Interviewez votre partenaire au sujet du bénévolat.**

- *Qu'est-ce que tu aimerais faire comme bénévolat/travail bénévole?*
- *J'aimerais travailler avec les enfants/ les personnes âgées/les sans-abri ...*
- *Et pourquoi faire du bénévolat?*
- *Pour moi, c'est important ... En plus, c'est une expérience .../j'aime ... Et toi?*

G *Emphatic pronouns*

Emphatic pronouns are used after prepositions like *pour* (for), *avec* (with) and *chez* (at ...'s house).

emphatic pronouns	
moi	*nous*
toi	*vous*
lui/elle	*eux/elles*

Pour **moi**, c'est important d'aider les autres.
For **me**, it's important to help others.

*Pourquoi ne pas discuter avec **eux**?*
Why not talk to **them**?

4 lire **Lisez ces textes et répondez aux questions en anglais.**

Profils de bénévoles

L'année dernière, **Anaïs**, 18 ans, a trouvé un chien abandonné dans la rue. Maintenant, elle travaille dans un refuge pour animaux trois soirs par semaine, après le lycée. Pour elle, c'est une expérience enrichissante. Elle dit: «Je promène les chiens et je discute avec les personnes qui voudraient adopter un animal. J'aimerais continuer de travailler avec les animaux plus tard.»

Oriane, 24 ans, avait été choquée par l'augmentation du nombre de sans-abri dans sa ville, donc elle a décidé de devenir membre de l'organisation Autremonde. Autremonde travaille avec des sans-abri qui affrontent tous les jours les difficultés de la rue: le froid, la faim, la solitude. Oriane dit: «Je pense que c'est important d'aider les autres. Je parle avec les SDF et je prends un café avec eux.»

Pendant l'été, **Gaël**, 21 ans, a travaillé sur un stand d'Oxfam pendant les grands festivals de musique. Il avait décidé de travailler avec Oxfam car il avait lu beaucoup d'articles sur le changement climatique. Il a parlé aux festivaliers de l'importance de respecter l'environnement. Pour lui, c'est important de participer à la vie en société. Il dit: «En plus, j'ai profité de l'ambiance et de la musique, bien sûr!»

les sans-abri/les SDF (sans domicile fixe)
homeless people ('people without shelter'/'people with no fixed abode')

1. Where and when does Anaïs work?
2. What does her volunteer work involve? Give <u>two</u> details.
3. Why did Oriane decide to become a member of Autremonde?
4. What difficulties do homeless people face, according to the text? Name <u>two</u> things.
5. What did Gaël do last summer?
6. What did Gaël speak to festival-goers about?

> ⭐ The **pluperfect tense** is used to talk about what you <u>had</u> done/seen, etc. (before you did something else). It is formed using the imperfect tense of *avoir* or *être* plus a past participle, e.g. *Il/Elle **avait** lu* … He/She **had** read …

 5 lire **Traduisez le texte sur Anaïs en anglais.**

 6 écouter **Écoutez Roméo. Écrivez les lettres des <u>trois</u> phrases qui sont vraies.**

a Roméo plays in a football team.
b He volunteers regularly.
c His school organises a car wash at Christmas.
d Last year, Roméo participated in a sponsored race.
e He raised 100 euros.

> ⭐ Don't panic if you come across a context you haven't met before. Listen out for words you <u>do</u> know, and use the questions to help you too.

 7 écrire **Imaginez que vous faites du bénévolat. Écrivez un paragraphe.**

- Say how often you volunteer. *Je fais du bénévolat … fois par semaine …*
- Say what you do. *Je travaille avec les …/Je participe à …*
- Add details if you can. *Je vais chez mes voisins et …/Je promène des chiens …*
- Say why you do it. *Je fais ça parce que pour moi, c'est important/j'aime …*
- Say what you would like to do as volunteer work in the future. *Plus tard, j'aimerais …*

1 lire **Lisez les textes. Copiez et complétez le tableau en anglais.**

	event?	takes place when?	opinion?
Quentin	Tour de France		
Louna			
Capucine			

le Tour de France

Ce qui est important pour moi dans la vie, c'est le sport. J'ai commencé à faire du vélo il y a cinq ans et je suis fan du Tour de France, un événement qui est connu dans le monde entier. Il a lieu pendant les trois premières semaines de juillet. À mon avis, ça donne des modèles aux jeunes car les cyclistes sont une source d'inspiration. En plus, je pense que ce genre d'événement encourage la pratique du sport. L'été prochain, je vais encore regarder le Tour, bien sûr! *Quentin*

Ce qui est important pour moi dans la vie, c'est la culture! L'été dernier, je suis allée au festival d'Avignon. C'est le plus grand festival de théâtre au monde et il a lieu au mois de juillet. De nombreuses pièces sont jouées partout dans la ville. À mon avis, cet événement est fabuleux parce qu'il permet aux gens de s'amuser. Il y a vraiment une ambiance magique! L'année prochaine, je vais aller au festival d'Édimbourg. Ça va être génial aussi! *Louna*

le festival d'Avignon

le carnaval de Nice

Ce qui est important pour moi dans la vie, c'est la danse! Je fais partie d'un groupe de danse. Avec notre prof, nous sommes allées deux années de suite au carnaval de Nice. J'ai ADORÉ! Ça se passe en février et c'est génial. Cet événement est vraiment bien car il attire des touristes du monde entier. Il y a des gens partout! L'année prochaine, je vais y retourner! *Capucine*

il a lieu/ça se passe …	*it takes place …*

Cet événement/Ce genre d'événement …	This event/This type of event …
attire des touristes.	*attracts tourists.*
encourage la pratique du sport.	*encourages participation in sport.*
donne des modèles aux jeunes.	*gives young people role models.*
permet aux gens de s'amuser.	*allows people to have a good time.*
unit les gens.	*unites people.*

2 lire **Relisez les textes de l'exercice 1 et trouvez l'équivalent français de ces phrases anglaises.**

1 … which is known throughout the world
2 it's the biggest … festival in the world
3 numerous plays are performed throughout the town
4 there really is a magical atmosphere
5 we went two years in a row
6 I'm going to go back there next year

3 écouter **Écoutez Luc. Choisissez la bonne fin de chaque phrase.**

1 Luc adore … **a** le basket. **b** le rugby. **c** le foot.
2 Luc a vu la Coupe du monde il y a … **a** quatre ans. **b** un an. **c** deux ans.
3 Luc pense que ce genre d'événement … **a** unit les gens. **b** donne des modèles aux jeunes. **c** encourage la pratique du sport.
4 Luc et ses amis vont voir la Coupe du monde en … **a** 2021. **b** 2022. **c** 2023.

4 parler

À deux. Présentez ces événements à des touristes.

Exemple: **a**

Le Festival Mondial du Cirque de Demain a lieu au mois de janvier à Paris.
Cet événement encourage la pratique des arts du cirque.
C'est super!

a
le Festival Mondial du Cirque de Demain ☺
janvier   Paris
encourage la pratique des arts du cirque

b
la fête de la Musique ☺
juin   partout en France
attire les touristes et unit les gens

c
le marché de Noël ☺
décembre   Lille
permet aux gens de s'amuser

 5 lire

Lisez le texte et complétez-le avec les verbes de l'encadré.

Ce qui est important pour moi dans la vie, c'est la musique!
1 _____ et je joue de la guitare. C'est ma passion.

L'année dernière, au mois de juillet, **2** _____ au festival
les Vieilles Charrues avec deux copains. Des chanteurs et des
groupes de musique **3** _____ de partout pour y jouer!

On s'est vraiment amusés! **4** _____ Louane et Pharrell
Williams, que j'adore. L'ambiance **5** _____ formidable.
Nous avons rencontré de nouvelles personnes sympa.
La musique **6** _____ les gens!

L'année prochaine, **7** _____ au festival avec mes
copains. On va y passer quatre jours, cette fois. Et dans
le futur, **8** _____ avec l'association qui organise
les Vieilles Charrues. Ça va être super!

je suis allé	je vais faire un stage	viennent	était
je vais retourner	unit	je chante	nous avons vu

 6 écouter

Écoutez et vérifiez vos réponses.

 7 écrire

Écrivez un article pour un magazine au sujet de votre passion et de votre expérience d'un événement.

Ce qui est important pour moi dans la vie, c'est …	
L'année dernière/L'été dernier/Au mois de juillet, je suis allé(e) à … avec …	
Cet événement est connu dans le monde entier. C'est le plus grand festival de … au monde/au Royaume-Uni.	
À mon avis, cet événement …	encourage la pratique du sport/ du théâtre/de la musique. unit les gens. permet aux gens de s'amuser.
Nous avons vu …/Nous avons rencontré …/Nous avons chanté/dansé/ mangé …	
C'était génial/super!/L'ambiance était magique!	
L'année prochaine, je vais … Ça va être …	

⭐
• Show that you can use three time frames confidently.
• Use different parts of the verb: *je, nous, cet événement* …
• Use opinion phrases like *à mon avis* and *pour moi*.
• Link your ideas together using words and phrases like *aussi, en plus* and *d'ailleurs*.

1 lire   **Lisez ces conseils publiés dans un magazine et répondez aux questions.**

On doit tous faire plus d'efforts pour sauver la planète. Vous triez les déchets ou vous achetez des produits verts? Il est évident que vous êtes passionné(e) par l'écologie mais ce n'est pas assez! Préférez plutôt consommer moins parce que les ressources naturelles ne sont pas infinies.

1 Quel est le geste <u>le plus important</u> pour protéger l'environnement, selon l'article? Écrivez la bonne lettre.

A	acheter moins
B	recycler le verre et le carton
C	choisir des produits écologiques

> ⭐ All of the answer options in questions 1 and 2 relate to something that is mentioned in the texts, so you need to read the texts really carefully for detail. Make sure that you choose the most important option for question 1.

Tout le monde sait qu'on doit économiser l'eau. Cependant, ne jamais tirer la chasse d'eau des WC, c'est dégoûtant! Alors fermez le robinet pendant que vous vous lavez les dents et prenez une douche au lieu de prendre un bain!

2 Qu'est-ce que ce message recommande <u>exactement</u>? Écrivez la bonne lettre.

A	ne pas tirer la chasse d'eau
B	ne pas prendre de bain
C	ne pas se laver les dents

2 lire   **Lisez l'e-mail de Lilou qui parle du shopping et regardez les questions sur la page suivante.**

Salut,

C'est les soldes d'été! Tous mes copains sont contents mais pas moi. Je ne suis pas contente parce que je n'ai pas le droit d'acheter de nouveaux vêtements pour les vacances. Ma mère dit que les ouvriers qui fabriquent les vêtements ne sont pas assez payés et que leur journée de travail est trop longue. À son avis, le mieux serait d'apprendre à fabriquer mes propres vêtements mais c'est trop difficile pour moi. C'est ce que ma sœur a fait quand elle avait mon âge. C'était intéressant pour elle mais maintenant, elle achète des vêtements fabriqués en France. Moi, je vais trouver un job. Comme ça, j'aurai assez d'argent pour acheter des habits issus du commerce équitable.

Et toi, qu'en penses-tu?

À plus,

Lilou

Répondez aux questions <u>en français</u>.

Exemple: Les amis de Lilou sont contents. Pourquoi?

C'est les soldes.

1 Pourquoi Lilou est-elle triste?
2 Qu'est-ce que sa mère pense exactement?
   Donnez <u>deux</u> détails.
3 Que fait la sœur de Lilou en ce moment?
4 Que va faire Lilou?

> Having to answer questions in French can seem quite daunting, but don't panic. You can usually lift your answer directly from the text, but make sure you write only the relevant words – don't copy out huge chunks.

 Vous écoutez une radio française en ligne. Ces jeunes parlent des problèmes environnementaux. Pour chaque personne, choisissez un problème et écrivez la bonne lettre. (1–4)

A le changement climatique
B le manque d'eau potable
C la surpopulation

D la surpêche
E la destruction des forêts tropicales
F la pollution de l'air

 While on holiday in France, you hear these news reports on the car radio. For each report, choose the topic from the list and write down the correct letter. (1–4)

A a French champion
B a heatwave
C a tropical storm
D a cultural celebration
E a burglary
F a demonstration

> Don't worry that you don't understand every word in the news reports. You don't need to! Try to pick up the general gist and then match this to one of the topics.

 Écoutez Sandrine qui parle d'un festival en France. Choisissez la bonne fin de chaque phrase et écrivez la bonne lettre. (1–3)

Exemple: Il s'agit d'un festival … B
   A de surf.
   B de cerf-volant.
   C de musique.

1 Le dimanche, il y a …
   A des démonstrations.
   B des concours.
   C une chasse aux œufs de Pâques.

2 Sandrine préfère les ateliers où on peut …
   A faire des sports nautiques.
   B fabriquer des choses.
   C cuisiner.

3 Le spectacle son et lumière commence le soir à …
   A neuf heures.
   B dix heures.
   C onze heures.

> Take care with multiple choice activities like this one. They may seem easy at first, but each question has been set to test your understanding. For example, with question 1, all three activities are mentioned, but you have to listen very carefully to find the answer that fits exactly.

A – Picture-based discussion

- Look at the photo.
- Make any notes you wish to on paper.
- Your teacher will then ask you questions about the photo and about topics related to **global issues**.

Your teacher will ask you the following three questions and then **two more questions** which you have not prepared.

- Qu'est-ce qu'il y a sur la photo?
- Tu es déjà allé(e) à un festival de musique ou à un concert?
- Quels sont les avantages des grands événements?

1 **Look at the photo and read the task. Then listen to Farah's answer to the <u>first</u> question.**

1 Farah says who is in the picture, where they are and what they are doing. What else does Farah talk about to expand her answer?
2 What do you think *devant une scène* means?
3 What do you think *sans doute* means?

2 **Listen to and read how Farah answers the <u>second</u> question.**

1 Write down the missing word(s) for each gap.

> Oui, l'année dernière, je suis allée à un festival de musique qui a lieu dans **1** ▢▢▢ près de chez moi. C'est le **2** ▢▢▢ festival dans notre région et il est connu dans le monde entier! Je suis allée au festival avec quatre copines et c'était génial! **3** ▢▢▢ un groupe de reggae et un duo de hip-hop mais mon artiste préférée, c'était une jeune **4** ▢▢▢. Il y avait beaucoup de festivaliers et **5** ▢▢▢ était magique! À la fin, on a mangé des **6** ▢▢▢.

2 Look at the Answer booster on page 168. Find at least <u>five</u> examples of language Farah uses to make her answer a strong one.

3 Listen to how Farah answers the **third** question.

1 What does she say the advantages of big events are?
2 What does she say the disadvantages are?
3 Look at the 'Opinions and reasons' and 'Connectives' rows of the Answer booster on page 168. Note down the phrases that Farah uses to present both sides of the argument.

> ⭐ You will be asked your opinion on different topics, so it's useful to have a bank of opinion phrases at the ready that you can use regardless of what you are discussing. You should find a few you could use in Farah's third answer.

 4 Prepare your own answers to the three questions on the task card. Think about which other two questions you could be asked. Then listen and take part in the full picture-based discussion.

B – General conversation

 1 The teacher starts the general conversation by asking Fraser, «Est-ce que tu fais des achats responsables?» Listen to Fraser's answer and correct the mistake in each of the sentences below.

1 Fraser's family always chooses green products.
2 Green products are often cheaper.
3 Fraser would like to buy products that are made in the UK.
4 He is not concerned about working conditions and workers' pay.
5 When shopping, the brand is important to him.

> ⭐ Remember, you must ask the teacher a question at some point during the general conversation. What question does Fraser ask here?

 2 Listen to how Fraser answers the next question: «Qu'est-ce que tu as fait récemment pour protéger notre planète?» Below are the things that Fraser has done. However, he doesn't just say them in a long list! What extra information does he add to expand on each of these points?

1 consumed less energy
2 saved water
3 recycled
4 walked to school

> ⭐ In order to develop your answers as fully as possible, try to ask yourself additional questions like 'Where?' 'When?' 'How often?' 'Who with?' This will help you include extra details to make your answers more interesting.

 3 Listen to how Fraser answers the next question: «Qu'est-ce que tu vas faire pour protéger l'environnement à l'avenir?» Look at the Answer booster on page 168. Write down **five** examples of what he says to make his answer a strong one.

 4 Prepare answers to these questions. Then practise with a partner.

1 Est-ce que tu fais des achats responsables?
2 Qu'est-ce que tu as fait récemment pour protéger notre planète?
3 Qu'est-ce que tu vas faire pour protéger l'environnement à l'avenir?
4 Quel est le plus grand problème environnemental pour la planète, à ton avis?
5 Est-ce que tu voudrais faire du bénévolat dans le futur?

Answer booster	Aiming for a solid answer	Aiming higher	Aiming for the top
Verbs	**Verbs with *je*** **Different time frames:** present, perfect and near future tenses	**Different persons of the verb:** *il/elle/on/nous/ils/elles …* ***Je voudrais/J'aimerais …***	**The perfect and imperfect tenses together:** *Je suis allé(e)/J'ai fait … C'était …*
Opinions and reasons	**Basic verbs of opinion:** *j'aime/J'adore … parce que c'est …*	**Add more variety:** *À mon avis, …/Je crois que …/ Je pense que …/Selon moi, …* **Opinions in different tenses:** *C'était/Ça va être* + adjective	**More sophisticated phrases:** *Ce qui est important pour moi, c'est …* *Ce qui me préoccupe, c'est …*
Connectives	*et, mais, aussi, ou, parce que*	*où, car, quand, donc, alors, puisque*	*cependant, pourtant, par contre, en plus, comme ça* ***pour* + infinitive:** *pour récolter de l'argent*
Other features	**Sequencers:** *d'abord, ensuite, et puis* **Time and frequency phrases:** *cet été, le mois dernier, une fois par semaine, tous les jours*	**Negatives:** *ne … pas, ne … jamais, ne … plus, ne … rien*	**Superlatives:** *C'est le plus grand festival.* *La plus grande menace pour la planète, c'est …*

A – Picture-based task

1 Look at the photo and the task. Write your answer, then check carefully what you have written.

> ⭐ Write in full sentences and try to use a variety of structures. You could describe the people, say what they are doing, say what else is in the photo, etc. Remember you are writing about other people, so you need to use the *il/elle* or *ils/elles* parts of the verb.

Vous envoyez une photo à un(e) ami(e) français(e).

Qu'est-ce qu'il y a sur la photo? Écrivez **quatre** phrases **en français**.

B – Translation

1 Translate the following sentences into French.

1 I go to school by bike.
2 My dad uses public transport.
3 You can make compost at home.
4 My family buys green products.
5 Yesterday I separated the rubbish.

> Even though we don't need an article in English, you need the correct word for 'the' in French here.

> Use *on*. Which modal verb do you need?

> Use the perfect tense.

> Remember to add the correct word for 'some' before the noun: *de la, du, de l'* or *des*?

> Remember to make adjectives agree.

C – Extended writing task

1 Look at the task. Which bullet (first, second, third or fourth) asks you to write about each of the following?

1 something you have done recently to help other people
2 what sort of volunteer work you would like to do in the future
3 what you currently do to help other people
4 why it's important to volunteer

> Vous écrivez un article pour votre blog sur l'importance d'aider les autres.
>
> Décrivez:
> • ce que vous faites pour aider les autres
> • une activité récente où vous avez aidé les autres
> • pourquoi il est important de faire du bénévolat
> • le type de bénévolat que vous aimeriez faire dans le futur.
>
> Écrivez environ **90** mots **en français**. Répondez à chaque aspect de la question.

2 Read Lisa's answer. Find the French equivalent of the phrases below and copy them out.

Une fois par semaine, je rends visite à mes grands-parents. Je tonds la pelouse pour eux. Ils apprécient ça et ça me fait du bien.

Le mois dernier, ma classe a organisé un concert pour récolter de l'argent pour une association caritative. L'ambiance était géniale et nous avons récolté plus de 500£ pour l'organisation Save the Children. Je suis très fière de nous!

À mon avis, il est important de faire du bénévolat parce qu'il faut aider les autres. En plus, c'est bien de rencontrer de nouvelles personnes.

Ce qui me préoccupe, c'est la cruauté envers les animaux donc cet été, j'aimerais travailler dans un refuge pour les animaux abandonnés. Ça va être une expérience enrichissante.

1 Once a week I visit …
2 I mow the lawn for them.
3 They appreciate that.
4 It does me good.
5 to raise money for a charity
6 I am very proud of us!
7 You have to help others.
8 It's good to meet new people.

3 Look at the Answer booster. Note down <u>six</u> examples of language that Lisa uses to write a strong answer.

4 Now write your own answer to the task, using Lisa's text for support and the Answer booster to help you improve your answer. Remember to check your text when you've finished.

Ce qui est important pour moi

What's important to me

Ce qui est important pour moi,
c'est …
  l'argent (m) — money
  le sport — sport
  la musique — music

What's important to me is …
  ma famille — my family
  ma santé — my health
  mes amis — my friends
  mes animaux — my animals
  mes études — my studies

Ce qui me préoccupe

What concerns me

Ce qui me préoccupe, c'est …
  l'environnement — the environment
  l'état (m) de la planète — the state of the planet
  le racisme — racism
  la cruauté envers les animaux — cruelty to animals

  la faim — hunger
  la guerre — war
  l'injustice (f) — injustice
  la pauvreté — poverty
  la violence — violence

Qu'est-ce qu'on peut faire pour aider?

What can we do to help?

On peut faire du bénévolat. — You can do voluntary work.
On peut parrainer un enfant. — You can sponsor a child.
On peut donner de l'argent à une association caritative. — You can give money to a charity.
On peut recycler. — You can recycle.
Il faut agir. — You/We have to act.

Il faut lutter contre la faim. — You/We have to fight against hunger.
Il faut signer des pétitions. — You/We have to sign petitions.
Il faut participer à des manifestations. — You/We have to take part in demonstrations.
Il faut éduquer les gens. — You/We have to educate people.

Quel temps fera-t-il?

What will the weather be like?

Il y aura … — There will be …
  de la pluie — rain
  de la neige — snow
  du vent — wind
  du tonnerre — thunder
  des averses — showers
  des éclairs — lightning
  des éclaircies — sunny intervals

Il fera … — It/The weather will be …
  beau — nice/good
  mauvais — bad
  chaud — hot
  froid — cold
  frais — chilly
Le temps sera … — The weather will be …
  ensoleillé — sunny
  nuageux — cloudy
  orageux — stormy

Les problèmes environnementaux

Environmental problems

Le plus grand problème environnemental, c'est … — The biggest environmental problem is …
  le changement climatique — climate change
  le manque d'eau potable — the lack of drinking water
  la disparition des espèces — the extinction of species
  la destruction des forêts tropicales — the destruction of the rainforests
  la surpopulation — overpopulation
  la pollution de l'air — air pollution
  la sécheresse — drought
  les inondations — flooding/floods

les incendies — fires
Les arbres nous donnent de l'oxygène et nous les coupons tous les jours. — Trees give us oxygen, and every day we cut them down.
Beaucoup de personnes n'ont pas accès à cette ressource vitale. — Lots of people don't have access to this vital resource.
On détruit la planète. — We are destroying the planet.
C'est très inquiétant. — It's very worrying.
C'est catastrophique. — It's catastrophic.

Que doit-on faire pour sauver notre planète?

What should we do to save our planet?

On doit/On peut … — You/We should/can …
  recycler — recycle
  trier les déchets — separate the rubbish
  faire du compost — make compost
  consommer moins d'énergie — consume less energy
  éteindre les appareils électriques et la lumière — turn off electrical appliances and the light
  mettre un pullover au lieu d'allumer le chauffage — put on a jumper instead of turning on the heating
  faire des achats responsables — make responsible purchases
  utiliser du papier recyclé — use recycled paper
  acheter des produits verts et des produits bio — buy green and organic products
  voyager autrement — travel differently

  utiliser les transports en commun — use public transport
  aller au collège à vélo — go to school by bike
  réutiliser — reuse
  refuser les sacs en plastique — turn down plastic bags
  avoir une bouteille d'eau au lieu de prendre un gobelet jetable — have a bottle of water instead of taking a disposable cup
  économiser l'eau — save water
  boire l'eau du robinet — drink tap water
  prendre une douche au lieu de prendre un bain — take a shower instead of a bath
  tirer la chasse d'eau moins fréquemment — flush the toilet less frequently
  fermer le robinet en se lavant les dents — turn off the tap while brushing your teeth
  installer des panneaux solaires — install solar panels

D'où vient ton tee-shirt?

Les produits pas chers sont souvent fabriqués dans des conditions de travail inacceptables.

Les ouvriers sont sous-payés.

Leur journée de travail est trop longue.

Il faut/On doit …
  forcer les grandes marques à garantir un salaire minimum

Where does your T-shirt come from?

Cheap products are often made in unacceptable working conditions.

The workers are underpaid.

Their working day is too long.

We must …
  force big brands to guarantee a minimum wage

acheter des produits issus du commerce équitable

acheter des vêtements fabriqués en France/au Royaume-Uni

réfléchir à l'impact sur l'environnement

essayer de respecter l'homme et l'environnement à la fois

buy fair trade products

buy clothes that are made in France/in the UK

think about the impact on the environment

try to respect people and the environment at the same time

Faire du bénévolat

Tu peux/J'aimerais …
  travailler avec les personnes âgées
  travailler avec les enfants
  travailler avec les sans-abri/ des SDF
  travailler avec les animaux
  participer à un projet de conservation

Je fais du bénévolat parce que …
  pour moi, c'est important d'aider les autres
  pour moi, c'est important de participer à la vie en société
  j'aime développer de nouvelles compétences

Doing volunteer work

You can/I would like to …
  work with elderly people

  work with children
  work with homeless people

  work with animals
  participate in a conservation project
I do volunteer work because …
  for me, it's important to help other people
  for me, it's important to participate in society
  I like developing new skills

j'aime rencontrer de nouvelles personnes

c'est une expérience enrichissante pour moi

ça me donne plus confiance en moi

Je travaille avec …

J'aide un enfant avec ses devoirs.

Je participe à …

Je suis membre de l'organisation …

Je travaille dans un refuge.

Je parle/discute avec …

Je promène les chiens.

I like meeting new people

it's a rewarding experience for me

it gives me more confidence in myself

I work with …

I help a child with his homework.

I participate in …

I am a member of the organisation …

I work in a refuge/shelter.

I talk to …

I walk the dogs.

Les grands événements

Cet événement/Ce genre d'événement …
  attire les touristes
  encourage la pratique du sport
  donne des modèles aux jeunes
  permet aux gens de s'amuser

  unit les gens
L'année dernière/L'été dernier, …
  je suis allé(e) à un festival/à la Coupe du monde
  j'ai vu (le Tour de France)

Big events

This event/This type of event …
  attracts tourists
  encourages participation in sport
  gives young people role models
  allows people to have a good time
  unites people
Last year/Last summer …
  I went to a festival/to the World Cup
  I saw (the Tour de France)

C'est …
  un événement qui est connu dans le monde entier
  le plus grand festival (de théâtre) au monde
Il y a une ambiance magique!
Il a lieu/Ça se passe (à Nice/ en février).
L'été prochain/L'année prochaine, …
  je vais y retourner
  je vais aller à …
  je vais encore regarder …

It's …
  an event that is known throughout the world
  the biggest (theatre) festival in the world
There is a magical atmosphere!
It takes place (in Nice/in February).
Next summer/Next year …
  I am going to go back there
  I am going to go to …
  I am going to watch … again

Les mots essentiels

selon
grave
actuellement
à l'avenir
ceci dit
cependant
à part tout cela
en ce qui concerne …

High-frequency words

according to
serious
currently
in future (from now on)
having said that
however
apart from all of that
as far as … is concerned

d'ailleurs
partout
nombreux/nombreuses
d'un côté
d'un autre côté
le pour
le contre

besides/what's more
everywhere, all over
numerous
on the one hand
on the other hand
the pros
the cons

1 *parler*

Refresh your memory! **In pairs. Look at the adjectives on pages 26 and 27 and play 'personality ping-pong'. One person says a positive adjective, the other says a negative one. Keep going for as long as possible!**

Example:
● Amusant.
■ Têtu.

> ⭐ For an extra challenge, look at the pages for one minute, then close the book and play the game from memory.

2 *écrire*

Refresh your memory! **How many different adjectives can you think of to replace the underlined ones in these sentences? Rewrite the sentences at least four times. Make sure you use the correct adjective endings.**

> Elle est assez petite. Elle a les yeux bleus et les cheveux bruns.

Example: Elle est assez mince. Elle a les yeux …

3 *écouter*

Refresh your memory! **Listen. Copy and complete the grid in English. (1–3)**

	Who are they talking about?	What does he/she look like?	What is his/her personality like?	Do they get on? Why (not)?
1	half-sister/stepsister	green eyes, …		

4 *écrire*

Refresh your memory! **Copy out and complete the following dialogue, using logic and your own ideas. Look back at pages 14–15 for help, if necessary.**

● *Tu veux aller à la piscine?*
■ *Ça dépend. Tu veux y aller 1 _____?*
● *Cet 2 _____-midi.*
■ *Oui, je veux bien. On y va comment?*
● *On y va en 3 _____.*
■ *On se 4 _____ où?*
● *Devant 5 _____.*
■ *On se retrouve à 6 _____ heure?*
● *À 7 _____ heures trente. D'accord?*
■ *D'accord, à plus 8 _____!*

5 *écouter*

You hear some young French people on the radio talking about what makes a good friend. Write down in English one thing which makes a good friend, according to each speaker. (1–3)

> ⭐ You may hear more than one thing mentioned, but if you are asked to give just one detail, choose the one that you are most confident you have understood correctly.

6 lire **Read this abridged extract from *Ah, la famille!* by Moka. Céline is writing her family tree for her school homework. Answer the questions <u>in English</u>.**

> Il y a, d'abord, une petite case où il y a écrit: MOI. Et, au-dessus, deux autres cases: PAPA et MAMAN.
>
> – Qu'est-ce que je mets dans la case PAPA?
>
> – Ben, tu mets François, répond Maman.
>
> – Et pourquoi ça? demande Papa.
>
> – Parce que c'est son père, dit Maman.
>
> C'est un peu compliqué, parfois, d'avoir deux papas. Mon vrai papa, il est parti, il y a longtemps. Je ne le vois jamais. Maman s'est mariée avec Nicolas qui est mon deuxième papa. Il fait très bien l'affaire.

1 What does Céline's mother tell her to put in the box marked 'Dad'?

2 How does Céline describe having two fathers?

3 How often does Céline see her real father?

4 Who does Céline think is doing a good job?

> ⭐ When you read a French text with dialogue in it, what each person says will usually begin with a dash, like this: –. Also look for words like *dit* (says), *demande* (asks) and *répond* (answers/replies) to help you to work out who says what.

7 parler **Prepare and perform this role play.**

> Your teacher will play the part of your French friend and will speak first. You should address your friend as *tu*.
>
> When you see this – **!** – you will have to respond to something you have not prepared.
>
> When you see this – **?** – you will have to ask a question.
>
> > **Tu parles avec ton ami(e) français(e) pour organiser une sortie.**
> > - Cinéma – quand
> > - Films – préférence (<u>un</u> détail)
> > - **!**
> > - Rendez-vous – location et heure
> > - **?** Activité – après

> ⭐ When responding to the unprepared (**!**) question, listen carefully for the question word, so you know what type of information to give. Pay attention, as some question words can sound similar, e.g. *quand* and *comment*.

8 écrire **Translate these sentences into French.**

1 My brother is kind.

2 At the weekend I go to the cinema.

3 Sometimes we play football in the park.

4 In my town there is a swimming pool and a skating rink.

5 I watched TV with my best friend.

1 parler

Refresh your memory! **In pairs. Look back at the vocabulary on pages 48 and 49. Find a hobby for as many letters of the alphabet as you can.**

Example: **a** – accordéon, jouer de l'accordéon; **b** – blog, écrire un blog …

2 écrire

Refresh your memory! **Copy and complete the sentence below, changing the underlined words to give your opinion on different types of television programmes. How many different sentences can you come up with?**

J'<u>aime</u> les <u>documentaires</u> parce qu'<u>ils</u> sont <u>amusants</u>.

3 écouter

Refresh your memory! **Listen. Copy and complete the grid in English. (1–4)**

	hobby	why he/she enjoys it	how often he/she does it	other details
1	cinema	She forgets her worries when she watches a good film.		

4 lire

Your friend has received this message from her French exchange partner. She asks you to translate it into English for her.

Hier, je suis sortie pour voir trois chanteurs belges en concert. D'habitude, j'écoute de la musique sur mon portable mais quand on voit un groupe en concert, c'est plus passionnant. Ce soir, on va télécharger toute leur musique!

5 écouter

Listen to these French students who have made a podcast about their hobbies. What two things does each student like doing during his or her spare time? Write the correct letters. (1–2)

A   relaxing
B   going out with friends
C   team sports
D   playing musical instruments
E   watching TV
F   individual sports
G   watching films
H   listening to music

Listen carefully for detail here. Each speaker mentions more than two hobbies: which two does he/she <u>like</u> doing?

6 lire **Lisez cet article au sujet d'Internet et répondez aux questions.**

> Internet est essentiel pour les ados d'aujourd'hui. Vous faites des recherches pour vos devoirs? Vous voulez rester en contact avec vos copains? Il y a quelque chose que vous voulez acheter? Grâce à Internet, on peut faire tout ça sans lever les yeux de son portable! C'est formidable mais il est important d'éviter les dangers en ligne.

1   Que pense l'auteur? Écrivez la bonne lettre.

A	Internet est très dangereux.
B	Internet est utile.
C	Internet n'est pas éducatif.

> «Je ne donne jamais de détails personnels à des inconnus. J'hésite avant de partager mes photos car ce qu'on poste en ligne peut y rester pour toujours!» Assia, 15 ans

2   Que fait Assia?

A	Elle ne tchatte pas en ligne avec des inconnus.
B	Elle ne partage pas de photos.
C	Elle réfléchit avant de poster.

7 écrire **Look at the task card and do this extended writing task.**

Vous décrivez votre vie sportive pour votre blog.

Décrivez:
- vos sports préférés
- pourquoi on fait du sport
- une visite récente à un événement sportif
- vos projets sportifs pour le week-end prochain.

Écrivez environ **90** mots **en français**. Répondez à chaque aspect de la question.

☆ • Read each bullet point carefully so that you know which tense to use for each one.
- Try to use lots of variety in your language, e.g. an example of *on peut* plus the infinitive, comparatives, different opinion phrases, negatives. Look back at the Answer boosters on the writing exam preparation pages to help you.
- Don't forget to give opinions and back them up with reasons.

1 *parler*

Refresh your memory! In pairs. Look at the food vocabulary on pages 70 and 71 for <u>5 minutes</u> only. Then give the French for as many of the following as you can.

- fruit and vegetables
- things you can eat or drink for breakfast
- things you had for lunch or dinner yesterday

Example: des pommes

2 *écouter*

Refresh your memory! Listen and decide which of the topics below each person is talking about. Write the correct letter. There is one letter too many. (1–4)

A clothes	**B** Christmas	**C** morning routine
D a birthday	**E** a wedding	

3 *écrire*

Refresh your memory! Copy and complete the following sentences, using your own ideas. Look back at Module 3 for help and ideas.

1 D'habitude, je porte ▭ mais demain, je vais mettre ▭ parce que ▭.
2 Les jours d'école, je dois ▭ car ▭. Mais le week-end, je peux ▭.
3 Une de mes fêtes préférées, c'est ▭ parce que ▭.
4 Normalement, pour fêter mon anniversaire, ▭. Mais l'année dernière, ▭.

4 *écouter*

You are listening to students at your partner school in France discussing their opinion of New Year's Eve. Write <u>in English</u> each person's opinion and the reason for it. (1–2)

1 opinion:
  reason:

2 opinion:
  reason:

5 *écrire*

Translate these sentences into French.

1 I go to school by bus.
2 For dinner I have chicken and chips.
3 Usually I wear black trousers and trainers.
4 On Sunday evening I have to do my homework.
5 At my cousin's wedding we danced and ate cake.

6 lire **Lisez ce texte. Un père parle de sa fille sur son blog.**

Ma fille, Elsa, va au lycée et je suis très content d'elle parce qu'elle travaille bien et parce que ses notes sont bonnes. Elle a cours tous les jours sauf le dimanche et ce jour-là, elle doit faire ses devoirs. Alors malheureusement, elle ne peut pas souvent sortir avec ses amies.

Elle doit se lever très tôt pour prendre le car de ramassage scolaire. Donc elle m'a demandé de lui acheter un scooter pour son anniversaire. Bien sûr, ça coûte assez cher mais je veux faire ça pour elle, pour l'aider un peu. Elle le mérite.

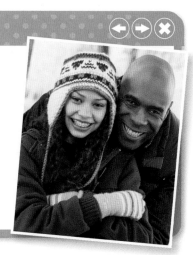

1 **Choisissez dans la liste un aspect <u>positif</u> et un aspect <u>négatif</u> de <u>la vie scolaire d'Elsa</u> mentionnés par son père. Écrivez les bonnes lettres.**

A	le temps libre
B	le règlement
C	les repas
D	les professeurs
E	le progrès scolaire

To identify positive and negative aspects, look for adjectives like 'good' and 'bad' and adverbs such as 'fortunately' and 'unfortunately'. Remember also that the correct answer options will normally <u>paraphrase</u> what's in the text (i.e. use different words to express the same thing).

Aspect positif: Aspect négatif:

2 **Mentionnez l'aspect <u>négatif</u> du <u>cadeau d'anniversaire</u>. Répondez <u>en français</u>.**

7 parler **Prepare and perform this picture-based discussion.**

* Look at the photo.
* Make any notes you wish to on paper.
* Your teacher will then ask you questions about the photo and about topics related to **me, my family and friends**.

Your teacher will ask you the following three questions and then **two more questions** which you have not prepared.

* Qu'est-ce qu'il y a sur la photo?
* Qu'est-ce que tu as pris pour le petit-déjeuner ce matin?
* Aimes-tu manger en famille? Pourquoi?/ Pourquoi pas?

 Remember, one of the bullets will always ask about something in the past or the future. Which bullet is it in this task? Which tense do you need to use to answer it?

1 *parler*

Refresh your memory! With a partner, check the spelling of the French for the following words on pages 90 and 91. Then challenge each other to a 'spelling bee'.

Example:
● 'Castle'.
■ Château: C-H-A circumflex-T-E-A-U.

forest   river   boat   countryside

quiet   suburbs   swimming pool

castle   sun/sunshine   traffic

> ⭐ Pay attention to French accents. They are part of accuracy!
>
> | acute accent: | *é* |
> | grave accent: | *à, è, ù* |
> | circumflex: | *â, ê, î, ô* |
> | cedilla: | *ç* |

2 *écouter*

Refresh your memory! Listen. Copy and complete the grid in English. (1–5)

	where he/she lives	positive (P) or negative (N) opinion?	reason
1			

3 *écrire*

Refresh your memory! Copy and complete the following sentences, using the French equivalents of the words from exercise 1.

1 J'habite dans un petit village à la ▭ et c'est trop ▭.
2 Dans ma ville, il y a un vieux ▭ historique mais il n'y a plus de ▭.
3 Dans la ▭ où j'habite, il y a trop de ▭ et c'est dangereux.
4 S'il y a du ▭ demain, on va faire une randonnée dans la ▭.
5 Je voudrais louer un ▭ pour faire une promenade sur la ▭.

4 *écrire*

Look at the task card and do this picture-based writing task.

Vous partagez une photo sur Instagram avec votre ami(e) français(e).

Qu'est-ce qu'il y a sur la photo? Écrivez **quatre** phrases **en français**.

> ⭐ You could write about who is in the photo, where they are, what they are doing, what else is in the picture, what the weather is like, etc. Use a range of different structures to show what you know. Remember, you will probably need to use the 'they' form of the verb (*ils sont, ils font, ils regardent,* etc.).

5 **Read this abridged extract from the story 'Voyager sur un planisphère' in the book** *C'est toujours bien* **by Philippe Delerm.**

> Le planisphère est accroché au mur de la classe, à gauche du tableau. C'est une carte qui paraît immense, parce qu'elle représente le monde entier. Les lacs et les rivières sont bleu pâle, et les océans plus pâles encore. Les montagnes sont jaune moutarde, les déserts jaune citron. En vert, ça doit être les forêts, mais les plaines aussi – il n'y a quand même pas toutes ces forêts en France !

Which <u>two</u> statements are true? Write down the letters.

A	The planisphere is hanging on the classroom door.
B	It is a map which shows the whole world.
C	On the planisphere, blue represents cold places.
D	The mountains and deserts are green.
E	The forests are the same colour as the plains.

> ☆ If you don't know what a planisphere is, use the text and answer options to work it out. The answer options will also help you understand the word *accroché*, but you don't need to understand every word in the text to choose the correct answers.

6 **Listen to this tourist information podcast about a French region. Write down <u>in English</u> the correct words to complete the description.**

1 The castle is one of the _____ in France.
2 The view from the _____ is magnificent.
3 You really must go for a _____ trip.
4 The _____ near the river is really beautiful.
5 The wine festival every September is very _____.

7 **Your sister receives this message from her French friend. She asks you to translate it into English for her.**

> Mon village est un peu trop tranquille mais il est très joli. J'aime habiter ici parce qu'en été, il y a beaucoup de choses à faire. Hier, il a fait chaud donc je suis allé à la pêche avec mon meilleur copain. Demain, s'il fait beau, on fera une randonnée à vélo à la campagne. Ce sera génial !

1 parler *Refresh your memory!* **In pairs. Look at the restaurant vocabulary on page 111. Then take turns to say the French for items of food and drink that you might order in a restaurant. Say as many as you can remember in 60 seconds.**

2 écrire *Refresh your memory!* **Copy out this sentence, replacing the underlined words with suitable replacements. How many different sentences can you write?**

> Je voyage toujours <u>en voiture</u> parce que c'est <u>plus</u> <u>confortable</u> que voyager <u>à moto</u>.

3 écouter *Refresh your memory!* **Listen and answer the questions in English.**

1 How many guests does the woman want to book a room for?
2 How long does she want to stay for?
3 How does she want to pay?
4 Where is her room?
5 What question does the woman ask?

4 parler *Refresh your memory!* **In threes. Look back at the holiday disaster vocabulary on page 111. Take turns to say a different holiday disaster, and repeat the disasters that the others have already said.**

Example:
● *J'ai perdu mes photos.*
■ *J'ai perdu mes photos et j'ai été malade.*
◆ *J'ai perdu mes photos, j'ai été malade et il a plu tous les jours.*

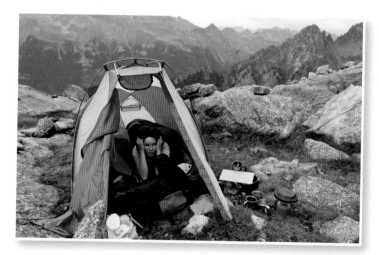

5 écrire **Translate these sentences into French.**

1 The food is delicious.
2 In the mountains we go skiing.
3 During the holidays I play cards.
4 At the hotel there is a swimming pool and a games area.
5 In August I went to the seaside with my family.

6 lire

Your grandparents are researching holidays in France online. They show you an article they have found about holiday destinations.

Cinq destinations à visiter en France

Bordeaux
On dit que c'est la ville la plus élégante du monde! C'est une ville où il y a un grand choix de sorties: musées, théâtres, salles de concert ...

Marseille
Marseille bénéficie d'un climat méditerranéen très agréable. Ici, il fait (presque) toujours beau!

Menton
Cette ville est célèbre pour ses plages, ses jardins et ses bâtiments médiévaux. C'est «la perle de la France»!

Marne-la-Vallée
Plus de quatorze millions de touristes visitent Marne-la-Vallée chaque année pour son parc d'attractions.

L'île d'Yeu
L'île d'Yeu est une destination populaire pour toute la famille. Au choix: promenades à vélo, activités nautiques ou sites naturels extraordinaires.

Where would you choose to go if you enjoyed the following? Write the correct destination.

1 good weather   **2** cycling   **3** culture   **4** old architecture

 7 écouter

Listen to this account of the start of a holiday. Write down the letters of the <u>two</u> correct statements.

A	The castle was nowhere near the hotel.
B	The hotel was close to the sea.
C	The hotel had a sea view.
D	The speaker was tired.
E	The speaker travelled alone.

⭐ Before you listen, read the statements through carefully and try to predict the language you might hear. As you listen, pay attention to small words such as negatives that can transform the meaning of a sentence!

8 parler

Prepare and perform this picture-based discussion.

- Look at the photo.
- Make any notes you wish to on paper.
- Your teacher will then ask you questions about the photo and about topics related to **travel and tourism**.

Your teacher will ask you the following three questions and then **two more questions** which you have not prepared.

- Qu'est-ce qu'il y a sur la photo?
- Qu'est-ce que tu voudrais faire pendant tes vacances cet été?
- Est-ce que tu préfères loger dans un hôtel ou dans un camping? Pourquoi?

⭐ To talk about what you would like to do in the summer holidays use *Je voudrais …* or *J'aimerais …*

Je voudrais jouer …   I would like to play …

J'aimerais aller …   I would like to go …

1 *parler*

Refresh your memory! **In pairs. Look at the school subjects on page 132. Make a list of all the subjects you can study in your school and give your opinion of each one.**

Example:
- *L'histoire … Tu aimes l'histoire?*
- *Oui, je trouve ça intéressant. Et toi?*
- *Moi, je trouve ça ennuyeux.*

2 *écrire*

Refresh your memory! **What's your school like? Copy out the text and fill in the gaps.**

Les cours commencent à ▢ et finissent à ▢.
Il y a ▢ cours par jour.
Il y a ▢ élèves et ▢ professeurs.
J'étudie ▢.
Ma matière préférée, c'est ▢ car ▢.
Je pense que mon école est ▢.

3 *écouter*

Refresh your memory! **Listen to Antoine and answer the following questions <u>in English</u>.**

1 What is there in his school?
2 What <u>two</u> things does he say you are not allowed to do at his school?
3 What subjects does he like and why?
4 What did he used to do at primary school?
5 What school activity does he do now?
6 What <u>two</u> things does he do to prevent stress?

4 *lire*

Translate the following passage into English.

> Pour rester en forme, il faut faire du sport
> régulièrement. Au collège, je suis membre de
> l'équipe de hand. Récemment, mon père a
> arrêté de fumer. C'était dur mais je suis très fier
> de lui. Je ne vais jamais commencer.

5 *écrire*

Look at the task card and do this short writing task.

> Vous écrivez à votre ami(e) français(e) au
> sujet de l'école.
>
> Mentionnez:
>
> - où vous étudiez
> - les profs
> - une règle
> - l'uniforme scolaire.
>
> Écrivez environ **40** mots **en français**.

> ⭐ • Firstly, work out what information you need to give for each bullet point.
> • Then aim to write one or two sentences for each point.
> • Try to vary the structures you use.
> • Remember to write what you know – you don't have to tell the truth if you aren't confident writing about it in French!
> • Check your work when you've finished.

6 écouter

Your French exchange partner has just returned to France after a visit to your school in the UK. Listen to her teacher interviewing her about the trip and answer the questions <u>in English</u>. (1–6)

1 What does your exchange partner think of the school in the UK?
2 What does she think of the school system in the UK?
3 Which rule does she think is unreasonable?
4 What was her favourite subject in the UK school?
5 Why does she like maths?
6 What does she want to do next year?

> ⭐ Use the questions here to help you understand the conversation. Not only can you try to predict the language you might hear, but they are also very similar to the questions that are asked in the conversation.

7 lire

Héloïse vous envoie un e-mail. Lisez cet extrait de son e-mail et répondez aux questions.

Objet: Re: Ton collège

Il y a plein de clubs dans mon collège. Avant, je faisais du théâtre mais maintenant, je fais du judo le mercredi pendant l'heure du déjeuner.

Tous mes copains adorent chanter dans la chorale car c'est amusant. Moi, j'adore la musique mais la chorale, c'est ennuyeux.

1 Quelle est la réponse correcte? Écrivez la bonne lettre.
 A Au collège d'Héloïse, il n'y a pas beaucoup d'activités.
 B Héloïse fait du théâtre.
 C Elle va à un club d'arts martiaux.

2 Héloïse n'aime pas chanter dans la chorale. Pourquoi? Répondez <u>en français</u>.

> ⭐ Read the first paragraph carefully before choosing your answer to the first question. Héloïse uses two tenses: the present (to talk about now) and the imperfect (to talk about the past). All three answer options are in the present tense.

1 *parler*

Refresh your memory! In pairs. Look at the job nouns on page 150. Then close the book and play 'jobs ping-pong'. One person says the masculine form, the other says the feminine. Keep going for as long as possible.

Example:
● *Coiffeur.*
■ *Coiffeuse.*

2 *lire*

Refresh your memory! Match up the sentence halves. Then translate them into English.

1 L'année prochaine, je vais …

2 Ensuite, je voudrais aller à l'université …

3 Puis je vais prendre une année sabbatique …

4 J'aimerais aussi faire du …

5 Un jour, je voudrais travailler comme …

6 Plus tard, j'espère me marier mais ….

A je ne veux pas avoir d'enfants.

B journaliste ou photographe.

C pour étudier les médias.

D bénévolat en Afrique.

E continuer mes études au lycée.

F et faire le tour du monde.

3 *écouter*

Refresh your memory! Listen to Camille and answer the following questions <u>in English</u>.

1 What are her plans for next year?
2 What does she want to do when she finishes school?
3 What would she like to do after that?
4 What job does she hope to have one day?
5 What plans does she have for her personal life?

4 *écrire*

Refresh your memory! Write about your own future plans. Adapt the sentences in exercise 2.

5 *écouter*

Vous écoutez un podcast français. Des jeunes parlent de leurs projets d'avenir. Pour chaque personne, écrivez la lettre du bon projet. (1–4)

A travailler en plein air
B être bien payé
C travailler à l'étranger
D avoir des enfants
E beaucoup voyager
F devenir médecin

⭐ Before the recording starts, make sure you understand all the answer options. You will not hear the exact words from the answers in the recording, so predict what other words you might hear that mean the same thing. Also remember that tasks like this will have distractors in the answer options, so don't jump to conclusions and listen closely for detail.

6 lire | **Lisez l'e-mail de Matthias qui parle de ses projets d'avenir.
Répondez aux questions en français.**

Objet: Mon avenir

J'ai expliqué à mes parents que je ne veux pas aller à l'université et ils ne sont pas contents. Ils disent que je dois aller à la fac l'année prochaine pour étudier le droit. Mon cousin a déjà fait ça et il travaille comme avocat depuis trois ans. Bien sûr, c'est un métier où on peut gagner beaucoup d'argent mais je trouve que ça n'a pas d'importance. Ce qui compte pour moi, c'est de faire quelque chose pour aider les autres. Alors j'ai décidé de prendre une année sabbatique et de faire du bénévolat à l'étranger. C'est l'Amérique du Sud qui m'intéresse le plus et je voudrais travailler avec des enfants. Ensuite, je vais retourner en France et essayer de trouver un poste à plein temps dans une organisation caritative.

Et toi, qu'est-ce que tu veux faire à l'avenir?

À bientôt,
Matthias

le droit   *law*

Exemple:
Pourquoi est-ce que les parents de Matthias ne sont pas contents? *Matthias ne veut pas aller à l'université.*

1 Que fait le cousin de Matthias maintenant?
2 Qu'est-ce qui n'est pas important pour Matthias?
3 Qu'est-ce que Matthias veut faire pendant son année sabbatique? Donnez <u>deux</u> détails.
4 Que va faire Matthias après son année sabbatique? Donnez <u>deux</u> détails.

 Often in tasks where you have to answer in French you can 'lift' phrases from the text. However, you may sometimes need to make small changes, especially to the verbs – e.g. by changing them from the 'I' form to the 'he/she' form. See the example.

7 parler | **Prepare and perform this role play.**

Your teacher will play the part of your French friend and will speak first.

You should address your friend as *tu*.

When you see this – **!** – you will have to respond to something you have not prepared.

When you see this – **?** – you will have to ask a question.

Tu parles du travail et des projets d'avenir avec ton ami(e) français(e).
- Gagner de l'argent – activité
- Apprentissage – ton opinion
- **!**
- Futur emploi (<u>deux</u> détails)
- **?** Mariage

8 lire | **You read the following blog on a French teenage website. Your friend asks you to translate it into English for him.**

Un jour, je veux être coiffeur. Je suis créatif et j'aime travailler en équipe. L'année dernière, j'ai fait un stage dans un grand magasin. C'était très fatigant. Je ne sais pas si je voudrais avoir ma propre entreprise.

1 *parler*

Refresh your memory! **In pairs. Look at the map of France on page 154. Take turns to make up weather predictions in French for the eight towns marked on the map.**

Example: À Lille, il fera froid et il y aura des averses. Le temps sera nuageux.

2 *écrire*

Refresh your memory! **Look back at the different things you can do to protect the environment on page 170. Complete this sentence with as many ideas as you can.**

> Pour sauver notre planète, on peut …

3 *écouter*

Refresh your memory! **Listen to Zahira. Put the English sentences below into the order in which she says them.**

A The biggest environmental problem is climate change.
B This type of event allows people to have a good time.
C I like meeting new people.
D What concerns me is the environment.
E I talked about the importance of protecting the environment.
F I worked on the Greenpeace stall at a music festival.

4 *lire*

You are interested in how young people in Quebec volunteer and you come across this article online. Read the article and answer the questions that follow.

Le bénévolat au Québec

- Vous ne comprenez pas les gens qui n'aident pas les autres? Vous faites du bénévolat? Deux tiers des jeunes âgés de 15 à 24 ans sont comme vous, selon une enquête sur le bénévolat. Même si certains font du bénévolat parce qu'ils sont personnellement touchés par la cause qu'ils aident, ceux qui le font pour participer à la vie en société sont beaucoup plus nombreux.

- Le type de bénévolat le plus populaire? 8 Québecois sur 10 offrent une aide directe à des personnes qu'ils connaissent, comme des voisins. 32% sont bénévoles dans une association sportive.

1 Two thirds of 15 to 24 years olds …
   A would like to do voluntary work.
   B have never done any voluntary work.
   C do voluntary work.

2 Why do the majority of young people do voluntary work? Answer <u>in English</u>.

3 Most volunteers …
   A help within a sports organisation.
   B help someone they know.
   C don't have a neighbour.

> This text contains several 'red herrings'. These are answer options that feature in the text but are not the right answer. Read the questions and the text carefully. Don't jump to conclusions!

5 **Translate these sentences into French.**

1 It's the biggest festival in France.
2 This event attracts tourists.
3 Last summer I watched the World Cup on television.
4 One day I'm going to go to the Nice carnival.
5 It's going to be fun.

6 **Écoutez ce reportage radio au sujet d'une jeune ivoirienne, Aminata. Pour chaque extrait, choisissez les <u>deux</u> phrases qui sont <u>vraies</u> et notez les bonnes lettres.**

1   **A** Aminata a six ans.
     B Aminata est fille unique.
     C Aminata travaillait avec son père.
     D Aminata n'allait pas à l'école.
     E La famille d'Aminata était assez riche.

2   **A** Le père d'Aminata est devenu membre d'une coopérative.
     B Il vend son cacao à un bon prix.
     C Les conditions de travail sont moins bonnes.
     D Il va bientôt cultiver du cacao bio.
     E Aminata travaille toujours.

> ⭐ Read the sentences carefully before you start to listen. Look out for different tenses and negatives, which can make all the difference between a sentence being true or false.

7 **Look at the task card and do this extended writing task.**

> Vous donnez votre opinion sur les problèmes environnementaux et sociaux pour un site Internet français.
>
> Décrivez:
> • un problème qui vous préoccupe
> • ce qu'on peut faire face à ce problème
> • ce que vous avez fait récemment pour aider les autres
> • ce que vous allez faire dans le futur pour protéger l'environnement.
>
> Écrivez environ **90** mots **en français**.
> Répondez à chaque aspect de la question.

Your course is made up of several topics which are grouped into three **themes**:

- Theme 1 – Identity and culture
- Theme 2 – Local, national, international and global areas of interest
- Theme 3 – Current and future study and employment.

For the **general conversation** in the speaking exam, you will be required to answer questions on <u>two</u> themes. You can choose one of the themes in advance. Your teacher may ask you to prepare answers to the questions below (on your chosen theme and the other themes) in order to get ready for this.

Module 1

(From Theme 1) Me, my family and friends: relationships with family and friends

1 Quelle est ta personnalité?
2 Qu'est-ce que tu fais avec tes amis?
3 C'est quoi un bon ami, pour toi?
4 Décris ta famille.
5 Tu t'entends bien avec ta famille? Pourquoi?/ Pourquoi pas?
6 Qu'est-ce que tu vas faire ce week-end avec ta famille/tes amis?
7 Qu'est-ce que tu as fait samedi dernier?
8 Qui est ton modèle? Pourquoi?

Module 2

(From Theme 1) Technology in everyday life: social media, mobile technology; Free-time activities: music, cinema and TV, sport

1 Qu'est-ce que tu aimes faire pendant ton temps libre?
2 Qu'est-ce que tu aimes comme sport?
3 Que fais-tu sur ton portable ou ta tablette?
4 Quel est ton avis sur Internet?
5 Qu'est-ce que tu aimes lire?
6 Qu'est-ce que tu aimes comme musique?
7 Qu'est-ce que tu vas regarder à la télé ce soir?
8 Qu'est-ce que tu as fait le week-end dernier avec tes amis?

Module 3

(From Theme 1) Free-time activities: food and eating out; Customs and festivals in French-speaking countries/communities

1 Qu'est-ce que tu manges le soir?
2 Qu'est-ce que tu portes normalement le week-end?
3 Quelle est ta routine les jours d'école?
4 Tu préfères acheter tes vêtements en ligne ou dans un magasin?
5 Est-ce que tu fêtes Noël chez toi?
6 Quelle est ta fête préférée? Pourquoi?
7 Comment est-ce que tu vas fêter le Nouvel An cette année?
8 Comment as-tu fêté ton dernier anniversaire?

Module 4

(From Theme 2) Home, town, neighbourhood and region

1 Où habites-tu?
2 Qu'est-ce qu'on peut faire dans ta ville/ ton village?
3 Ta région est comment?
4 Le climat est comment?
5 Qu'est-ce que tu as fait récemment dans ta région?
6 Qu'est-ce que tu vas faire ce week-end, s'il fait beau? Et s'il fait mauvais?
7 Quels sont les points positifs et les points négatifs de ta ville/ton village?
8 Où aimerais-tu habiter dans le futur?

As well as answering questions, you must also ask your teacher a question at some point during the general conversation.

Module 5

(From Theme 1) Free-time activities: food and eating out; (From Theme 2) Travel and tourism

1. Où vas-tu en vacances, d'habitude? C'est comment?
2. Où loges-tu?
3. Quel est ton moyen de transport préféré? Pourquoi?
4. Que fais-tu quand tu es en vacances?
5. Parle-moi de la dernière fois où tu as mangé au restaurant.
6. Qu'est-ce que tu as fait pendant tes vacances l'année dernière?
7. Parle-moi d'un problème que tu as eu pendant des vacances.
8. Qu'est-ce que tu vas faire pendant les vacances l'année prochaine?

Module 6

(From Theme 3) My studies; Life at school/ college; (From Theme 2) Social issues: healthy/ unhealthy living

1. Quelles matières aimes-tu et quelles matières n'aimes-tu pas?
2. Comment est ton collège?
3. Parle-moi du règlement de ton collège.
4. Qu'est-ce que tu penses de l'uniforme scolaire?
5. Es-tu membre d'un club au collège?
6. Qu'est-ce que tu fais pour rester en forme?
7. Parle-moi d'une sortie scolaire récente.
8. Qu'est-ce que tu vas faire après tes examens de GCSE?

Module 7

(From Theme 3) Jobs, career choices and ambitions; Education post-16; (From Theme 1) Me, my family and friends: marriage/partnership

1. Tu voudrais travailler dans quel secteur?
2. À part le travail, qu'est que tu voudrais faire plus tard dans la vie?
3. Est-ce que tu voudrais te marier un jour?
4. Voudrais-tu prendre une année sabbatique? Pourquoi/Pourquoi pas?
5. Est-ce que tu vas aller à l'université? Pourquoi/Pourquoi pas?
6. Qu'est-ce que tu fais pour aider à la maison?
7. Que fais-tu pour gagner de l'argent?
8. As-tu fait un stage?

Module 8

(From Theme 2) Social issues: charity/voluntary work; Global issues: the environment, poverty/ homelessness

1. Quel est le plus grand problème pour la planète, à ton avis? Pourquoi?
2. Qu'est-ce qu'on peut faire pour protéger l'environnement?
3. Qu'est-ce que tu vas faire à l'avenir pour protéger l'environnement?
4. Tu achètes des produits issus du commerce équitable?
5. Que fais-tu pour aider les autres?
6. Qu'est-ce que tu aimerais faire comme bénévolat dans le futur? Pourquoi?
7. Tu es déjà allé(e) à un festival de musique ou à un concert?
8. Quels sont les avantages des grands événements?

1 lire Read the descriptions and match each one to the correct picture.

 a

 b

 c

 d

1 L'anniversaire de Wendie Margotte est le 27 décembre. Elle habite avec ses parents et son frère. Wendie porte des lunettes et elle a les cheveux blonds et bouclés. Elle est sportive mais au collège, elle n'a pas beaucoup d'amis car elle est assez agaçante. Dans le futur, elle va voyager.

2 Hugo Renard a deux frères et une sœur. Ils habitent avec leur mère car leur père est décédé. Hugo est né le 21 juin. Il est travailleur mais il est parfois têtu et il se dispute souvent avec ses professeurs. Il est petit et il a les cheveux bruns et les yeux bleus. Plus tard, il va habiter à Paris.

3 Amel Achour a l'air timide mais elle est très intelligente. Son anniversaire est le 4 mars. Elle est enfant unique et elle habite avec son père et sa belle-mère, mais elle ne s'entend pas bien avec son père. Elle est grande et elle a les cheveux noirs et les yeux marron. Dans le futur, elle va être professeur de maths.

4 Nicolas Charpentier, qui est né le 20 avril, est patient et a un grand sens de l'humour. Il va aller à l'université plus tard. Il est de taille moyenne et il a les cheveux courts et roux. Nicolas n'a pas de frère mais il a une sœur qui s'appelle Marianne. Leurs parents sont en Afrique. Pour le moment, ils habitent avec leur tante. Nicolas n'est pas content car sa tante est sévère.

2 lire Copy and complete the profile for each person from exercise 1 in French.

3 écrire Complete the profile from exercise 2 for yourself.

4 écrire Use these profiles to write a description for each person, similar to those in exercise 1.

Nom:		Prénom:
Anniversaire:		
Famille:		
Description physique:		
Personnalité:		
Problème:		
Projet d'avenir:		

1

Nom: Roussel	Prénom: Yanis
Anniversaire: le 12 février	
Famille: mère, beau-père, 1 sœur, 1 frère	
Description physique: cheveux noirs, grand, mince	
Personnalité: bête, arrogant	
Problème: ne s'entend pas avec son beau-père	
Projet d'avenir: être footballeur professionnel	

2

Nom: Sanchez	Prénom: Ambre
Anniversaire: le 5 mai	
Famille: mère, père, 2 frères	
Description physique: cheveux bruns/longs, petite, lunettes	
Personnalité: forte, indépendante	
Problème: se dispute avec ses parents	
Projet d'avenir: habiter au Canada	

1 lire Read the article and match each paragraph to one of the titles below.

a Ed cares about his fans

c Ed leaves everything behind to try his luck in London

b His career takes off

d Ed writes and composes his own material

Ed Sheeran casse la baraque!

Le chanteur le plus écouté en streaming en 2014 a l'avenir devant lui.

1 Toujours habillé comme s'il sortait du lit et loin des stars préfabriquées, Ed compose et écrit lui-même ses chansons. Il emmène ses fans dans son univers folk et hip-hop, romantique et sensible.

2 À onze ans, Ed prend sa guitare et il écrit ses premiers textes. En 2008, il décide de quitter ses parents et d'abandonner ses études pour tenter sa chance à Londres. Il joue dans les bars et il dort sur les canapés de ses copains ou dans la rue. C'est difficile!

3 Ed poste des chansons sur Internet et ensuite, il enregistre deux albums. Avec ses talents de compositeur, il devient le chouchou des stars: Taylor Swift l'invite sur sa tournée et la superstar Pharrell Williams participe à son dernier album!

4 Ed Sheeran reste simple, dans sa vie quotidienne comme dans ses chansons. Il parle à ses 12 millions de followers sur Twitter tous les jours et prend le temps de rencontrer ses fans, les «Sheerios», après chaque concert. Il a tout pour faire une longue carrière!

2 lire Complete these sentences in English.

1 Ed Sheeran takes his fans into his universe of romantic and sensitive … and …
2 He starts to play guitar at the age of …
3 Ed posts songs on the internet and then …
4 Ed's approach to life is …
5 After each concert he …

3 lire Find the second half of each sentence.

1 Je fais du roller depuis …
2 J'aime beaucoup ça car c'est …
3 Ma sœur …
4 Elle fait ce sport …
5 Mes parents …
6 On aime beaucoup …

a drôle.
b fait de l'escalade.
c depuis un an.
d quatre ans.
e faire du sport.
f jouent au tennis deux fois par semaine.

4 écrire Write a paragraph about the sports that you and the other members of your family do.

Say:
• what sport you play and how long you have been playing it
• what your brother or sister does and how long he/she has been doing it
• what your parents do.

1 · lire

Maxime is coming to stay and his mum sends you a text about what he eats and doesn't eat. Read the text, then copy and complete the grid.

> Maxime mange du jambon et du saucisson. Il ne mange pas de carottes ou de chou-fleur mais de temps en temps, il mange des petits pois. Il ne mange pas de fruits sauf des pommes et des fraises. Il ne peut pas manger de fromage ou de champignons parce qu'il est allergique.

😊	☹️
P, …	i, …

⭐ Remember, words like *sauf* (except) can completely change the meaning of a sentence.

 a b c d e f g h i

2 · écrire

Maxime's sister, Marie, is coming, too! Adapt the text from exercise 1, using the details in the box.

Example: Marie mange **du** pain et **de la** … Elle ne mange pas **de** …

> 😊 bread, ice cream
> ☹️ yoghurt, salad (occasionally eats tomatoes)
> fruit, except peaches and bananas
> allergic to fish and chicken

⭐ After *ne … pas*, remember that *du, de la, des* (etc.) change to **de**.

3 · lire

Read the text and write down the missing festivals, in French, from the box below.

🇫🇷 **LES FÊTES EN FRANCE**   *le jour férié*   public holiday

janvier

1er janvier: le jour de l'An (jour férié)
6 janvier: 1 ___. On mange la galette des Rois!

février

2 février: 2 ___. C'est la fête des crêpes!
14 février: 3 ___. Tu es romantique? C'est la fête de l'amour!

mars ou avril

4 ___ (jour férié). On mange des œufs en chocolat! Miam-miam!

mai

5 ___. On offre un cadeau à sa mère.

juillet

14 juillet: 6 ___ (jour férié). Vive la France!

décembre

25 décembre: 7 ___ (jour férié). Joyeux Noël!
31 décembre: 8 ___. On fête la fin de l'année!

> la Chandeleur   la fête nationale   Pâques   la Saint-Sylvestre
> la Saint-Valentin   le jour de Noël   la fête des Mères   la fête des Rois

1 *lire* **Read the web page. Which of the places in bold would you recommend to each of the six speakers?**

Example: **1** les Alpes

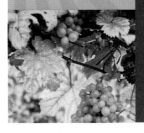

PROVENCE.COM vous invite à visiter la **Provence**

La Provence est une région superbe pour le tourisme: nous avons le meilleur climat, les plus jolis villages, le plus beau paysage et les plus belles plages!

- On peut visiter le vieux port de **Marseille** ou le vignoble de **Bandol**.
- On peut se baigner ou se détendre au bord de la mer sur **la Côte d'Azur**.
- On peut monter dans **les Alpes** pour faire de l'escalade ou des sports d'hiver.
- On peut visiter **les gorges du Verdon** pour admirer le panorama ou pour participer à toutes sortes d'activités: du rafting, du saut à l'élastique ou des randonnées à pied.

le saut à l'élastique bungee jumping

1 I love skiing and rock climbing!

2 I like swimming in the sea.

3 I want to see grapes growing and taste some wine.

4 I'm into extreme sports!

5 I love boats and old towns.

6 I want to do some hiking and take some amazing photos.

⭐ You'll need to recommend one of the places twice.

2 *lire* **Translate the first paragraph of the web page into English (from *La Provence est …* to *les plus belles plages!*).**

3 *écrire* **Write a description of the town in the picture by taking each sentence opening from the first box, below, and completing it with an ending from the second box.**

Example: Ma ville n'est jamais propre. Il y a toujours …

Ma ville n'est jamais …
Il y a toujours …
De plus, il y a trop de …
Il n'y a pas grand-chose …
Il n'y a plus de …
Il n'y a rien pour …

les jeunes!
à faire.
bruit à cause de la boîte de nuit.
cinéma, plus de bowling et plus de centre de loisirs.
des déchets par terre.
propre.

4 *écrire* **Write a short paragraph about the problems in your town, village or district.**

Example: Dans mon quartier, il y a trop de circulation mais il n'y a pas de …

⭐ Include opinions:

C'est assez ennuyeux.   It's quite boring.
C'est complètement nul. It's completely rubbish.
C'est vraiment triste.   It's really sad.

1 lire At the hotel reception. Put the lines of the dialogue into the correct order.

a Avec ma carte bancaire. Le petit-déjeuner est inclus?

b Bonjour, madame. Nous voulons une chambre, s'il vous plaît.

c D'accord. Pour combien de nuits, monsieur?

d Une chambre pour deux personnes avec une salle de bains et un grand lit.

e Pour quatre nuits.

i Bonjour, monsieur. Quelle sorte de chambre voulez-vous?

f Pour quatre nuits … oui, nous avons une chambre. Vous voulez payer comment?

g Parfait. Merci, madame.

h Oui, le petit-déjeuner est inclus et il est servi entre 7h30 et 9h30 au restaurant.

2 lire Lucas is talking about his holidays. Match the questions and answers.

1 Où vas-tu en vacances?
2 Comment voyages-tu?
3 Quel temps fait-il?
4 Que fais-tu quand tu es en vacances?
5 As-tu eu un problème pendant tes vacances?
6 Qu'est-ce que tu vas faire la prochaine fois?

a La prochaine fois, je vais mettre de la crème solaire.
b D'habitude, quand je suis en vacances, je me lève tard et je vais à la plage tous les jours.
c Un jour, j'ai pris un coup de soleil. J'ai dû aller chez le médecin. Quelle horreur!
d Tous les ans, je vais en vacances en Espagne avec ma famille.
e Il fait toujours très chaud. Le soleil brille. J'adore ce climat.
f On voyage toujours en avion parce que c'est plus rapide.

3 écrire How were your holidays? Answer the questions in exercise 2 for yourself.

1 *lire* Read these texts. Copy and complete the table. Is each person positive (write 'P'), negative (write 'N') or both positive and negative (write 'PN') about each of these aspects of their school?

Ayoub   **Lise**   **Maïssa**   **Dorian**

	les bâtiments	les matières	les professeurs	les règles	la vie extra-scolaire
Ayoub	N	P			

Les salles de classe dans mon école sont vieilles et démodées mais j'adore toutes mes matières, surtout les maths. Mes profs sont sévères mais justes. Par contre, il ne faut pas sortir de l'école sans autorisation, je trouve ça ridicule. Dans mon collège, il y a beaucoup de clubs sportifs et de sorties scolaires, ce qui est super. **Ayoub**

Mon collège est grand et propre. Nous avons une belle piscine et un gymnase bien aménagé mais je trouve mes matières ennuyeuses et les profs nous donnent trop de devoirs. En plus, il est interdit de porter des bijoux, c'est trop strict! Le mois dernier, j'ai fait un échange en Angleterre et je me suis fait plein de nouveaux amis. Ça, c'était chouette! **Lise**

Mon collège me plaît car les salles de classe et les labos sont modernes et propres. J'aime tous les cours sauf l'EPS mais la prof de sport est très marrante. Les profs ne sont jamais impatients. Il faut être à l'heure, ce que je trouve raisonnable. Mais il n'y a pas de clubs ni de sorties scolaires, c'est dommage! **Maïssa**

Mon école primaire était super. À mon collège, il y a des graffitis sur tous les murs. C'est horrible. J'aime toutes mes matières, même si je suis faible en maths. Les professeurs sont gentils et ne donnent pas trop de devoirs. Le règlement est juste. On faisait des sorties scolaires dans mon école primaire mais au collège, il n'y a pas d'activités. C'est décevant. **Dorian**

2 *lire* Read the texts again and answer these questions.

1 Qui a fait une sortie scolaire récemment?
2 Qui n'aime pas le sport?
3 Qui ne peut pas quitter son école sans autorisation?
4 Qui a préféré son école primaire?
5 Qui n'est pas fort(e) en maths?
6 Qui n'a jamais participé à une sortie scolaire?
7 Qui préfère les maths?
8 Qui a trop de devoirs?

3 *écrire* Imagine that you are *Paul Positif*. Write a paragraph about your school, giving your opinion on the categories in the table in exercise 1. Then repeat the activity for *Nina Négative*.

4 *écrire* Write a paragraph giving your own opinion on these aspects of school.

1 lire | Read the texts. Copy and complete the form in English for each person.

Maëlle, hôtesse de l'air

Je travaille depuis trois ans comme hôtesse de l'air. C'est un métier parfait pour moi parce que j'adore voyager et parce que j'aime le contact avec les gens. Cependant, c'est assez fatigant car les horaires sont souvent longs. Avant, j'ai travaillé dans un bureau. Ce n'était pas très bien payé et c'était monotone.

Current job:	
Length of time in job:	
Good points about job:	
Bad points:	
Previous job:	
Why he/she didn't like that job:	

Kader, chef de cuisine

Je travaille depuis un an comme chef de cuisine dans un grand hôtel. J'adore mon métier parce que c'est créatif et parce que mes collègues sont très sympa. Le seul problème, c'est que je dois travailler tard le soir! Avant, j'ai travaillé comme serveur dans un restaurant. C'était stressant et mon patron n'était pas très gentil.

> Remember, you use *depuis* + the **present tense** to say how long you <u>have been</u> doing something:
>
> **Je travaille depuis** cinq ans comme professeur.
> **I have been working** as a teacher for five years.

2 écrire | Write a text <u>in French</u> about either Samuel or Alima, using the details below. Adapt the texts from exercise 1.

	Samuel	**Alima**
Current job:	mechanic	hairdresser
Length of time in job:	2 years	4 years
Good points about job:	loves cars	contact with customers
Bad points:	not very well paid	has to work on Saturdays
Previous job:	electrician	sales assistant
Why he/she didn't like that job:	boss was too strict	tiring and boring

3 lire | Read the text about what to wear for a job interview and answer the questions in English.

Les femmes

Si vous portez du blanc et du noir, ajoutez une touche d'originalité avec une chemise de couleur ou des petits bijoux.

Ne mettez pas trop de parfum ou trop de maquillage.

Les hommes

Portez un costume bleu marine ou gris foncé avec une chemise blanche et une cravate qui va bien avec votre costume.

Mettez des chaussettes de la même couleur que votre costume et des chaussures noires.

Par contre, ne portez pas de costume noir (c'est seulement pour les enterrements!).

1 If a woman wears black and white, what should she add for originality? (Name <u>one</u> thing.)
2 What should women not put on too much of? (Name <u>two</u> things.)
3 What item of clothing should a man make sure goes well with his suit?
4 What colour should a man's socks be?
5 What colour of suit should a man <u>not</u> wear?

1 lire **Read this text and put the pictures in the correct order.**

Rosemarie Tessier est avocate à Lyon.

Il y a un certain temps, Rosemarie a décidé de changer sa manière de consommer. Maintenant, elle ne fait plus ses courses dans les supermarchés. Elle a mis sa voiture au garage et elle utilise un vélo électrique. De plus, elle prend les transports en commun.

Elle achète aussi des produits de saison et des produits locaux qui n'ont pas fait des milliers de kilomètres pour arriver dans son assiette. Dans le futur, elle va consommer de l'électricité verte et elle va manger moins de viande.

2 écrire **Translate these sentences into French. Use the text in exercise 1 and the vocabulary on page 170 for help.**

1 Raoul is a baker in Épinal.
2 A while ago he decided to change the way in which he consumes.
3 Now he buys clothes that are made in France.
4 What's more, he separates his rubbish.
5 He also uses public transport.
6 In the future, he is going to install solar panels.

3 lire **Read this text. Correct the mistake in each English sentence.**

Être ville hôte pour les Jeux olympiques: le pour et le contre!

L'organisation de chaque festival ou événement sportif a beaucoup de conséquences pour la ville hôte et pour ses habitants.

D'un côté, pour les Jeux olympiques, il faut construire des stades et des maisons pour les athlètes. Ça crée du travail. En plus, les J.O. attirent des visiteurs. Les hôtels et les restaurants en profitent.

D'un autre côté, les habitants de la ville ne sont pas contents parce que les prix augmentent. En plus, dans certains pays, les ouvriers sont exploités et maltraités. C'est scandaleux!

Il y a du pour et du contre, c'est sûr!

Guillaume Dupont

1 M. Dupont thinks that there are very few consequences when a sporting event comes to town.
2 On the one hand, when a town hosts the Olympics, many people lose their jobs.
3 The Olympics put tourists off coming.
4 On the other hand, the local inhabitants are happy about the change in prices.
5 Workers are always valued and treated appropriately.

le pour	the pros
le contre	the cons

Grammaire
Nouns and articles

What are articles?

Articles are the little words that come before nouns, e.g. 'the', 'a', 'some'.

When do I use them and why are they important?

In French, nouns are almost always used with an article in front of them. So every time you speak or write, you need to use articles. If you learn a new noun with its article, you will also learn whether it is masculine or feminine.

Things to look out for

Sometimes you need to use an article in French where there is none in English. For example,
– when you are talking about likes/dislikes: *J'aime* **les** *bananes.* I like bananas.
– when you are talking about what you eat/drink: *Je mange* **du** *pain.* I eat bread.

How do they work?

● The article used depends on whether the noun is masculine, feminine or plural. Here are the articles:

	masculine nouns	feminine nouns	plural nouns
the	*le*	*la*	*les*
a	*un*	*une*	–
some	*du*	*de la*	*des*

● If a noun begins with a vowel or *h*, *le* and *la* shorten to *l'*, and the word for 'some' is *de l'*.
L'hôtel est grand. The hotel is big.
Je bois **de l'**eau. I drink some water.

● After *pas*, you use *de*.
Je n'ai pas **de** *stylo.* I haven't got a pen.

Prêts?

1 Choose the correct article to complete each French sentence.

  1 The book is interesting. *Le / Un / Du livre est intéressant.*
  2 I have the books. *J'ai le / la / les livres.*
  3 It's a mistake. *C'est la / une / des erreur.*
  4 There are some mistakes. *Il y a la / une / des erreurs.*
  5 The mistake is important. *La / L' / Une erreur est importante.*
  6 I love French. *J'adore le / les / un français.*
  7 He hates spiders. *Il déteste le / des / les araignées.*
  8 She is drinking tea. *Elle boit du / les / de l' thé.*
  9 Do you like maths? *Tu aimes le / des / les maths?*
 10 I haven't got a sister. *Je n'ai pas les / une / de sœur.*

Partez!

2 Write these in French. The noun you need is *gâteau* (m) (plural *gâteaux*).

  1 a cake
  2 the cake
  3 the cakes
  4 some cakes
  5 some cake
  6 I love cakes.
  7 I am eating cake.
  8 I haven't got any cake!

What are these and when do I use them?

Prepositions are small words like 'in', 'after' and 'with'. They tell you where things are (e.g. '**on** the table', '**in** Ipswich') or give you some extra information (e.g. '**with** the man', '**after** the film', '**at** nine o'clock').

Why are they important?

Prepositions help you give details and link elements of your sentences together.

Things to look out for

Many prepositions are easy to use. Others, like *à* and prepositions that include *de*, need more care.

How do they work?

● These prepositions just slot into your sentence before a noun:

dans	in	*sur*	on	*contre*	against	*avant*	before
devant	in front of	*sous*	under	*avec*	with	*après*	after
derrière	behind	*vers*	towards	*sans*	without	*pendant*	during
entre	between	*pour*	for	*chez*	at …'s house	*depuis*	since

● The preposition *à* means 'at' or 'to'. With the name of a town, it can also mean 'in'. Be careful when *à* comes before *le* or *les*:

$à + le → au$ Je vais **au** parc. I go **to the** park.
$à + les →$ aux   Je suis **aux** magasins. I am **at the** shops.

● Some prepositions consist of more than one word:

à côté de	*près de*	*en face de*	*à cause de*	*au lieu de*
next to	near	opposite	because of	instead of

Be careful when these prepositions come before *le* or *les*:

$de + le → du$ Il est **en face du** restaurant. It's **opposite the** restaurant.
$de + les →$ des C'est **à cause des** enfants. It's **because of** the children.

À vos marques …

1 Alex has lost his keys. Where has he looked for them? Write the <u>six</u> places in English.

J'ai cherché mes clefs derrière la télé, sur la table et dans le garage.
J'ai cherché aussi sous le lit, devant la porte et entre les livres.

Prêts?

2 Complete each sentence with suitable prepositions from the ones listed above.

1 J'habite ▢▢▢ un appartement ▢▢▢ ma famille.
2 L'hôtel est ▢▢▢ cinéma et ▢▢▢ McDonald's.
3 ▢▢▢ Noël, j'achète des cadeaux ▢▢▢ ma famille.
4 ▢▢▢ les vacances, je vais ▢▢▢ la mer.

5 Ce soir, elle va ▢▢▢ sa grand-mère ▢▢▢ le collège.
6 Greenpeace est ▢▢▢ la nature et ▢▢▢ la déforestation.

Partez!

3 Translate these into French.

1 at the cinema
5 to the cinema

2 next to the cinema
6 instead of the cinema

3 at the shops
7 to the shops

4 near the shops
8 because of the shops

What are these?

Regular verbs are verbs that follow the same pattern. In French, there are three types of regular verb: -er verbs (the biggest group), -ir verbs and -re verbs.

When do I use them?

You use the present tense of regular verbs to talk about what <u>usually</u> happens or what is happening <u>now</u>.

Why are they important?

Verbs are crucial: every sentence contains a verb! The -er verbs are the most common kind. When new verbs are invented, they are usually regular -er verbs, e.g. *googler* (to google), *youtuber* (to watch videos on YouTube).

Things to look out for

In French, there is only one present tense. So a verb like *je joue* can mean 'I play' or 'I am playing'. If you make this present tense verb negative – i.e. *je ne joue pas* – it can mean 'I don't play' or 'I am not playing'.

How do they work?

- When you look up a verb, you find the original, unchanged form which is called the **infinitive**. Regular verbs have infinitives that end in **-er**, **-ir** or **-re**. To use the verb in the present tense:
  1 Remove the -er, -ir or -re from the end of the infinitive.
  2 Add the correct ending. The ending agrees with the subject of the verb.

- Here are the subject pronouns:

je	I	shortens to *j'* before a vowel or *h*
tu	you	used for a young person, friend or family member
il	he/it	
elle	she/it	
on	one/you/we	often used in French instead of *nous*
nous	we	
vous	you	used for more than one person or someone you don't know very well
ils	they	used for masculine nouns or a mixed group
elles	they	used for feminine nouns

- Here are the verb endings. The verb ending for *il*, *elle* and *on* is always the same. The ending for *ils* and *elles* is always the same, too.

-er verbs e.g. *parler* (to speak)	**-ir** verbs e.g. *finir* (to finish)	**-re** verbs e.g. *attendre* (to wait for)
je parle *tu parles* *il/elle/on parle* *nous parlons* *vous parlez* *ils/elles parlent*	*je finis* *tu finis* *il/elle/on finit* *nous finissons* *vous finissez* *ils/elles finissent*	*j'attends* *tu attends* *il/elle/on attend* (no ending) *nous attendons* *vous attendez* *ils/elles attendent*

- **Reflexive verbs** are verbs that have an extra reflexive pronoun in front of the verb. The verb itself might be regular or irregular, and is conjugated as usual. The reflexive pronoun agrees with the subject of the verb.

  e.g. **se** *disputer* (to argue):

  je **me** *dispute*   *nous* **nous** *disputons*
  tu **te** *disputes*   *vous* **vous** *disputez*
  il/elle/on **se** *dispute*   *ils/elles* **se** *disputent*

  NB *me, te* and *se* shorten to *m', t'* and *s'* before a vowel or *h* e.g. *Je* **m'***appelle Yannick.*

À vos marques ...

1 Change the ending on each -er verb to agree with the pronoun. Translate your answers into English.

Example: il (*parler*) → il parl**e** – he speaks/he is speaking

1 je (*parler*)	**2** tu (*aimer*)	**3** on (*youtuber*)	**4** vous (*visiter*)	**5** il (*adorer*)
6 elles (*habiter*)	**7** nous (*regretter*)	**8** elle (*admirer*)	**9** je (*danser*)	**10** ils (*assassiner*)

Prêts?

2 Complete each sentence with the correct form of the verb in brackets.

1 Elle _____ avec son papa. (*parler*)

2 Je _____ mes devoirs. (*finir*)

3 Nous _____ notre amie. (*attendre*)

4 Nous _____ au foot ce soir. (*jouer*)

5 Ils _____ en France. (*habiter*)

6 _____-tu le golf? (*aimer*)

7 Elle _____ très vite. (*grandir*)

8 Il _____ son professeur. (*entendre*)

9 Est-ce que vous _____ le président? (*admirer*)

10 Elles _____ la musique pop. (*adorer*)

3 Choose the correct reflexive pronoun. Then match each sentence with its English meaning.

1 Je me / te / se lève.

2 Elle me / te / se repose.

3 On me / te / se lave.

4 Nous nous / vous / s' entendons bien.

5 Elles s' / nous / vous amusent.

6 Tu te / se / vous douches.

7 Il me / te / se couche.

8 Vous se / nous / vous levez à quelle heure?

a We get washed.

b They enjoy themselves.

c She rests.

d He goes to bed.

e You have a shower.

f I get up.

g We get on well.

h What time do you get up?

Partez!

4 Copy and complete the article by changing the verbs in brackets into the correct form.

Quand Annie et ses amies (*quitter*) l'école, elles (*attendre*) le bus pendant un quart d'heure. Le voyage à la maison (*durer*) 50 minutes.

Annie (*se doucher*) et puis elle (*manger*) avec sa famille. Ils (*dîner*) à 20h parce que ses parents (*rentrer*) à 19h.

Après, Annie (*monter*) dans sa chambre où elle (*travailler*) un peu. Ses parents (*se coucher*) vers minuit.

«Je (*se coucher*) tôt», (*expliquer*) Annie, «parce que je (*se réveiller*) à 6h du matin. Mes copains et moi, nous (*se coucher*) tous de bonne heure car les cours (*commencer*) à 8h.»

What are these and when do I use them?

Lots of verbs don't follow the rules that apply to regular verbs: they are therefore called irregular verbs. You use the present tense of these verbs to talk about what is happening now, or to talk about what usually happens.

Why are they important?

The two most frequently used verbs in French – *être* (to be) and *avoir* (to have) – are both irregular. Many irregular verbs are ones you need to use all the time when you are talking or writing, like *aller* (to go) and *faire* (to do/make).

Things to look out for

Even though these verbs are irregular, there are patterns to look out for, e.g. the *nous* form almost always end in *-ons*, the *vous* form in *-ez*. You need to know the key irregular verbs by heart. You can find other irregular verbs in the verb tables on pages 223–224.

How do they work?

- To form irregular verbs in the present tense, you use the part of the verb that agrees with the subject or subject pronoun. The most common irregular verbs are:

être (to be)	*avoir* (to have)	*aller* (to go)	*faire* (to do/make)
je suis (I am)	*j'ai* (I have)	*je vais* (I go)	*je fais* (I do/make)
tu es	*tu as*	*tu vas*	*tu fais*
il/elle/on est	*il/elle/on a*	*il/elle/on va*	*il/elle/on fait*
nous sommes	*nous avons*	*nous allons*	*nous faisons*
vous êtes	*vous avez*	*vous allez*	*vous faites*
ils/elles sont	*ils/elles ont*	*ils/elles vont*	*ils/elles font*

- Examples of other common irregular verbs are:

boire (to drink)	*je bois*	*tu bois*	*il boit*	*nous buvons*	*vous buvez*	*ils boivent*
savoir (to know)	*je sais*	*tu sais*	*il sait*	*nous savons*	*vous savez*	*ils savent*
voir (to see)	*je vois*	*tu vois*	*il voit*	*nous voyons*	*vous voyez*	*ils voient*
lire (to read)	*je lis*	*tu lis*	*il lit*	*nous lisons*	*vous lisez*	*ils lisent*
prendre (to take)	*je prends*	*tu prends*	*il prend*	*nous prenons*	*vous prenez*	*ils prennent*

Depuis

You use *depuis* to say for how long you have been doing something. It is used with the present tense of regular or irregular verbs in French.

*Je **vais** aux scouts **depuis** six mois.* I **have been going** to Scouts **for** six months.

À vos marques …

1 Choose the suitable ending for each sentence, then translate the sentences into English.

1 J'ai un frère / intelligent.
2 Je suis certain / une voiture.
3 Je fais un gâteau / à Paris.
4 Je vais stupide / à Londres.
5 Tu es les yeux bleus / cool.
6 On va au parc / mes parents.
7 Êtes-vous les maths / américain?
8 Elle a les yeux verts / petite.
9 Nous sommes surpris / du karaté.
10 Il font au parc / leurs devoirs.

Prêts?

2 Translate each set of verbs into French.

avoir	*être*	*aller*	*faire*
1 we have	1 he is	1 she goes	1 she makes
2 they have	2 you are (*formal*)	2 they are going	2 he does
3 I have	3 my brothers are	3 I am going	3 we do
4 my family has	4 we are	4 you go (*formal*)	4 you are making (*friend*)
5 you have (*friend*)	5 I am	5 we are going	5 I am making

Partez!

3 Choose the correct form of the verb to complete each sentence. Then translate the sentences into English.

1 Vous avez / a / ont une nouvelle voiture.
2 Nous sait / savont / savons pourquoi!
3 Maman lire / lis / lit le journal.
4 Les garçons prend / prenons / prennent le bus.
5 Vous boire / boit / buvez de l'alcool?
6 On voit / voie / vois la différence entre les deux équipes.
7 Tu savoir / sait / sais comment faire un gâteau.
8 Elles voit / voient / voyez le problème.
9 Le bus est / es / être à 16h.
10 Mes parents lire / lisent / lisez mes e-mails.

4 Translate these sentences into English.

1 Je vais au club de danse depuis huit mois.
2 Je fais du karaté depuis trois ans.
3 Je suis divorcé depuis six semaines.
4 J'ai un chien depuis deux mois.
5 Je lis *Le Monde* depuis cinq ans.
6 Je bois du vin depuis l'âge de 18 ans.

> ⭐ Remember that although these sentences use the present tense in French, you will have to translate them with 'have been', 'have been doing', etc.

Why is this important?

To make friends and get along with people, you need to be able to ask them about themselves – and understand questions they ask you! You also need to ask questions in formal situations, like at the tourist office or in a shop.

Things to look out for

- Some questions contain a question word like 'why' or 'how'. Other questions have no question word: 'Do you live in Britain?' 'Is there a shop near here?'

- There are three different ways of asking questions in French. Some ways are easier than others: you should use the ones you feel comfortable with, but be able to recognise them all.

How do they work?

Questions <u>without</u> question words

- To form such a question, you can:

  1 Make a statement but raise the tone of your voice at the end/add a question mark:
  Tu vas souvent au cinéma? ⤴

  2 Put *est-ce que* at the start of a sentence: *Est-ce que tu vas souvent au cinéma?*

  3 Invert the subject and verb: *Vas-tu souvent au cinéma?*

Questions <u>with</u> question words

- To form such a question, you can:

  1 Put the question word at the end and raise the tone of your voice/add a question mark:
  Tu habites où? ⤴

  2 Put the question word at the start and add *est-ce que*: *Où est-ce que tu habites?*

  3 Invert the subject and verb after the question word: *Où habites-tu?*

- The key question words are:

  comment? how?   *où?* where?   *qui?* who?   *combien (de)?* how many/how much?
  pourquoi? why?   *que?* what?   *quand?* when?   *à quelle heure?* at what time?

- *Quel* means 'what' or 'which', and works like an adjective:

	masculine	feminine
singular	quel	quelle
plural	quels	quelles

Quel hôtel? Which hotel?
Quelles filles? Which girls?

1 Copy each question and underline the question word. Then match it with a suitable answer.

1 Où vas-tu?
2 Qui est malade?
3 À quelle heure arrives-tu?
4 Tu vas à Londres quand?
5 C'est combien?
6 Quelle voiture préfères-tu?
7 Comment voyages-tu?

a Mohammed.
b Lundi.
c La Ferrari.
d À 18h30.
e En Afrique.
f En train.
g 180 euros.

Prêts?

2 Complete each question with a question word that makes sense.

1 Le train arrive ▓▓▓▓?
2 ▓▓▓▓ est absent?
3 ▓▓▓▓ habitez-vous?
4 Le pantalon, c'est ▓▓▓▓?
5 ▓▓▓▓ est-ce que nous voyageons?
6 ▓▓▓▓ est-ce que tu es furieux?
7 Le film finit ▓▓▓▓?
8 ▓▓▓▓ est-ce qu'on se retrouve?
9 ▓▓▓▓ fais-tu demain?
10 ▓▓▓▓ t'appelles-tu?

3 Complete each sentence with the correct form of _quel_.

1 ▓▓▓▓ est la date?
2 Tu préfères ▓▓▓▓ garçons?
3 ▓▓▓▓ matières aimes-tu?
4 ▓▓▓▓ est ton livre préféré?
5 ▓▓▓▓ professeur as-tu?
6 ▓▓▓▓ est la capitale du Portugal?

Partez!

4 Use each prompt to write a question in French.

Ask a friend if he/she:
1 likes fast food
2 is going to the beach
3 lives in a big house
4 has a brother

Ask:
5 where the cinema is
6 when the film finishes
7 how much it costs
8 which bus goes to the cinema

Negatives

What are these and when do I use them?
The key negative used in French is *ne … pas*. It is used when you want to say what <u>isn't</u> the case or <u>didn't</u> happen. Other negative expressions are used to say things like 'nothing', 'never' and 'no longer'.

Why are they important?
You need to be able to say that you <u>don't</u> like something or that you <u>didn't</u> do something. You also need to spot negatives when you are reading or listening to French: you don't want to confuse 'I love you' with 'I don't love you any more', for example!

Things to look out for
In English, negative sentences include words like 'don't', 'haven't' or 'didn't'. But these sorts of word don't exist in French. Instead, you need to spot that these are examples of negative verbs, and use *ne … pas* to translate what you want to say into French.

How does *ne … pas* work?
- Put *ne … pas* around the verb to make it negative.
  *Elle **ne** travaille **pas** le samedi.* She doesn't work on Saturdays.
  Note that *ne* shortens to *n'* before a vowel or *h*.
  *Nous **n'**allons pas à Paris.* We are not going to Paris.

- After *pas*, the article used is *de* instead of *un* or *une*. *le/la/les* do not change.
  *Je n'ai pas **de** vélo.* I don't have a bicycle. *Je n'aime pas **le** rap.* I don't like rap music.

- In the perfect tense, *ne … pas* forms a sandwich around the auxiliary verb.
  *Je **ne** suis **pas** allée à Édimbourg.* I didn't go to Edinburgh.

- These negative expressions work in the same way as *ne … pas*:
  ne … jamais (never)   *ne … rien* (nothing)   *ne … plus* (no longer)
  *Je **ne** fume **plus**.* I no longer smoke./I don't smoke any more.
  *Il **n'a** **jamais** visité Londres.* He has never visited London.

À vos marques …

1 Translate these sentences into English.

1 Je n'aime pas les maths.
2 Je ne fais pas de karaté.
3 Je ne bois pas d'alcool.
4 Je n'ai pas d'enfants.

5 Je n'habite plus en France.
6 Je ne mange rien à midi.
7 Je n'ai plus d'argent!
8 Je ne vais jamais au théâtre.

Prêts?

2 Put the words in each sentence in the right order. Then translate each sentence into English.

1 au je ne pas joue rugby
2 elle va ne Bordeaux pas à
3 chien nous n' pas avons de
4 ne famille la regarde ma pas télé

5 ne elles sont contentes jamais
6 ne rien vois je
7 plus fume elle ne
8 je ce ne rien fais soir

Partez!

3 Translate these sentences into French.

1 I don't play tennis.
2 I don't have a book.
3 I am not working.

4 I don't play football any more.
5 I am not eating anything.
6 I never eat bananas.

The near future tense

L'indispensable!

What is this and when do I use it?
You use the near future tense to talk about what <u>is going to</u> happen in the future.

Why is it important?
You need to be able to understand when people talk about their future plans. You also need to be able to say what you are going to do in the future.

Things to look out for
There are two French future tenses: the 'near future' is the easier one. It uses the verb *aller*, which makes it easy to translate because we use the verb 'to go' in the same way in English.
*Je **vais** faire un gâteau.* I **am going to** make a cake.

How does it work?
● You use the correct part of *aller* + an infinitive.
● Here is a reminder of the verb *aller*:

je vais	*nous allons*
tu vas	*vous allez*
il/elle/on va	*ils/elles vont*

*Nous **allons** téléphoner.* We **are going to** phone.

À vos marques ...

1 Put the words in each sentence in the right order. Then translate each sentence into English.

1 je Paris visiter vais
2 lundi elle arriver va
3 va un Maxime magazine lire
4 allons nous tennis au jouer

5 tu écrire vas e-mail un
6 finir ils leurs vont devoirs
7 un mes regarder vont film parents
8 on maison une va acheter

Prêts?

2 Fill in the gaps with the correct part of *aller*.

Demain, il **1** ▢▢▢ faire beau. Anna **2** ▢▢▢ faire du vélo avec Marc. Ils **3** ▢▢▢ manger une glace. «Je **4** ▢▢▢ choisir une glace à la vanille et nous **5** ▢▢▢ manger nos glaces sur la plage», dit Anna. Ils **6** ▢▢▢ rentrer à 16h car le soir, Marc **7** ▢▢▢ sortir en boîte et Anna **8** ▢▢▢ aller chez une copine.

Partez!

3 Copy and complete each sentence with the correct part of *aller* and the French infinitive.

Example: Aurélie et Matthieu ▢▢▢ ▢▢▢ au restaurant. (*to eat*)
      Aurélie et Matthieu <u>vont</u> <u>manger</u> au restaurant.

1 Elle ▢▢▢ ▢▢▢ la télé. (*to watch*)
2 Mes copains ▢▢▢ ▢▢▢ une pizza. (*to make*)
3 Ma famille ▢▢▢ ▢▢▢ un film. (*to see*)
4 Nous ▢▢▢ ▢▢▢ nos devoirs. (*to finish*)
5 Je ▢▢▢ ▢▢▢ à la piscine. (*to go*)
6 Vous ▢▢▢ ▢▢▢ furieux! (*to be*)
7 On ▢▢▢ ▢▢▢ une belle surprise! (*to have*)
8 Tu ▢▢▢ ▢▢▢ à la cantine. (*to eat*)

The perfect tense with *avoir*

What is this and when do I use it?
The perfect tense is used to talk about an event or action that happened in the past. 'In the past' doesn't just mean in the 19th century or 30 years ago: it means yesterday, earlier on today or a minute ago!

Why is it important?
Talking about what has already happened is something we do all the time in everyday speech. Being able to use different tenses is vital, and the perfect tense is the key past tense you need to know.

Things to look out for
● The perfect tense of French verbs has two parts: the auxiliary verb + the past participle. What is one verb in English (e.g. 'we walked') has two parts in French (*nous avons marché*). Make sure you never miss out the auxiliary verb!

● The perfect tense has two meanings in English: *il a joué pour Arsenal* can mean 'he played for Arsenal' or 'he has played for Arsenal'.

How does it work?
● To form the perfect tense of most verbs, you need to take two steps.

Step 1: Use the correct **part of *avoir*** (the auxiliary verb). Here is a reminder of the verb *avoir*:

j'ai	nous avons
tu as	vous avez
il/elle/on a	ils/elles ont

Step 2: Add the **past participle**.
To form the past participle of a regular verb:

-er verbs e.g. *changer* (to change)	remove *-er* and add *é*	chang**é**
-ir verbs e.g. *finir* (to finish)	remove *-ir* and add *i*	fin**i**
-re verbs e.g. *entendre* (to hear)	remove *-re* and add *u*	entend**u**

● Irregular verbs have irregular past participles. Here are some common examples:

infinitive	past participle	infinitive	past participle
boire (to drink)	**bu**	*dire* (to say)	**dit**
voir (to see)	**vu**	*mettre* (to put)	**mis**
lire (to read)	**lu**	*prendre* (to take)	**pris**
croire (to believe)	**cru**	*être* (to be)	**été**
avoir (to have)	**eu**	*faire* (to do)	**fait**

Examples
● To translate 'she visited' …
Step 1: use the correct part of *avoir* → elle **a**
Step 2: add the past participle of *visiter* → **visité**
} So 'she visited' is **elle a visité**.

● To translate 'we saw' …
Step 1: use the correct part of *avoir* → nous **avons**
Step 2: add the past participle of *voir* → **vu**
} So 'we saw' is **nous avons vu**.

● To translate 'I took' …
Step 1: use the correct part of *avoir* → j'**ai**
Step 2: add the past participle of *prendre* → **pris**
} So 'I took' is **j'ai pris**.

À vos marques ...

1 Pick out the <u>eight</u> perfect tense verbs from the verbs below. Then translate them into English.

elle a mangé	j'aime	ils ont répondu	nous avons détesté
je préfère	j'ai aimé	il va travailler	on finit
ils répondent	tu vas admirer	tu as admiré	il a travaillé
on a fini	elle mange	j'ai préféré	nous détestons

2 Translate these irregular perfect tense verbs into English.

1 j'ai fait
2 on a vu
3 vous avez bu
4 elles ont eu
5 nous avons lu

6 tu as mis
7 mes parents ont dit
8 Pippa a pris
9 Bill et Ben ont été
10 j'ai cru

Prêts?

3 Use two steps to put the infinitives of these regular verbs into the perfect tense, using the pronoun given.

Example: je (*manger*) → j'ai mangé

1 je (*parler*)
2 vous (*grandir*)
3 ils (*googler*)
4 il (*entendre*)
5 tu (*attendre*)

6 nous (*oublier*)
7 mes parents (*apprécier*)
8 on (*écouter*)
9 je (*saisir*)
10 ma copine (*copier*)

Partez!

4 Maria has translated some sentences into French but has made a verb error in each one. Rewrite each sentence, correcting the verb error. Explain in English what her mistake is.

Example: I saw the programme. *Je vu l'émission.*
       J'ai vu l'émission. – She missed out the part of *avoir*.

1 I watched TV. *Je regardé la télé.*
2 She visited Paris. *Elle a visite Paris.*
3 We played football. *Nous avons jouer au foot.*
4 I finished my work. *Je finis mon travail.*
5 We liked the show. *Nous avons aime le spectacle.*
6 I drank a cola. *J'ai boire un coca.*
7 We saw a film. *Nous vu un film.*
8 They believed the story. *Ils avons cru l'histoire.*
9 You made a cake. *Tu fais un gâteau.*
10 She read a book. *Elle a lit un livre.*

5 Translate these sentences into French.

1 I ate a pizza.
2 We have finished!
3 My parents waited three hours.
4 He saw my friends in town.
5 I took the bus at five o'clock.

6 She played football yesterday.
7 You (*friend*) took my car.
8 He has seen the film.
9 Manon and Emma visited London.
10 You (*plural*) made a mistake!

The perfect tense with *être*

What is this and when do I use it?
When you are talking about events in the past, you need to use the perfect tense. But some verbs don't use *avoir* as the auxiliary verb: instead, they use the verb *être*.

Why is it important?
The auxiliary verb *être* is used with some vital verbs; you need to use the perfect tense with *être* to say things like 'I went', 'we stayed' or 'he has died'. The verb *aller* (to go) is probably the most important verb that uses *être*.

Things to look out for
- All reflexive verbs use *être* as the auxiliary verb in the perfect tense.
- There are only a further 13 verbs that form their perfect tense with *être*. If you learn these, then you know that all other verbs go with *avoir*. You might find that a mnemonic like MRS VAN DER TRAMP helps you remember these 13 verbs plus reflexives.
- Compounds of these verbs also take *être*, so look out for one of these 13 verbs with an added prefix. For example, *venir* (to come) has *être* as its auxiliary verb, and so do **re**venir (to come back) and **de**venir (to become). Also look out for *entrer* (to come in) and **r**entrer (to go home).
- For *être* verbs in the perfect tense, the past participle agrees with the subject of the verb. Watch out for this if you are a girl writing about yourself:
  'I went' is *je suis allé* if you are a boy, but *je suis allée* if you are a girl.

How does it work?
- To form the perfect tense of one of these 13 verbs, you need to take <u>three</u> steps.

  Step 1: Use the correct **part of *être*** (the auxiliary verb). Here is a reminder of the verb *être*:

je suis	*nous sommes*
tu es	*vous êtes*
il/elle/on est	*ils/elles sont*

  Step 2: Add the **past participle**. Here are the 13 verbs that have the auxiliary *être* with their past participles:

verb	past participle	verb	past participle
aller (to go)	*allé*	*entrer* (to enter/come in)	*entré*
venir (to come)	*venu*	*sortir* (to go out)	*sorti*
arriver (to arrive)	*arrivé*	*naître* (to be born)	*né*
partir (to leave)	*parti*	*mourir* (to die)	*mort*
monter (to go up, get in)	*monté*	*rester* (to stay)	*resté*
descendre (to go down, get out)	*descendu*	*tomber* (to fall)	*tombé*
		retourner (to go back/return)	*retourné*

  Step 3: Add an ending to the past participle if the subject of the verb is feminine or plural:

masculine	feminine: add *-e*	masc plural: add *-s*	fem plural: add *-es*
il est parti (he left)	*elle est partie* (she left)	*ils sont partis* (they left)	*elles sont parties* (they left)

- For reflexive verbs in the perfect tense, put the auxiliary verb *être* after the reflexive pronoun:
  *Je **me suis** couché(e).* I went to bed.
- With negatives, *ne … pas* goes around the auxiliary verb (in this case, *être*):
  *Je **ne** suis **pas** resté(e).* I <u>didn't</u> stay.

À vos marques …

1 Translate these verbs into English.

1 je suis arrivé
2 je suis resté
3 je suis retourné
4 je suis parti
5 je suis né
6 nous sommes allés
7 elle est morte
8 ils sont montés
9 tu es tombé
10 il est venu

Prêts?

2 Translate these into French. Remember to add -e to the past participle if you are a girl.

1 I went
2 I arrived
3 I have fallen
4 I went up
5 I came
6 I stayed
7 I have left
8 I returned
9 I went out
10 I came down

Partez!

3 Put the verb in brackets in the perfect tense. Then translate each sentence into English.

1 Je (*rester*) à la maison.
2 Vous (*arriver*) en retard.
3 Prince George (*naître*) à Londres.
4 Nous (*retourner*) au musée.
5 Les filles (*aller*) au cinéma.
6 Il (*venir*) à la plage avec nous.
7 Elle (*partir*) après moi.
8 On (*se disputer*) à cause de toi.
9 Tu (*se coucher*) à quelle heure?
10 Nous (*s'amuser*) hier!

4 Write out the story, changing the English verbs into French.

Hier soir, ▢▢▢▢ (*I went out*). ▢▢▢▢ (*I left*) à 19h30 et ▢▢▢▢ (*I arrived*) en ville à 20h. J'ai retrouvé mon cousin à l'arrêt de bus et ▢▢▢▢ (*we entered*) dans un café pour boire un coca. Puis ▢▢▢▢ (*we went*) au cinéma. Après, ▢▢▢▢ (*we returned*) au café. Mon cousin ▢▢▢▢ (*enjoyed himself*) et ▢▢▢▢ (*I enjoyed myself*) moi aussi.

What are modal verbs?

The three key modal verbs are **pouvoir** (to be able to), **devoir** (to have to) and **vouloir** (to want to). They are often used with another verb after them.

Why are they important?

Modal verbs are extremely useful and come up in conversation all the time. Modals are often used when asking questions or making polite requests.

Tu veux venir au cinéma? Do you want to come to the cinema?

Pouvez-vous répéter, s'il vous plaît? Can you repeat that, please?

Things to look out for

The English translation of the infinitive *pouvoir* is 'to be able to'. But *je peux* can be translated as 'I can'. Similarly, *devoir* means 'to have to', but you can translate *je dois* as 'I must'.

What is *il faut*?

The expression *il faut* means 'it is necessary to' or 'you have to'.

How do modal verbs and *il faut* work?

- Modal verbs and *il faut* are almost always followed by the infinitive.
  *Je dois **travailler**.* I must work.

- Here is the present tense of these three modal verbs and *il faut*:

pouvoir (to be able to)	*devoir* (to have to)	*vouloir* (to want to)	*il faut* (it is necessary to)
je peux (I can) *tu peux* *il/elle/on peut* *nous pouvons* *vous pouvez* *ils/elles peuvent*	*je dois* (I must) *tu dois* *il/elle/on doit* *nous devons* *vous devez* *ils/elles doivent*	*je veux* *tu veux* *il/elle/on veut* *nous voulons* *vous voulez* *ils/elles veulent*	*il faut*

- To make a modal verb negative, put *ne ... pas* around the modal.
  *Je **ne** veux **pas** aller à Paris.* I don't want to go to Paris.

Other verbs with the infinitive

Opinion verbs

Opinion verbs like *aimer* (to like), *adorer* (to love), *préférer* (to prefer), *détester* (to hate) and *espérer* (to hope) are also followed by the infinitive.

On adore danser. We love dancing.

Je voudrais *and* j'aimerais

Je voudrais and *j'aimerais* are examples of the conditional and they both mean 'I would like'. When you use them with another verb, the other verb is in the infinitive.

*Je **voudrais être** agent de police.* I **would like to be** a police officer.

*J'**aimerais danser**.* I **would like to dance**.

Verbs followed by à + *the infinitive*

Some verbs are followed by *à* + the infinitive. These include:

commencer à	*aider à*	*réussir à*	*apprendre à*
to begin to	to help to	to succeed in	to learn to

*Il commence **à** pleuvoir.* It's starting to rain.

Verbs followed by de + the infinitive

Some verbs are followed by *de* + the infinitive. These include:

décider de	essayer de	choisir de	oublier de
to decide to	to try to	to choose to	to forget to

*On a décidé **de** faire un pique-nique.* We decided to have a picnic.

À vos marques …

1 Choose the correct verb from the box to complete the translation of each sentence in brackets.

voulons   dois   devez   veux   peux   doit   peuvent   voulez

1 Je _____ attendre ici. (*I must wait here.*)

2 Je _____ aller en ville. (*I want to go to town.*)

3 Je _____ sortir ce soir. (*I can go out tonight.*)

4 Il _____ être fatigué. (*He must be tired.*)

5 Nous _____ chanter. (*We want to sing.*)

6 _____-vous danser? (*Do you want to dance?*)

7 Vous _____ l'accepter. (*You must accept it.*)

8 Ils _____ venir aussi. (*They can come too.*)

Prêts?

2 Rearrange the words to make correct sentences. Then translate each sentence into English.

1 elle ce peut soir sortir

2 nous aider nos devons parents

3 aller tu veux au avec cinéma ? moi

4 visiter peut des on historiques monuments

5 il l'uniforme porter faut

6 la voir pouvez Eiffel tour vous

7 dois je devoirs mes faire

8 classe boire il ne pas faut en

3 Maria has written some sentences in French but has made a mistake in each one. Rewrite each sentence, correcting her mistake. Explain in English what her mistake is.

Example: *Il faut reste à la maison.*

   *Il faut **rester** à la maison.* – She didn't use the infinitive.

1 Il faut arrive à 8h.

2 Je peut venir au concert avec toi.

3 On doit ne fumer pas au collège.

4 Tu veux parle sur Skype ce soir?

5 Nous pouvez aider le prof.

6 Les enfants doit apprendre le latin.

7 Il faut ne arriver pas en retard.

8 Antoine et Annie peuvent travaillent ce samedi.

Partez!

4 Translate these sentences into French.

Example: They don't want to take the bus. → Ils ne veulent pas prendre le bus.

1 I can take the bus.

2 We must take the bus.

3 She wants to take the bus.

4 My friends want to take the bus.

5 Alex can take the bus.

6 I don't want to take the bus.

7 We can't take the bus.

8 I would like to take the bus.

5 Translate this story into English.

Hier, ma famille a décidé de faire un pique-nique au bord de la mer. J'adore aller à la mer. J'ai essayé de contacter mon cousin mais il n'a pas répondu au téléphone. J'ai aidé mon père à préparer les sandwichs mais à 11h, il a commencé à pleuvoir. On a choisi de rester à la maison. Je préfère rester à l'intérieur quand il pleut mais j'aimerais aller à la mer aujourd'hui.

Adjectives

What are they and why are they important?

Adjectives are describing words like 'green' or 'interesting'. Use them to give descriptions and opinions.

Things to look out for

● In English, adjectives don't change: 'green' is always just 'green'. In French, most adjectives change their spelling depending on the noun they are describing. So if you are saying something is 'green' in French, you might need to use *vert*, *verte*, *verts* or *vertes*. This is called 'adjectival agreement'.

● But most French adjectives come <u>after</u> the noun (e.g. *le ballon* **rouge**).

How do they work?

● To make an adjective agree with a noun, change the ending of the adjective according to the gender of the noun, and whether the noun is singular or plural.

masculine	feminine	masc plural	fem plural
un vase noir	*une table noire*	*des vases noirs*	*des tables noires*

● Many adjectives are irregular and follow a different pattern. Here are some examples:

ends in ...	masc	fem	ends in ...	masc	fem
-eux	*heureux*	*heureuse*	**-os**	*gros*	*grosse*
-eur	*travailleur*	*travailleuse*	**-on**	*bon*	*bonne*
-anc	*blanc*	*blanche*	**-il**	*gentil*	*gentille*
-f	*actif*	*active*	**-ien**	*italien*	*italienne*

● Some adjectives never change, e.g. *sympa*, *cool*, *super*, *marron*.

● Most adjectives come <u>after</u> the noun. However, these common adjectives come <u>before</u> the noun:

grand (big)   *petit* (small)   *nouveau* (new)   *vieux* (old)   *beau* (beautiful)
joli (pretty)   *jeune* (young)   *bon* (good)   *mauvais* (bad)   *haut* (high)
e.g. *un* **bon** *étudiant*.

À vos marques ...

1 Choose the correct form of the adjective to complete each sentence.

1 Mon frère est grand / grande.
2 Ma sœur est joli / jolie.
3 Mes frères sont absent / absents.

4 Mes sœurs sont amusants / amusantes.
5 Nous sommes contente / contents.
6 J'ai les cheveux blond / blonds.

Prêts?

2 Copy out the text, changing the adjectives in the description so that they agree.

Ma prof (*préféré*) s'appelle Madame Black. Elle est (*amusant*) mais parfois (*sévère*): quand les élèves sont (*méchant*), elle devient (*furieux*). Mais en général, elle est (*compréhensif*) et (*aimable*). Ma copine Anna n'est pas très (*travailleur*) et de temps en temps, elle est (*agaçant*) mais elle est (*gentil*).

Partez!

3 Translate each sentence into French. Make sure the adjectives are in the right place and agree.

1 I live in a small house. (*maison, f*)
2 I have a green car. (*voiture, f*)

3 I have a big black cat. (*chat, m*)
4 I don't like old, boring films. (*films, mpl*)

The comparative and superlative of adjectives   L'indispensable!

What are these and when are they used?
The comparative form of adjectives is used to compare things, e.g. 'x is <u>smaller than</u> y'. The superlative is used to say something is 'the small<u>est</u>', '<u>most</u> popular', '<u>best</u>', etc.

Why are they important?
Comparatives and superlatives make descriptions more detailed and interesting.

Things to look out for
When you are using the comparative or superlative forms of adjectives, you need to make the adjective agree with the noun as usual.

How do comparatives work?
- Use *plus … que* (more … than) around the adjective.
  *L'anglais est **plus utile que** les maths.*   English is <u>more useful than</u> maths.
  *La France est **plus grande que** l'Italie.*   France is <u>bigger than</u> Italy.
- Just like in English ('good' → 'better'), *bon* is irregular: the comparative of *bon* (good) is *meilleur* (better).
- *Moins … que* means less … than.
  *Il est **moins fort que** moi.*   He is <u>less strong than</u> me/<u>not as strong as</u> me.
- *Aussi … que* means just as … as.
  *Elle est **aussi grande que** moi.*   She is <u>just as tall as</u> me.

How do superlatives work?
- Use *le/la/les plus* (the most …) + the adjective.
  *la ville **la plus importante***   the <u>most important</u> town   *le garçon **le plus bête***   the <u>silliest</u> boy
- *Le/la/les* agrees with the noun.
  *les animaux **les plus rapides***   the <u>fastest</u> animals
- If an adjective normally comes <u>before</u> the noun, the superlative also comes first.
  ***le plus grand** problème*   the <u>biggest</u> problem
- To say 'the best', use *le/la/les meilleur(e)(s)*
  *C'est **la meilleure** chanson.*   It's the <u>best</u> song.

À vos marques …

1 Translate these sentences into English, and note if they are true or false.

1 La France est plus grande que l'Irlande.
2 Les serpents sont plus dangereux que les chats.
3 Prince William est plus riche que moi.
4 Les carottes sont meilleures que les bonbons.
5 Londres est moins grand que Manchester.
6 Bart Simpson est aussi intelligent que Lisa.

Prêts?

2 Complete each sentence with *plus*, *moins* or *aussi*, according to your own opinion.

1 Le français est [____] intéressant que les maths.
2 Ma maison est [____] grande qu'un palais.
3 Je suis [____] intelligent(e) qu'Einstein.
4 La France est [____] petite que la Russie.
5 Les cours sont [____] ennuyeux que les vacances.
6 Les éléphants sont [____] beaux que les girafes.

Partez!

3 Write <u>six</u> sentences comparing yourself to people in your class. Start each one with *Je suis* … (I am …).

Example: Je suis moins travailleuse que Megan.

Possessive adjectives

What are these, when are they used and why are they important?
Possessive adjectives are words like 'my', 'your' and 'his'. They are used to say who things belong to.

Things to look out for
- In English, there is only one word for 'my': 'my brother', 'my sister', 'my parents'. In French, there are three different words for 'my': **mon** frère, **ma** sœur, **mes** parents. The possessive adjective needs to agree with the noun it comes before.

- Another thing to watch out for is that, in English, we use the words 'his' and 'her'. In French, there is one set of words which can mean either 'his' or 'her'.
  *Il aime **son** père.* He loves **his** father.   *Elle aime **son** père.* She loves **her** father.

How do they work?
- Here are the possessive adjectives:

	masculine	feminine	plural
my	mon	ma	mes
your (friend)	ton	ta	tes
his/her/one's	son	sa	ses
our	notre		nos
your (formal)	votre		vos
their	leur		leurs

  mon papa my dad   **ma** maman my mum   **mes** parents my parents

- Before a singular noun starting with a vowel or *h*, you always use *mon/ton/son*, even if the noun is feminine:
  mon amie my friend   *son école* his school

---

1 Translate these into English. Sometimes you will need to give two possible translations.

1 mon sac
2 sa famille
3 votre difficulté
4 tes opinions
5 mes copains
6 leur collège
7 son appartement
8 nos professeurs

Partez!

2 Replace the English possessive with the correct French word.

1 (*my*) maman
2 (*your*) (*friend*) parents
3 (*his*) grand-père
4 (*her*) grand-père

5 (*our*)-Dame de Paris
6 (*your*) (*plural*) professeurs
7 (*their*) problème
8 (*my*) armoire

Grammaire
The imperfect tense

What is this and when do I use it?
The imperfect tense is used to talk about what happened in the past over a period of time, rather than just one single event. You use it to describe what <u>was happening</u> at a given time or what <u>used to happen</u>.

Why is it important?
The imperfect tense is used in key phrases like 'it was' or 'there were', as well as for describing what the weather was like. You also need to understand people talking about how things used to be when they were younger, for example.

Things to look out for
A verb in the imperfect tense can be translated in different ways. For example, *elle **regardait** la télé* can mean 'she <u>used to watch</u> TV' or 'she <u>was watching</u> TV'.

How does it work?
- Here are the key imperfect verbs you need to know:

avoir	*J'**avais** un chien*. I **used to have** a dog.	*Il y **avait** un problème*. There **was** a problem.
être	*J'**étais** timide*. I **was** shy.	*C'**était** super!* It **was** great!
faire	*Je **faisais** un gâteau*. I **was making** a cake.	*Il **faisait** beau*. The weather **was** lovely.

- The imperfect tense is formed by taking the *nous* form of the present tense verb, removing the *-ons* ending, and adding the correct imperfect ending. For *être*, endings are added to *ét-*.

The imperfect endings are:

*je dans**ais***	*nous dans**ions***
*tu dans**ais***	*vous dans**iez***
*il/elle/on dans**ait***	*ils/elles dans**aient***

Prêts?

1 Choose a suitable ending for each sentence. Then translate each sentence into English.

1 J'avais intelligent / un journal / Paris.
2 J'étais intelligent / une table / Manchester.
3 Je faisais beau / mes devoirs / arriver.
4 Elle avait les yeux bleus / petite / boire.
5 C'était les yeux bleus / monter / super!
6 Il faisait froid / me / pleut.
7 Il y avait poli / les cheveux bruns / un concert.
8 C'était impossible / sortir / vais.

Partez!

2 Translate these sentences into French using the imperfect tense.

1 It was interesting.
2 There was a restaurant.
3 It was hot.
4 I was in the garden.
5 I had two friends.
6 We used to have a cat.
7 He used to be a teacher.
8 My mum was nine years old.

The (simple) future tense

What is this and when do I use it?
This tense is used to talk about what <u>will</u> happen in the future.

Why is it important?
The near future (*aller* + infinitive) is an easier way for you to talk about the future, but you will hear and see this future tense as well.

Things to look out for
In English, we use the word 'will' to indicate the future, e.g. 'I will go to university'. But there is no French word for 'will': instead, you need to recognise a future tense verb from the future stem and a special set of endings.

How does it work?
The future tense is formed with the future stem of the verb + the future tense endings.

future tense stem		future tense endings
-er/-ir verbs	the infinitive	*je travailler***ai** (I will work)
-re verbs	the infinitive without the final -e	*tu travailler***as** (you will work) *il/elle/on travailler***a** (he/she/we will work)
avoir	aur-	*nous travailler***ons** (we will work)
être	ser-	*vous travailler***ez** (you will work)
aller	ir-	*ils/elles travailler***ont** (they will work)
faire	fer-	

Prêts?

1 What will things be like for Sofia in 10 years' time? Translate what she says into English.

1 J'aurai trois enfants.
2 Je serai agent de police.
3 J'habiterai à Londres.
4 Je ferai beaucoup de sport.
5 J'irai à la salle de sport régulièrement.
6 On sera riche.
7 On aura une grande maison.
8 Mon compagnon travaillera pour Renault.

Partez!

2 Translate this article about the future into English.

Dans le futur, il y aura beaucoup de robots. Ces robots parleront et penseront comme nous, les humains. Un robot type sera très pratique: il aidera à faire le ménage, préparera nos repas et s'occupera de nos enfants. Le robot fera les devoirs et rangera la chambre des enfants. Mais il ne nous aimera pas!

Object pronouns

What are object pronouns and when are they used?

A direct object pronoun replaces a noun in a sentence, e.g. 'She loves **him**.' 'I watch **them**.'
Indirect object pronouns do the same job, but mean '**to** him', '**to** them', etc., e.g. 'I gave the book **to** her.'

Things to look out for

Object pronouns are very common, but they are quite tricky in French. In English, they come after the verb, e.g. 'I hate **it**.' In French, they come before the verb, e.g. *Je **le** déteste.* When you are translating, you need to be aware that the words *le/la/les* might need to be translated as pronouns.

How do they work?

- The direct object pronouns are:

  me (me)   *te* (you)   *le* (him/it)   *la* (her/it)   *nous* (us)   *vous* (you)   *les* (them)

- The indirect object pronouns are the same as the direct object pronouns, except for:
  lui (to him/to her/to it) and *leur* (to them).

- Both direct and indirect object pronouns come before the verb.
  *Je **le** vois.* I see **him**.   *Je **leur** ai donné 10€.* I gave 10€ **to them**.

What are *y* and *en* and how do they work?

- *Y* means 'there', e.g. *Il **y** va souvent.* He goes **there** often.

- *En* means 'some', 'of it' or 'of them', e.g. *J'**en** ai mangé hier.* I ate **some** yesterday.

- If a sentence contains more than one of these pronouns, they go in this order:
  me/te/nous/vous   le/la/les   lui/leur   y   en
  *Marie **les lui** donne.* Marie gives **them to him/her**.

Prêts?

1 Translate these sentences into English.

1 Je la déteste.
2 Je ne l'aime pas.
3 Je les ai.
4 Je lui parle en français.
5 Je leur ai donné le livre.
6 J'y suis allé hier.
7 J'en ai bu ce matin.
8 Je la leur offre.

Partez!

2 Put the words in the correct order to translate each English sentence.

1 je déteste les (*I hate them.*)
2 ? aimes tu l' (*Do you like it?*)
3 le elle regarde (*She watches him.*)
4 avons nous l' (*We have it.*)
5 lui je devoirs donne les (*I give the homework to her.*)
6 je parlé leur ai (*I spoke to them.*)
7 ai hier j' vu en (*I saw some yesterday.*)
8 y j' demain vais (*I am going there tomorrow.*)

Relative pronouns

What are these, when are they used and why are they important?
These are words like 'who' and 'which'. They refer back to a noun and help you extend your sentences. You need to be able to use *qui* and recognise *que*.

Things to look out for
In English, we can miss the relative pronoun out if we want to, e.g. 'the book I read yesterday' or 'the book **that** I read yesterday'.
In French, you must include the relative pronoun, e.g. *le livre* **que** *j'ai lu hier*.

How do they work?
- *Qui* is used to say 'who', 'which' or 'that' when 'who', 'which' or 'that' is the **subject** of the verb.
  Bruno est un homme **qui** *est très courageux.* Bruno is a man **who** is very brave.
- *Que* is used to say 'who', 'which' or 'that' when 'who', 'which' or 'that' is the **object** of the verb in the clause.
  L'homme **que** *j'ai vu s'appelle Bruno.* The man **who/whom** I saw is called Bruno.

Demonstrative adjectives and pronouns

What are these and when are they used?
Demonstrative <u>adjectives</u> are the words *ce, cet, cette, ces* followed by a noun. They mean 'this', 'that', 'these' or 'those'. The demonstrative <u>pronouns</u> you need to know are *cela* and *ça*, which both mean 'that'.

Why are they important?
Demonstrative adjectives are used in some very common expressions like *ce soir* (this evening/tonight). The word *ça* is also very handy, as it is an easy way to replace a noun, e.g. *J'aime* ça! I like that!

How do they work?
The demonstrative adjective has to agree with the noun it comes before:

masculine	feminine	plural	masc and begins with vowel or *h*
ce bungalow (**this/that** bungalow)	*cette* maison (**this/that** house)	*ces* maisons (**these/those** houses)	*cet* appartement (**this/that** flat)

The pronouns *cela* and *ça* are easy to use and are interchangeable.
Tu as vu **ça**? Did you see that? **Cela** *m'énerve!* That gets on my nerves!

Prêts?

1 Translate each sentence into English.

1 Ma sœur, qui s'appelle Annette, est à l'université.
2 Le livre que je préfère s'appelle *Studio*.
3 La voiture qui est la plus pratique, c'est une Renault.
4 La voiture que je veux, c'est une Porsche.
5 Où est la fille qui était ici?
6 Où est le garçon que j'ai vu hier?

Partez!

2 Fill in each gap with *ce/cette/ces/cet* or the pronoun *ça*.

1 J'aime ▢ photos.
2 ▢ animal est un puma.
3 Tu aimes ▢ baskets?
4 Elle préfère ▢ maison.
5 Je n'aime pas ▢!
6 ▢ soir, je vais sortir.
7 ▢ biscuits sont délicieux.
8 Tu vas accepter ▢?

The pluperfect tense

What is this and how does it work?

The pluperfect tense is used to talk about what <u>had</u> happened in the past. It is formed of two parts: the imperfect form of *avoir* or *être* + the past participle.

*j'**avais** vu* I **had** seen   *j'**étais** parti* I **had** left

en + *the present participle*

How does this work?

The present participle ends in '-ing' in English, e.g. 'entering' and in *-ant* in French, e.g. *entrant. En* + the present participle can mean <u>while doing</u> something, <u>on doing</u> something or <u>by doing</u> something.

*Je cours **en écoutant** de la musique.* I run **while listening** to music.

***En entrant** dans la salle, j'ai vu Luc.* **On entering** the room, I saw Luc.

*J'ai résolu le problème **en parlant** au prof.* I solved the problem **by speaking** to the teacher.

The passive voice

What is this?

When *être* is used with a past participle, it could be an example of the passive voice.

e.g. *Le livre **est** écrit par mon prof.* The book **is written** by my teacher.

The imperative

What is this and how does it work?

The imperative is used to tell people to do things. This is how it is formed:

	-er **verbs**	*-ir/-re* **verbs and most irregulars**	*avoir*	*être*	**reflexives**
tu form	*mang**e**!*	*finis!/attends!/viens!*	*aie!*	*sois!*	*calme-toi!*
vous form	*mangez!*	*finissez!/attendez!/venez!*	*ayez!*	*soyez!*	*calmez-vous!*

Prêts?

1 Translate into English what <u>had</u> happened when Éric came home last night.

1 Son père avait fait un gâteau.
2 Sa sœur était tombée dans l'escalier.
3 Sa grand-mère avait perdu ses lunettes.
4 Le chien avait mangé une chaussette.

Partez!

2 Translate the part of each sentence in bold into English.

1 **En travaillant**, elle aura de bons résultats.
2 Je fais mes devoirs **en regardant la télé**.
3 **En mangeant des légumes**, j'ai plus d'énergie.
4 **En ouvrant la porte**, j'ai vu mon cousin australien.

3 Translate these sentences into English.

1 La lettre est écrite par ma mère.
2 Les animaux ne sont pas admis.
3 Mon gâteau est ruiné!
4 L'émission est regardée par des millions de téléspectateurs.
5 Cet uniforme est porté par les pilotes.
6 L'idée est proposée par le Premier ministre.

4 You have been left a list of things to do while your mum is out. Write in English what she tells you to do.

Va à la boulangerie et achète deux baguettes; prépare la soupe; aide ta sœur avec ses devoirs de maths; range ta chambre; fais tes devoirs; sois gentil avec ta sœur!

Useful verb tables

Regular verbs

Learn the patterns and you can use any regular verb!

INFINITIVE	PRESENT TENSE (stem + present tense endings)	PERFECT TENSE (auxiliary + past participle)	NEAR FUTURE TENSE (verb *aller* + infinitive)
regarder to watch	je regard**e** tu regard**es** il regard**e** nous regard**ons** vous regard**ez** ils regard**ent**	j'ai regard**é** tu as regardé il a regardé nous avons regardé vous avez regardé ils ont regardé	je **vais** regarder tu **vas** regarder il **va** regarder nous **allons** regarder vous **allez** regarder ils **vont** regarder
finir to finish	je fin**is** tu fin**is** il fin**it** nous fin**issons** vous fin**issez** ils fin**issent**	j'ai fin**i** tu as fini il a fini nous avons fini vous avez fini ils ont fini	je vais finir tu vas finir il va finir nous allons finir vous allez finir ils vont finir
attendre to wait	j'attend**s** tu attend**s** il attend nous attend**ons** vous attend**ez** ils attend**ent**	j'ai attend**u** tu as attendu il a attendu nous avons attendu vous avez attendu ils ont attendu	je vais attendre tu vas attendre il va attendre nous allons attendre vous allez attendre ils vont attendre
se **coucher** to go to bed	je **me** couche tu **te** couches il **se** couche nous **nous** couchons vous **vous** couchez ils **se** couchent	je me suis couché(e) tu t'es couché(e) il s'est couché nous nous sommes couché(e)s vous vous êtes couché(e)(s) ils se sont couchés	je vais me coucher tu vas te coucher il va se coucher nous allons nous coucher vous allez vous coucher ils vont se coucher

Key irregular verbs

INFINITIVE	PRESENT TENSE (watch out for the change of stems)	PERFECT TENSE (auxiliary + past participle)	NEAR FUTURE TENSE (verb *aller* + infinitive)
avoir to have	j'**ai** tu **as** il **a** nous **avons** vous **avez** ils **ont**	j'ai **eu** tu as eu il a eu nous avons eu vous avez eu ils ont eu	je vais avoir tu vas avoir il va avoir nous allons avoir vous allez avoir ils vont avoir
être to be	je **suis** tu **es** il **est** nous **sommes** vous **êtes** ils **sont**	j'ai **été** tu as été il a été nous avons été vous avez été ils ont été	je vais être tu vas être il va être nous allons être vous allez être ils vont être
faire to do/make	je **fais** tu **fais** il **fait** nous **faisons** vous **faites** ils **font**	j'ai **fait** tu as fait il a fait nous avons fait vous avez fait ils ont fait	je vais faire tu vas faire il va faire nous allons faire vous allez faire ils vont faire
aller to go	je **vais** tu **vas** il **va** nous **allons** vous **allez** ils **vont**	je **suis** allé(e) tu **es** allé(e) il **est** allé nous **sommes** allé(e)s vous **êtes** allé(e)(s) ils **sont** allés	je vais aller tu vas aller il va aller nous allons aller vous allez aller ils vont aller

The following key irregular verbs are known as 'modal' verbs.

INFINITIVE	PRESENT TENSE (watch out for the change of stems)	PERFECT TENSE (auxiliary + past participle)	NEAR FUTURE TENSE (verb *aller* + infinitive)
vouloir to want (to)	je **veux** tu **veux** il **veut** nous **voulons** vous **voulez** ils **veulent**	j'ai **voulu** tu as voulu il a voulu nous avons voulu vous avez voulu ils ont voulu	je vais vouloir tu vas vouloir il va vouloir nous allons vouloir vous allez vouloir ils vont vouloir
pouvoir can/to be able to	je **peux** tu **peux** il **peut** nous **pouvons** vous **pouvez** ils **peuvent**	j'ai **pu** tu as pu il a pu nous avons pu vous avez pu ils ont pu	je vais pouvoir tu vas pouvoir il va pouvoir nous allons pouvoir vous allez pouvoir ils vont pouvoir
devoir must/ to have to	je **dois** tu **dois** il **doit** nous **devons** vous **devez** ils **doivent**	j'ai **dû** tu as dû il a dû nous avons dû vous avez dû ils ont dû	je vais devoir tu vas devoir il va devoir nous allons devoir vous allez devoir ils vont devoir

Useful verb tables

Other useful irregular verbs

INFINITIVE	PRESENT TENSE (watch out for the change of stems)	PERFECT TENSE (auxiliary + past participle)	NEAR FUTURE TENSE (verb *aller* + infinitive)
boire to drink	je **bois** tu **bois** il **boit** nous **buvons** vous **buvez** ils **boivent**	j'ai **bu** tu as bu il a bu nous avons bu vous avez bu ils ont bu	Je vais boire tu vas boire il va boire nous allons boire vous allez boire ils vont boire
écrire to write	j'**écris** tu **écris** il **écrit** nous **écrivons** vous **écrivez** ils **écrivent**	j'ai **écrit** tu as écrit il a écrit nous avons écrit vous avez écrit ils ont écrit	je vais écrire tu vas écrire il va écrire nous allons écrire vous allez écrire ils vont écrire
lire to read	je **lis** tu **lis** il **lit** nous **lisons** vous **lisez** ils **lisent**	j'ai **lu** tu as lu il a lu nous avons lu vous avez lu ils ont lu	je vais lire tu vas lire il va lire nous allons lire vous allez lire ils vont lire
mettre to put	je **mets** tu **mets** il **met** nous **mettons** vous **mettez** ils **mettent**	j'ai **mis** tu as mis il a mis nous avons mis vous avez mis ils ont mis	je vais mettre tu vas mettre il va mettre nous allons mettre vous allez mettre ils vont mettre
prendre to take	je **prends** tu **prends** il **prend** nous **prenons** vous **prenez** ils **prennent**	j'ai **pris** tu as pris il a pris nous avons pris vous avez pris ils ont pris	je vais prendre tu vas prendre il va prendre nous allons prendre vous allez prendre ils vont prendre
savoir to know	je **sais** tu **sais** il **sait** nous **savons** vous **savez** ils **savent**	j'ai **su** tu as su il a su nous avons su vous avez su ils ont su	je vais savoir tu vas savoir il va savoir nous allons savoir vous allez savoir ils vont savoir
voir to see	je **vois** tu **vois** il **voit** nous **voyons** vous **voyez** ils **voient**	j'ai **vu** tu as vu il a vu nous avons vu vous avez vu ils ont vu	je vais voir tu vas voir il va voir nous allons voir vous allez voir ils vont voir